BENJAMÍN PRADO

Mala gente que camina

punto de lectura

Título: Mala gente que camina
© 2006, Benjamín Prado
© Santillana Ediciones Generales, S.L.
© De esta edición: abril 2007, Punto de Lectura, S.L.
Torrelaguna, 60. 28043 Madrid (España)   www.puntodelectura.com

ISBN: 978-84-663-6931-2
Depósito legal: B-14.333-2007
Impreso en España – Printed in Spain

Diseño de portada: Pdl
Fotografía de portada: Comida navideña para niños pobres / Agencia EFE / Vidal
Diseño de colección: Punto de Lectura

Impreso por Litografía Rosés, S.A.

178 / 1

BENJAMÍN PRADO

Mala gente que camina

No basta que callemos y además no es posible.

LUIS ROSALES

Capítulo uno

Era un día perfecto para que no empezase esta historia. Estábamos en diciembre; hacía un frío de mil demonios que lograba que la ciudad se pareciera a mi vida como un plato roto a otro plato roto y yo acababa de tomarme en la barra del bar Montevideo, junto al instituto donde doy clase, un café de los míos, negro como la tinta, sin azúcar y tan caliente que le hubiera servido a la Santa Inquisición para quemar dentro de él a Galileo. Después había comprado el periódico, había subido a la sala de juntas para intercambiar con el resto de los profesores media docena de frases esponjosas y, finalmente, había ido a mi despacho para trabajar en una conferencia sobre la escritora Carmen Laforet que preparaba desde hacía un tiempo, y a esperar que llegase la primera visita de la mañana. Porque, desgraciadamente, estábamos a lunes y, desde que era jefe de estudios, todos los lunes, miércoles y jueves, de nueve a doce, recibía a los padres de los alumnos problemáticos que hubiesen pedido cita para hablar de sus hijos, que en su opinión eran unos Sócrates y en la mía un hatajo de gandules orgullosos de su pereza y su ignorancia, siempre con sus conversaciones sobre videoconsolas o líneas ADSL y agarrados a sus teléfonos móviles igual que monos a las ramas de un baobab. Un desastre.

Les decía que aquella mañana estaba en mi despacho y que mientras esperaba la visita, a las nueve en punto, de una de las tres mujeres que protagonizarán esta historia, me puse a trabajar en el ensayo sobre Carmen Laforet que pensaba presentar en un congreso que iba a celebrarse en Atlanta, Georgia, y en el que mi tarea consistía, básicamente, en tocar el manuscrito en clave de re: rehacer, reescribir, replantear... Las consecuencias eran dramáticas, porque el texto empeoraba un poco cada día, se hacía más impersonal, más académico, más envarado. No es extraño que ese lunes, al mirar alternativamente la ventana de mi despacho y la pantalla del ordenador, empezase a ver mi trabajo como si él también fuera una calle nevada. ¿Se han fijado en lo que ocurre después de una tormenta de nieve? Al principio la ciudad es blanca, hipócritamente blanca, y parece tan limpia, tan honesta; pero después, según transcurren las horas, se va ennegreciendo con las pisadas de la gente, como si cada uno que pasa dejara en ella sus pecados. Bueno, pues eso es justo lo que me parecía, a aquellas alturas, mi ensayo: algo que se había convertido en hielo sucio y duro. Algo sobre lo que era fácil resbalar.

Empecé a leer donde lo había dejado la última vez: «Hoy, a los sesenta años de la aparición de *Nada*, esa novela con que la joven Carmen Laforet ganó el Premio Nadal en 1945, no sólo es el tercer libro más estudiado de la literatura española, tras el *Quijote* y *La familia de Pascual Duarte*, de Camilo José Cela, sino que ha logrado la unanimidad de la crítica, que la considera una de las obras cardinales no sólo de nuestra narrativa de posguerra, sino también...».

—¿Se puede? ¿Me perdonas si te interrumpo unos segundos?

Levanté los ojos y vi en el umbral a Bárbara Arriaga, la profesora de Física y Química. Era una mujer delgada, con un rostro terroso y asimétrico, una mirada pendenciera en la que se conjugaban, de forma incongruente, el desinterés y la avaricia, y un carácter áspero que tendía a convertir el suceso más trivial en una batalla. Su voz era muy hermosa, elegante y de una musicalidad que estaba en contradicción con toda ella, pero especialmente con su boca, en la que conservaba una perenne mueca de disgusto. Si te fijabas en sus labios, siempre tenías la impresión de que, una de dos: o estaba a punto de silbar *La Marsellesa* o acababa de sorber un espagueti.

—Claro, Bárbara. Adelante.

—Quería hablar contigo.

—Tú dirás.

Y vaya si dijo, la muy zorra. Les voy a ahorrar su discurso, lleno de palabras adustas y gestos desabridos, fabricado con una mezcla de ruegos, quejas y amenazas, y que tenía que ver con la injusticia que, en su opinión, se había cometido con ella al ponerle dos de sus tres guardias semanales seguidas, el jueves y el viernes. Porque en un instituto, que se parece a un cuartel mucho más de lo que la mayoría de las personas supone, siempre hay un profesor de guardia, que es el que vigila por los pasillos cada vez que suena el timbre, lleva a la biblioteca a los estudiantes que han sido expulsados o prepara sus partes de amonestación, se ocupa de llamar a las familias de los que caen enfermos y hace las sustituciones a sus colegas, entre otras cosas; y ésa, claro está, es una función de sargento de artillería que a ninguno nos gusta hacer. Y menos aún dos días seguidos. Y menos aún si eres como Bárbara Arriaga, una de esas personas con complejo de superioridad que viven eternamente agraviadas y llenas de frustración, seguras de que las subestiman e incapaces de aceptar el cargo que ocupan en este circo: pero qué hace un gran trapecista como yo limpiando las jaulas de los elefantes. Por supuesto, ya habrán deducido que el encargado de repartir y adjudicar las guardias es el jefe de estudios.

—De manera que ya me dirás tú si no es para sentirse dolida y poner el grito en el cielo —acabó por fin Bárbara, tras quince minutos de reproches. Me fijé en sus ojos, llenos de cólera y torcidos por el disgusto. Luego, me concentré en dos pequeñas gotas de color verde que había en el pecho de la bata blanca de científica que, por alguna razón, siempre llevaba en el instituto. Quizás es que estaba tan rabiosa que había llorado trozos de cocodrilo.

—Vaya, Bárbara —dije, en un tono que quería parecer apesadumbrado—, pues lo lamento de verdad.

—¡Que lo lamentas! ¿Eso es lo único que se te ocurre? Oye —dijo, tomando aire como si amartillara un arma—, te voy a advertir una cosa, ¿eh? No juegues conmigo. Ni lo intentes.

Me hubiera gustado retroceder veinte años, hasta los felices ochenta, para decirle lo que le habría dicho entonces, forzando un gesto que fuese una amalgama de chulo y galán:

—Mira, nena, yo sólo jugaría contigo a cortarte en dos con un hacha, ¿vale?

O algo similar.

—Procuraré que no vuelva a ocurrir —le contestó, sin embargo, el hombre en que me había convertido—. No puedo prometerte otra cosa.

—Oye —dijo, apuntándome con un dedo índice que se movía como el de un general que eligiese, entre un grupo de soldados cautivos, a los prisioneros que iba a fusilar—, si tengo que pedir una inspección, lo haré; no lo dudes.

Volví a mirar las manchas verdes en su bata y ella se cruzó de brazos.

—Bueno, querida Bárbara, esperemos que no llegue la sangre al río. Te ruego que me disculpes, si te has sentido ofendida.

Me miró, intentando calibrar la sinceridad de mis palabras, y dijo, en un tono aún tajante pero algo más pulido, casi conciliador:

—Es que no puedo venir aquí todos los días a las ocho, ¿sabes? Yo también tengo una vida privada, aunque tú no lo creas.

—Lo supongo —dije—. Y ahora, si eres tan amable, tengo un montón de asuntos pendientes.

Se fue, pero se llevaba entre las uñas un maravilloso cuarto de hora de mi tiempo. Para vengarme, abrí mi agenda y le apunté otras dos guardias correlativas la semana siguiente. Me sentí viscoso, pero reconfortado. Qué raros somos.

Quedaban diez minutos para que llegase la primera visita de la mañana, de manera que volví a mi ensayo:

13

«... no sólo de nuestra narrativa de posguerra, sino también de la literatura del siglo veinte. Si entre los autores españoles Juan Ramón Jiménez la comparó con Baroja y Unamuno; Ramón J. Sender la puso por encima de George Sand, Gertrude Stein o Virginia Woolf, y Miguel Delibes vio en *Nada* un antecedente tanto del *nouveau roman* francés, y en concreto de autores como Marguerite Duras o Alain Robbe-Grillet, como del objetivismo que Rafael Sánchez Ferlosio desarrollaría más tarde en *El Jarama*; si todo eso, unido a los halagos de Azorín, la atención de eminentes exiliados como Francisco Ayala, que comentó la novela en la revista argentina *Realidad*, y el reconocimiento de colegas como Ana María Matute o Carmen Martín Gaite, ocurrió entre los literatos españoles, más allá de nuestras fronteras, escritoras de la categoría de Alejandra Pizarnik o Jane Bowles y críticos como Jeffrey Bruner, Ruth el Saffar, David W. Foster, Roberta Johnson o Sara E. Schyfter...».

—Buenos días. ¿Podemos hablar?

Ahora, el que estaba en la puerta era Miguel Iraola, el profesor de Matemáticas, un hombre de aspecto meticuloso, siempre vestido con una pulcritud inflexible y una elegancia algo obsoleta que le daba cierto empaque de conde arruinado; solía llevar trajes de tonos mortecinos, generalmente de color marrón o gris, y zapatos de cordones; y en el bolsillo de su americana jamás faltaban tres bolígrafos y un pañuelo que sacaba de continuo para limpiar las gafas y secarse las manos o la frente con un ademán de persona abrumada por el peso de sus responsabilidades. Tenía aspecto de aguafiestas, labios finos y una piel tan pálida y desvaída que, en caso de necesidad, no hubieras sabido si mandarlo al médico o a la tintorería. Era imposible no fijarse en su forma de andar, con pasos cortos pero estirando mucho las piernas, como si con cada zancada diese una patadita a un balón invisible. Al hablar, siempre con un estilo alambicado y pendular, lleno de frases subordinadas que entraban y salían de su discurso lo mismo que hormigas en un hormiguero, vocalizaba de un modo ampuloso y recalcando la forma de las palabras con los labios, igual que si todos sus interlocutores fuesen sordomudos. En general, era una persona atildada que, con frecuencia, rayaba en lo ridículo. El mote que le habían puesto los alumnos era La Reina Madre.

—Cómo no, Miguel —dije—. ¿En qué puedo servirte?

El profesor Iraola, más bien, se sirvió solo. Su problema eran dos gamberros apellidados Ríus y Martínez que saboteaban sus clases y predisponían contra él al resto de los alumnos.

—Y no son ganas de quejarse en balde, pero ya me dirás tú si así, con esos bribones tirando tizas y haciendo muecas en cuanto te vuelves hacia la pizarra —decía Iraola, con mucha gesticulación y sacando el pañuelo para enjugarse la frente—, es posible impartir cualquier asignatura, pero sobre todo la mía, y no se trata de menospreciar en modo alguno otras materias, pero estarás de acuerdo en que una cosa es enseñarle a esos granujas a pintar un dodecágono y otra muy distinta meterles en la cabeza las ecuaciones de tres y los polinomios, la factorización, la proporcionalidad, las expresiones radicales. ¿No te parece?

Le dije que sí a todo y le aseguré que haría llamar a Ríus y Martínez. Cuando salió, ya sólo quedaban cinco minutos para que fueran las nueve de aquella mañana que, lo estaba viendo, iba a ser idéntica a todas las demás: espesa pero intrascendente, maciza y a la vez hueca. Regresé a mi ensayo sobre Carmen Laforet y no me gustó lo que leí: era un texto rígido, tedioso, lleno de jerga universitaria, tan abundante de información como vacío de entusiasmo. Pero qué más daba, en el fondo. Iría con aquella basura a Atlanta y se la leería a cuatro de esos locos que van a los congresos a sumarle créditos a su expediente, a palmearse la espalda y a soltar absurdas peroratas sobre la *ficcionalización epistemológica que origina y estructura el termodinamismo logoempático de la catarsis metapoética*... y punto, aquí paz y después gloria: si sale con barba, San Antón y, si no, la Purísima Concepción. Qué le vamos a hacer.

Me puse a mirar de nuevo por la ventana. Algunas personas caminaban cautelosamente por las calles inciertas, con la piel enrojecida por el frío y arañada por aquel viento lleno de espinas. Pensé en algunas ciudades nevadas a las que había ido: Bolonia, Dresde y Nuremberg, la propia Atlanta... Me habían invitado a todos esos lugares para dar conferencias exactas a la que ahora escribía sobre Carmen Laforet; de modo que, vista desde ese ángulo, la cosa no estaba tan mal. A veces hay que saber conformarse. Galileo descubrió el relieve de la Luna, los satélites de Júpiter y las fases de Venus; pero cuando lo amenazaron con la hoguera por decir que la Tierra gira alrededor del Sol, se echó atrás y, para consolarse, inventó el tornillo sin fin. Que tampoco está tan mal, ¿no? Seguí trabajando: «No deja de ser curioso que lo que Carmen Laforet proyectó y no pudo conseguir para su trilogía *Tres pasos fuera del tiempo*...».

—¿Da usted su permiso, jefe? Le traigo el correo. Y un café, para que se entone.

Ahora era Julián, el conserje, un buen hombre que tenía tendencia a usar palabras sonoras pero fuera de sitio y que padecía una extraña enfermedad, llamada Síndrome Alimentario Nocturno, que le hacía levantarse de la cama dos o tres veces por noche, completamente sonámbulo, para saquear la nevera. Y la cosa no es como para reírse, porque cuando están dormidos, los pacientes que sufren ese mal tienen hambre pero no tienen gusto, de forma que pueden comer desde un trozo de salchichón con leche condensada hasta un bocadillo de cabezas de pescado, o beber lejía igual que si tomaran un zumo. Lo primero que hacíamos cada mañana era hablar de su salud.

—Pase, Julián. Buenos días. ¿Qué tal? ¿Cómo fue hoy?

—Pues regular, jefe. No sabe qué susto tuve, cuando me desperté.

—¿Y eso?

—Pues que resulta que abro los ojos, ¿no?, y me veo las sábanas llenas de manchas, y digo: pero bueno, ¿esto qué significa?, y entonces lo toco y es así como algo viscoso, ¿no?, que pensé que era sangre, y menudo salto que di, tenía que haberme visto, corriendo de un lado a otro, hecho una exaltación...

—Exhalación, Julián. Se dice exhalación.

—Sí, eso. Pues entonces me llevo la mano a la boca y me doy cuenta de que era chocolate, ¿no?, que me debía de haber comido una tableta y me manché las manos y lo puse todo perdido. Menos mal.

—En fin, Julián, me alegro de que no fuese nada. Gracias por el correo.

—No hay de qué, jefe. Y ya sabe: cualquier cosa, no tiene más que llamar.

—Muy amable.

—Venga, que me voy con el fontanero, que está arreglando el baño de las chicas. Dice que hay que cambiar el bote sinfónico.

—Sifónico, Julián.

—Eso. Bueno, pues, lo dicho, jefe, a mandar.

Le hice un gesto amistoso y volví al trabajo. Ya eran las nueve; pero, quién sabe, igual la primera visita se retrasaba, o no iba.

«... No deja de ser curioso que lo que Carmen Laforet proyectó y no pudo conseguir para su trilogía *Tres pasos fuera del tiempo*, de la que sólo fue capaz de publicar el primer tomo, *La insolación* y, a título póstumo pero sin haber llegado jamás a darlo personalmente por concluido, *Al volver la esquina*, sí que lo lograra uno de sus coetáneos, Ana María Matute: la autora de *Los hijos muertos* anunció, al ganar el Premio Nadal de 1959 con *Primera memoria*, que ése era nada más que el tomo inaugural de un retablo narrativo titulado *Los mercaderes* que, exactamente igual que había previsto Laforet para sus *Tres pasos fuera del tiempo*, protagonizarían los mismos personajes en distintas épocas de sus vidas y que la autora de *Algunos muchachos* sí completó, efectivamente, con los volúmenes *Los soldados lloran de noche* y *La trampa*, aparecidos en los años...»

Me detuve. Maldita sea, aquello no había quien lo leyese. Sonaba siniestro, farragoso. Recordé una frase de Debussy, que decía que la tarea del pianista es hacerle olvidar al público que el piano es un cajón de madera lleno de pequeños martillos, y me dieron ganas de morirme.

Estaba a punto de pegarle un puñetazo al ordenador cuando llamaron a la puerta. Como fuera otra vez esa sabandija de Bárbara Arriaga la iba a agarrar por las solapas de su estúpida bata de destriparratones y...

—Buenos días. Soy la madre de Ricardo Lisvano. Teníamos una cita.

Era una de esas mujeres que llegan a los cuarenta años en buena forma y que, a base de no vivir, los superan con matrícula de honor. Suelen ser asiduas de los cosméticos franceses, las novelas de segunda clase y los gimnasios, y fanáticas de la comida baja en calorías, la leche desnatada, el café descafeinado, los yogures dietéticos y los cigarrillos sin nicotina. Por lo general, me resultan insufribles, tan sofisticadas y tan artificiales, pero reconozco que en ocasiones me conmueve su lucha sin cuartel contra la edad y el tiempo, su agotador oficio de eternas restauradoras de sí mismas. La verdad es que no se veía a muchas de su clase por el instituto.

—Pase y tome asiento, por favor —dije, tendiéndole la mano.

Llevaba un traje de chaqueta azul oscuro, una camisa rosa, bastante holgada, y el pelo, liso y rubio, recogido en una coleta. Su piel era bastante pálida y sus ojos de un color indeciso entre el marrón y el verde.

—Quizá vengo en mal momento —dijo, interrumpiendo el inventario que hacía de ella, y señaló el ordenador—. No quisiera importunarle.

—De ninguna manera: la estaba esperando. Sólo revisaba una conferencia que...

—¿Una conferencia? Qué interesante. ¿Y la va a dar aquí, para los alumnos? ¿De qué trata?

19

Me tomé unos segundos, antes de decidir qué contestar. La verdad es que siempre he sido poco amigo de dar explicaciones, sobre todo cuando me hacen las preguntas de tres en tres; pero, en aquel caso, hice una excepción.

—No, no tiene nada que ver con el instituto. Es una charla que voy a dar en Estados Unidos.

—Ah, vaya... ¿Y en qué ciudad? —añadió, algo azorada.

—En Atlanta, en un congreso de hispanistas que se celebra allí cada dos años. Y también tengo que hablar en Athens y en Dahlonega. Salgo de viaje este jueves, por la noche.

—Bueno, pues intentaré no entretenerle mucho. En fin, como le digo soy la madre de Ricardo Lisvano. Me llamo Natalia Escartín.

—Encantado de conocerla, Natalia. Usted dirá.

Me contó el problema de su hijo, que había suspendido sus exámenes de Inglés y Literatura, y al que además, según ella, estaban molestando algunos compañeros; pero mientras lo hacía, yo no me fijé tanto en su relato como en su voz, un punto grave, y en su modo de hablar, con frases cortas y eses que coleaban al final de las palabras. Seguro que tenía una tienda de decoración. O un negocio de ropa hindú. O, sencillamente, no hacía nada. Intenté averiguarlo.

—Pues no se preocupe —dije—, y esté segura de que me voy a ocupar del asunto. ¿Está usted localizable en su domicilio por las mañanas, por si tengo que hacerle alguna consulta?

Ahora, ella diría, con una cierta amargura: «Sí, yo suelo estar libre a todas horas»; y en esa frase equívoca en la que *todo* significaba *nada* y *libre* significaba *presa*, yo iba a

ver que era otra mujer ahogada por sus propias raíces, suje-
ta a una vida firme, estable y convencional; otra persona
que descubrió, cuando ya no tenía remedio, que el ancla no
es una parte del barco, sino lo contrario del barco, y que,
cuando la partes en dos, la calma es cal viva en el alma.

—Sólo los viernes —dijo—. Pero puede llamarme al
trabajo siempre que quiera. Le voy a apuntar mi móvil.

Sacó una tarjeta del bolso y una pluma con aspecto
de ser muy cara, y añadió un número de teléfono. Leí:
Natalia Escartín Martínez, neuróloga. Desde luego, el
día que me haga adivino, me muero de hambre. _critica mucho_

—Gracias, la llamaré en cuanto tenga noticias.

Se levantó, me estrechó la mano y, cuando ya parecía que iba a salir, se dio la vuelta y dijo:

—Una cosa más: aparte de jefe de estudios, usted es
profesor de Literatura, ¿no?

—Así es. Pero sólo de los dos últimos cursos de bachillerato. A su hijo nunca lo tuve conmigo.

Me miró con cierto descaro, como evaluándome, y
vi un destello de sagacidad en su mirada. Me puse a la
defensiva.

—Espero que no le moleste la pregunta —dijo, volviendo a examinarme con insolencia y de arriba abajo, lo
mismo que si contara los huesos de mi esqueleto—: ¿No
da usted clases a domicilio? Porque a Ricardo le hacen
falta. La verdad es que en casa todos somos de ciencias, y
tengo que confesarle que ninguno leemos mucho.

—No, lo siento, no doy clases particulares. Lo hice
cuando era joven, pero ya no.

Podría haber añadido que, de hecho, me pasaba la
vida buscando horas libres, que no se trataba de dar más

clases, sino menos, y que tal vez lo que yo haría si pudiese sería mandar al diablo el instituto y largarme a Brasil con una maleta como la de Paul Verlaine, en la que, según se dice, nunca llevaba nada más que un diccionario. Pero de qué habría servido.

—Qué lástima —dijo—. Bueno, pues entonces ya hablaremos.

—Cuando guste.

Volvimos a darnos la mano. La suya, por cierto, no era en absoluto amanerada o quebradiza como había supuesto, sino firme, y su saludo era tajante, de una sequedad castrense. Eso me gustó: odio a la gente tierna.

—Por cierto —dijo, mirando otra vez hacia el ordenador—, ¿cuál es el tema de su conferencia?

Y ahí, justo en ese punto y sin que yo, como es lógico, pudiera saber lo que iba a desencadenar aquella pregunta de aspecto protocolario, es donde empezó todo. Es raro, pero a menudo no sabemos distinguir, de entre todas las demás, las cosas que van a cambiar nuestras vidas. Así de cándidos somos.

—Es sobre la novelista Carmen Laforet —le respondí, dando por sentado que no sabría de quién le hablaba. Ya lo han oído: ella y su marido no eran lectores. De hecho, seguro que pasaban las tardes viendo la televisión: ponían un documental sobre la vida erótica del ñu y mientras él le daba un masaje en los pies, ella le contaba detenidamente los infartos cerebrales que había atendido esa mañana en el hospital. Volví a equivocarme.

—¿Carmen Laforet? ¿En serio? Qué coincidencia. La madre de mi esposo fue muy amiga suya, en los años cuarenta. De hecho, las dos empezaron a escribir casi a la vez.

—¿La madre de su marido es novelista? ¿Cómo se llama?

—Dolores Serma. No creo que la conozca.

—No, realmente... Serma... No, no he leído nada suyo. Aunque su nombre me resulta familiar.

—¿Sí? Bueno, no se apure, no creo que a estas alturas la conozca nadie. En realidad, sólo publicó una novela, y de eso hace ya mucho tiempo. Pero de Carmen Laforet sí que la he oído hablar. Creo que aquí en Madrid solían trabajar juntas todos los días, en la biblioteca del Ateneo.

—Claro, ahí es donde Carmen Laforet escribió *Nada*.

—Y también solía hablar de Miguel Delibes, que es de Valladolid, como ella. Creo que eran vecinos y que se trataron bastante, en su juventud. En fin, supongo que son viejas historias sin importancia.

Hizo un gesto de desinterés con la mano y se pasó un mechón de pelo por detrás de la oreja. Tenía estilo, una cara inteligente y una figura sensual que, al hacer determinados movimientos, pasaba como de contrabando a este lado de la ropa un poco convencional que se había puesto esa mañana. Oportunamente se me vino a la cabeza una frase de Balzac, que dice que «cada mujer de la que te enamoras es una novela menos que escribes». Y regresé a mi papel de investigador.

—No, quién sabe —dije—. En realidad, me interesa mucho lo que me cuenta. Carmen Laforet es una narradora célebre, pero también una mujer bastante desconocida. Cualquier dato sobre ella puede ser valioso.

—¿Célebre y desconocida? ¿Se puede ser las dos cosas a la vez?

Se había cruzado de brazos y me observaba con cierta suficiencia. Decidí ponerme profesoral.

—Sí, porque el éxito la volvió huraña. Detestaba la notoriedad y huía de la gloria como de la peste. Sus libros eran premiados, lograban buenas críticas y buenas ventas, pero ella vivía medio oculta. Siempre pensó que un escritor debe estar aislado y fue coherente con esa idea hasta el final.

—¿Y eso lo ve usted como una virtud o como un defecto? Mi padre solía decir que, a menudo, la coherencia es la intransigencia disfrazada de virtud.

La observé aún con un poco más de atención. Quizá la doctora Escartín no era una mujer tan simple, después de todo.

—Puede que sí. En cualquier caso, sus obras no son intransigentes, ni soberbias, ni repetitivas, ni conservadoras, sino al contrario. En realidad...

Me detuve, en parte avergonzado por aquella frase cóncava que acababa de pronunciar y en parte enfurecido por el destello de burla que me pareció ver en sus ojos.

—Sí, ya sé que estuvo muy considerada, en su momento —dijo Natalia—. Eso decía siempre mi suegra: qué bien le fue a Carmen, desde el principio, hay que ver, qué bien le fue. ¿Aún es famosa?

—Bueno, *Nada* es una de las obras más estudiadas y traducidas de toda la literatura española.

—Vaya, no está mal.

—Oiga, Natalia, discúlpeme el atrevimiento, pero... ¿su suegra estaría dispuesta a concederme una entrevista?

Ya lo estaba viendo: Dolores Serma me iba a contar cosas extraordinarias sobre los años de formación de Carmen

Laforet; me prestaría documentos, manuscritos y cartas; y con su ayuda, yo dejaría con la boca abierta a mis colegas de Atlanta. Se iba a enterar aquella panda de pelmazos con calcetines de rombos y cara de fox terrier.

—No, eso no es posible —dijo Natalia, sonriendo por primera vez—. Su salud no es buena: padece Alzheimer. Desde hace dos años, está ingresada en un sanatorio.

—Lo siento.

—Gracias. Aunque supongo que es ley de vida. Tenga en cuenta que es una mujer de ochenta y cuatro años.

—En fin, qué se le va a hacer. Por unos instantes he soñado que iba a descubrir en su casa un montón de tesoros maravillosos sobre Carmen Laforet. Habría salido del congreso de Atlanta a hombros.

Natalia Escartín me sonrió, casi maternalmente, con una mezcla de condescendencia y afecto. De pronto, me pareció aún más bonita.

—Lo lamento —dijo, y puso su mano derecha, apenas un instante, sobre mi brazo.

—No se preocupe. De desilusión también se vive.

Se marchó, rumbo a su planeta de cielos despejados y hombres con suerte, dedicándome una mirada que no supe si era de afecto o de lástima, y yo volví a mi lunes, al hastío de aquel trabajo cuya tristeza y mediocridad te ennegrecían, te infectaban, iban contigo allá donde fueses, tan pegados a ti como el mal olor al culo de un cerdo, que dicen los norteamericanos. Volví a mi agenda llena de hojarasca, a los padres melodramáticamente preocupados por los leves problemas de sus hijos y a mi papel de hombre serio y juicioso. El señor jefe de estudios, lo que hay que ver. Me había metido en eso por razones mezquinas:

para ganar doscientos cincuenta euros más al mes; para librarme de doce horas de clase a la semana; para poner las guardias en lugar de que me las pusieran; para asegurar mi plaza en aquel centro y evitar traslados; para situarme como futuro aspirante a director... Y claro, así me iba. Y me iba a seguir yendo por cuatro años, que es el compromiso que se adquiere como jefe de estudios. ¿Se dan cuenta? Cuatro años de burocracia, de reuniones y presupuestos, de balances, juntas, actas, claustros; mil cuatrocientos sesenta y un días gastados en leer oscuros expedientes y en forcejear con la pegajosa tela de araña del lenguaje administrativo; doscientas ocho semanas encallado en una de esas vidas que consisten en que por las mañanas tienes mucho que hacer y por las noches no tienes nada que recordar. Qué desastre.

Alguien llamó a la puerta con golpes imperiosos y yo miré la pantalla de mi ordenador lo mismo que quien ve marcharse un crucero, me arreglé el nudo de la corbata y puse una sonrisa igual de incoherente que un ataúd de color rosa.

—Muy buenos días —casi gritó un tipo de mofletes sonrosados y ojos mendaces, de esos que se espantan como insectos asustados cuando los miras, mientras me tendía una mano blanda que estaba húmeda y caliente, como si la acabase de sacar de una cazuela de sopa.

—Buenos días. Tome asiento, por favor. ¿En qué puedo ayudarle? —contesté, mientras me apresuraba a cerrar disimuladamente la llave de paso del radiador que estaba detrás de mí, una táctica que no solía fallar: en cuanto la temperatura bajaba diez grados, los padres abreviaban.

—Pues verá usted —dijo, cerrando la puerta del despacho con tanto vigor que una ráfaga de aire hizo que se agitaran las páginas de mi periódico, igual que si por dentro de él volase el buitre de las malas noticias.

Confieso que no escuché apenas el discurso de mi visitante. Lo único que hice fue repetirme, una y otra vez, dos nombres: Dolores Serma y Natalia Escartín. De la primera, seguro que me gustaría saber algo más. De la segunda, quizá me gustaría saberlo todo.

Capítulo dos

Después de aquel hombre de aspecto porcino y mirada zigzagueante que, por añadidura, resultó ser uno de esos atletas de la simpatía que te hablan como un viejo amigo a los diez minutos de conocerte, recibí a otros dos padres, ordené algunos de los insufribles informes, facturas y proyectos que debía preparar para la próxima junta de profesores, di mi clase de segundo de bachillerato y, a las dos en punto, con un grueso tomo del ISBN bajo el brazo, me fui a almorzar al Montevideo.

Las calles seguían nevadas, aunque ahora se tratase de una nieve más oscura e innoble, ya mucho más de la tierra que del cielo. Las personas que pasaban tenían la piel de color rojizo y de sus bocas salían espesas columnas de vaho, igual que si dentro de ellos ardiese la hojarasca de sus vidas. Los árboles estaban engalanados con bombillas blancas, en las tiendas brillaban luces intermitentes y la decoración de los escaparates era tan esmerada que el género no parecía una simple mercancía, sino un tesoro: de repente, la ropa, los zapatos, las plumas estilográficas o los discos no pertenecían al mundo del comercio, sino al de la fantasía. Qué fraude. Entré en el Montevideo.

—Buenos días, Marconi —dije.

—Buen día, profesor. ¿Qué le pongo de tomar? ¿Te atrevés con un vino uruguayo, para combatirle al frío?

—No, gracias, de momento prefiero otro café solo, para calentarme.

—Ya sé no más: doble y que esté hirviendo.

Marconi Santos Ferreira, un tipo notable del que, poco a poco, iba sabiendo cosas. Había llegado a España en 1973, huyendo de la dictadura militar. En Montevideo trabajaba en un hotel de lujo, el Casino Carrasco, que estaba frente al Río de la Plata y era, según me dijo, el lugar donde Federico García Lorca escribió *Yerma*. Su padre le puso Marconi por el inventor de la radio, al que había conocido cuando fue a Uruguay para estudiar unos fenómenos eléctricos en las playas de Punta del Este.

—Acá tenés el café, profesor.

—Gracias.

—No, por nada. ¿Qué querés de comer? Para entrantes tengo sopa de zanahoria o *panzotti* rellenos de espinaca; y de principal, chivitos o ñandú. Y creo que me quedan un par de huevos quimbos.

—¿Qué es el ñandú? ¿Una verdura?

—¡No, hombre! Es un pájaro, una especie de avestruz. ¿Nunca lo oíste?

—La verdad es que no —dije, mientras imaginaba, por algún motivo, uno de los menús demenciales de Julián, el depredador nocturno: puré de judías con crestas de pollo crudas, o algo así.

—Pues probalo, que está delicioso —sugirió Marconi—. Lo llaman el avestruz de América. ¿Sabés en qué se distingue del otro?

—No. ¿En qué?

—El nuestro tiene tres dedos y los de África, sólo dos.

Pedí los *panzotti*, y nada de segundo. Y, como siempre, mi botella privada de Château Cantemerle. Marconi me miró con pesadumbre y se fue hacia la cocina sacudiendo la cabeza.

Al otro lado de las ventanas del Montevideo, la gente pasaba con bolsas llenas de regalos. Los contemplé con aprensión y un punto de furia, mientras sorbía el café. Ya ves tú, la Navidad: millones de personas con la boca llena de amor, misericordia y cochinillo asado, apóstoles de una clemencia de usar y tirar que propagan a los cuatro vientos como si lanzasen octavillas sobre una multitud, doblemente armados con la fe de un misionero y la vehemencia de un subastador.

Pues miren, a mí la Navidad me produce auténticas náuseas, porque la relaciono con dos de los pecados que más detesto en este mundo: la glotonería y la falsedad. Sí, porque yo casi odio comer. De hecho, siempre me he alimentado de mala gana y a base de fruta, sushi, verduras a la plancha, zumos, ensaladas, yogures, un poco de pasta fresca y cosas de ese tipo. Jamás tomo carne, ni legumbres, ni pasteles, o tartas, o flanes..., nada que sea muy dulce, ni que tenga muchas especias. Confío en que nadie se sienta ofendido, pero no soporto a los gordos satisfechos, esa gente insaciable que sería capaz de mojar pan en las obras completas de Unamuno, que zampa grasas y azúcar hasta conseguir que su estómago se pueda medir en metros cuadrados y, cuando enferma, en lugar de a una ambulancia hay que llamar a un transportista.

Como ya han notado, antes de cada comida me bebo un café, al final otro y, entre medias, un buen vino de Burdeos, y los tres juntos me hacen de armadura. Ésas son mis costumbres, y aunque a algunos les puedan parecer raras, a mí me sirven.

Bueno, el caso es que mientras Marconi llegaba con la comida, me puse a buscar en el ISBN a Dolores Serma. A ver: Seoane..., Serjan..., Serlio... Ahí estaba: Serma Lozano, Dolores. *Óxido*. Ediciones de la Imprenta Márquez. Valladolid, 1962. Y nada más. Es decir, que aquél había sido su primer y último libro y ella otro de esos miles de escritores intrascendentes que sacan alguna obra menor en una pequeña editorial y después se evaporan por falta de talento o de perseverancia, aunque crean que es sólo por falta de suerte. En fin, supongo que la ofuscación es la última bala de los resentidos.

—Acá tenés los *panzotti* y el Château Cantemerle —dijo Marconi, sirviéndome la primera copa de vino—. El tomate es natural, por descontado.

—Gracias. Y dime —añadí, por cortesía—, ¿marcha bien el negocio?

Miró a su alrededor. El Montevideo estaba tranquilo y los únicos clientes, aparte de mí, eran una pareja que tomaba en absoluto silencio un bol de sopa y, justo en el otro lado del restaurante, lo que parecía un grupo de ejecutivos que comía con gran estrépito la especialidad de la casa: un asado uruguayo. Ya saben, una gran fuente llena de tripas de vaca fritas, chorizo, esas cosas llamadas mollejas... No quise ni mirar, aunque sí me fijé en el que parecía presidir la reunión, uno de esos cuarentones con la piel convertida en chocolate por las lámparas de rayos uva y laca suficiente en el pelo como para inmovilizar la selva amazónica.

—Sí, bueno —dijo Marconi, secándose las manos en el delantal—, ayer anduvo chato; y ahora, vos ya lo ves, regular. Pero esta noche reservó una familia uruguaya, creo que ya te hablé de ellos, unos medio ricos que tienen una casa de verano en Punta Ballena. Les vamos a preparar ensaladas y bondiola de cerdo.

—Dime una cosa. ¿En Montevideo también trabajabas en la cocina de aquel hotel?

—¿En el Casino Carrasco? No, qué va. Allá yo era el gerente. Por eso me tuve que ir, vos sabés: uno tenía amigos sospechosos, imaginate, gente que hacía sus tertulias allá, que se metían en conversaciones de política, hablaban de la Unión Soviética, de Fidel Castro..., fijate qué compañías...

—¿Fueron perseguidos?

—Pues y ¿cómo no? A tres que eran profesores como vos los detuvieron bajo cargos de estar con los Tupamaros. A otro que huyó del país lo fueron a asesinar a Chile; lo mataron a él y a su esposa, y robaron a su hija.

—¿Fue uno de esos niños secuestrados, como la nieta del escritor Juan Gelman? Conoces el caso, ¿no?

—Pero y ¡cómo no voy a conocerlo, si salió mil veces en los diarios! Eso le pasó a él y a tantos otros. Los milicos se los daban a gente de mucha plata, vos me entendés. Y luego: nunca más se supo. La familia de ese matrimonio que huyó a Santiago, hasta donde yo sé, nunca volvió a saber de la niña desaparecida.

—Qué bárbaro. Así que, dadas las circunstancias, lo mejor era poner tierra de por medio, ¿no?

—¡Y claro! Yo me fui primero a la ciudad de Piriápolis, a trabajar de camarero en el Argentino Hotel, y en cuanto pude, agarré a mi señora y nos vinimos a España. Y bueno, mirá qué irónico que ahora, para ganarme la vida, tengo que hacerle de cenar a la misma gente que entonces apoyaba a los milicos, todos esos potentados con villas en el barrio de Pocitos y casas de verano en San Rafael. Pero disculpame, profesor, ya me toca atender al público.

Marconi se fue a retirar el primer plato de la pareja muda y yo me quedé comiendo mi pasta. Estaba deliciosa, como siempre, aunque no pude más que con la mitad de la ración.

Mientras apuraba mi copa de Château Cantemerle, me distraje observando a aquella mujer y aquel hombre que comían juntos pero a solas, tan hostiles e inmunes uno al otro que, aparte de no hablarse, se las ingeniaban para mirar siempre en direcciones distintas e incluso para adoptar una posición un poco ladeada con respecto a su acompañante, algo que evitara cualquier riesgo de afrontar sus ojos. Me acordé de una novela de Michel Tournier en la que hay un matrimonio que cada domingo va a almorzar a una marisquería de la Costa Azul y la mujer siente tanta vergüenza de su incomunicación que, mientras su marido come, ella mueve en silencio los labios para hacer creer al resto de los clientes que le está hablando. Me pregunté si la relación de Natalia Escartín y su esposo también sería de esa clase y, de forma arbitraria, le puse al hijo de Dolores Serma la cara del emperifollado que capitaneaba el grupo carnívoro del fondo, aunque, por lógica, él debía de ser algo mayor.

Volví a consultar el ISBN y esta vez reparé en algo desconcertante: Natalia me había dicho que las jóvenes Dolores Serma y Carmen Laforet escribían juntas en la biblioteca del Ateneo, todas las tardes, y eso tuvo que ser entre enero y septiembre de 1944, las fechas en que Laforet escribe *Nada*. Pero su novela se publicó al año siguiente, mientras que la de Serma no salió hasta 1962. ¿Qué pudo pasar? ¿La obra en que trabajaba Dolores Serma junto a Laforet era otra, o es que *Óxido* permaneció inédita, o tal vez en proceso de creación, durante casi veinte años? Necesitaba saberlo, porque sólo si *Óxido* se hizo junto a *Nada* tenía algún interés para mí, de manera que se lo preguntaría a Natalia, o a su marido. Y también iba a pedirle que me prestase un ejemplar, si es que lo tenía. Porque si no, ¿dónde iba a encontrar, a esas alturas y con tantas prisas, un libro remoto, editado en una humilde imprenta de Valladolid, posiblemente a cargo de la propia autora, y que no habría tenido más distribución que la que ella misma hubiese hecho puerta a puerta, dejándolo en depósito en cuatro o cinco librerías de confianza?

Me serví más Château Cantemerle. Por otra parte, ¿no sería magnífico presentar en Atlanta esa obra minúscula y desconocida que fue hecha quizás en paralelo a *Nada*, por una mujer de la misma edad que Carmen Laforet, tal vez de un origen y una formación similares, y así acentuar aún más su hazaña? Porque eso es lo que había sido *Nada*, una hazaña, una demostración de talento en estado puro, y no de suerte, como al parecer pensaba Serma, según me dijo Natalia Escartín. Supongo que los celos son las bestias de carga del rencor. En cualquier caso, desenterrar *Óxido*

¿no sería un gran golpe de efecto? Quizás esa pregunta se hubiese quedado ahí, botando dentro de mi cabeza, si de pronto no hubiera imaginado a mi madre, de quien muy pronto les voy a hablar, diciéndome:

—Pues vamos, hijo, ¿a qué esperas con tanto circunloquio? Deja de hablar por boca de ganso y ponte a trabajar. Que ya sabes que quien mucho analiza, mal fuego atiza.

Le di la razón, saqué mi cuaderno, consulté unas notas, puse a un lado los *panzotti* y escribí: «En *Los soldados lloran de noche*, Ana María Matute dice que la vida es corta, fea y se puede contar en pocas palabras, la mayoría no muy edificantes. Tiene toda la razón del mundo el personaje que pronuncia esas palabras casi al final de la guerra civil española, en un país que la narradora ya sabía, cuando escribe su libro a comienzos de los años sesenta, que iba a ser asfixiado por la muerte, el hambre y la represión que el Régimen del general Franco desató contra los vencidos; pero también es verdad que justo de aquella época terrible y desesperanzada es de donde sacaron autores como Carmen Laforet, Sánchez Ferlosio o la propia Matute...».

Me tuve que interrumpir, una vez más. Ahora, la razón era que había empezado a sonar mi teléfono. Miré quién llamaba y vi que era Virginia, mi ex mujer. No quise contestar, y tampoco quería leer el mensaje que iba a escribirme a continuación, de manera que apagué el móvil. No se preocupen, también les hablaré de Virginia, a su debido tiempo. Por ahora, les puedo hacer un resumen: nos conocimos en los alegres ochenta, en Madrid; nos casamos a los veinticuatro años, vestidos con cazadoras de cuero y seguros de que en nuestra casa iban a arder eternamente las barritas de sándalo y nunca dejarían de dar vueltas los discos de los Clash y Radio Futura. Pero el sándalo se consumió, las bandas se disolvieron y yo aprendí que la eternidad puede contarse con los dedos de una mano. Durante un tiempo, la detesté como sólo puede detestarse a alguien a quien aún se quiere y luego, poco a poco, la distancia nos convirtió otra vez en dos extraños. Punto y seguido.

—¿No acabás siquiera los *panzotti*, profesor? ¿No estaban buenos? ¿Los retiro?

Me quedé mirando unos instantes a Marconi e intenté imaginarlo en aquella época en que Virginia y yo íbamos casi todas las noches de bar en bar y de concierto en concierto para ver a grupos de novatos que sonaban como cuatro mulas dándole coces a una máquina tragaperras; íbamos del Pentagrama a El Sol y del Rock Ola a La Vía Láctea, cenábamos un bocadillo de ni se sabe qué en medio de la calle hacia las seis de la mañana, y éramos felices; o al menos lo fuimos los primeros años, mientras creíamos respirar, como dice Pessoa, «el perfume que los crisantemos tendrían si lo tuviesen». ¿Existía ya entonces el Montevideo? O, más bien, ¿existía alguna otra cosa, aparte de los antros, los cigarrillos de hachís, el amor y la música? Supongo que sí, y que estaba ahí igual que la palabra *ira* dentro de la palabra *paraíso*, pero cómo saberlo entonces.

—Sí, gracias —contesté, de vuelta en el mundo real—. Están deliciosos, pero son demasiados.

—¿Tomás postre? ¿Un poco de fruta fileteada, con jugo abajo?

—Pero que sea una ración pequeña, ¿de acuerdo?

—De acuerdo. Me demoro cinco minutos.

¿Y Natalia Escartín? ¿Dónde estaba y qué hacía ella en los ochenta? Supongo que, entre otras cosas, vivir cómodamente en el chalé de sus papás, no querer ir ni muerta a la clase de sitios a los que íbamos nosotros y aprovechar en las aulas de la facultad de Medicina las horas que yo tiraba en el bar de la de Filología. ¿Y Dolores Serma? ¿Siguió escribiendo? ¿Mantuvo su amistad con Carmen Laforet? ¿Guardaba alguna foto con ella o quizás alguna carta suya, algún manuscrito?

Todas esas cuestiones me devolvieron a mi trabajo y, otra vez, a la realidad. Dolores Serma y Carmen Laforet: en eso es en lo que tenía que centrarme, porque estábamos a lunes y el jueves volaba a Atlanta. Abrí la agenda y apunté: hoy, acabar en casa la conferencia sobre Laforet y llamar a Virginia. Mañana, a primera hora, interesarme por el problema de Ricardo, el hijo de Natalia Escartín, y después llamarla para pedirle *Óxido*. Miércoles, junta para aprobar los presupuestos que presente el secretario del instituto. Jueves, de camino, cambiar dólares; por la mañana, solucionar asuntos pendientes y, a la hora de comer, reunión del Consejo Escolar para cambios del Reglamento de Régimen Interno, por la tarde, hacer la maleta. El avión Madrid-Atlanta sale a las once de la noche. Leer *Óxido* durante el viaje. Llegada a las doce, hora de Estados Unidos, y traslado a Dahlonega. Viernes, a las diez, charla en la Universidad de Georgia y traslado a Athens; a las cuatro de la tarde, conferencia en la Universidad Estatal. Sábado, traslado a Atlanta; conferencia a las 18.30, en el hotel Marriott. Domingo, mañana libre y a las 17.30, regreso a España. Llego el lunes a las siete y voy del aeropuerto al instituto.

Mientras tomaba parte de la fruta que me acababa de servir Marconi, me pregunté cuántas de esas cosas iba a dejarme hacer el maldito instituto. O qué precio tendría que pagar por acabarlas todas. Pero daba igual, sólo era cuestión de resistir, porque de un modo u otro yo terminaría saliendo de aquella jaula. ¿Por qué no? ¿Qué me faltaba a mí para poder hacerme sitio donde triunfan tantos estafadores? Y no hablo sólo del mundo docente, en el que hay tanto catedrático ampuloso y vulgar, sino incluso del propio mundo de la literatura. Fíjense, sin ir más lejos, en muchas de las novelas que hoy se leen y reciben premios importantes, y compárenlas con las de Carmen Laforet, o Sánchez Ferlosio, o Ana María Matute, o Juan Marsé; deténganse en sus historias, tan previsibles como las instrucciones de un frasco de linimento; o en su estilo, unas veces inocuo y otras tan petulante que hace suponer que el bicarbonato se inventó contra ciertos escritores, para combatir los efectos de su prosa. Si ya lo decía Albert Camus: tener éxito es fácil, lo difícil es merecerlo.

Pero en fin, es mejor callarse, usar esa aleación de hipocresía y miedo que es a menudo la prudencia y no meterse en camisas de once varas; que, como suele decir mi madre, al gallo que canta, le aprietan la garganta, y quien los labios se muerde, más gana que pierde. Odio el refranero.

Volví a repasar mi agenda de los próximos días, pagué el almuerzo, me despedí de Marconi y salí del Montevideo. Aún hacía mucho frío, pero eso ya no me disgustaba; al contrario, me producía una sensación de vigor, casi de optimismo, y mientras caminaba con pasos enérgicos me decía: venga, entre esta noche y la que viene acabas la conferencia sobre Carmen Laforet y en Atlanta le añades el toque original de descubrir a Dolores Serma; luego, al regresar, preparas un ensayo sobre Ana María Matute, otro sobre Cela, dos más sobre Delibes y Sánchez Ferlosio..., no olvides que llevas años interesado en el tema y tienes cientos de notas sobre todos ellos, adelante, adelante; descubriré publicaciones olvidadas en la Biblioteca Nacional y noticias esclarecedoras en los periódicos de la época, vamos, vamos, tú puedes.

¿Y por qué no? Si trabajaba duro, en un año tendría sobre la mesa un libro importante. Sabía dónde encontrar todo lo que necesitaba, sólo me hacía falta disponer del tiempo suficiente como para llegar hasta ello. Ya podía ver el título en la portada, *Historia de un tiempo que nunca existió*, y debajo, en letras más pequeñas y entre paréntesis: *La novela de la primera posguerra española*. Sería un ensayo polémico, valiente, que retrataría la vida de algunos escritores en aquellos años terribles del hambre, las persecuciones políticas, la censura y el estraperlo. Algunos críticos iban a afirmar que se trataba de una obra maestra y otros la denostarían sin piedad, y cuando lo hiciesen, yo haría lo mismo que, según me contó en una ocasión mi madre, hizo Muñoz Seca tras leer un ataque furibundo contra una de sus comedias: llamó al periódico que lo había publicado, pidió que le comunicasen con el autor del artículo y le dijo: «Mire usted, en este momento tengo su crítica delante; dentro de unos segundos, la tendré detrás». Y después de la controversia y la gloria, prepararía unas oposiciones y entraría en la Universidad. ¿Por qué no? ¿Quién lo iba a impedir?

«Tú mismo, estúpido», me dije, ya cerca del intercambiador de Moncloa, donde cada tarde tomo un autobús hasta Las Rozas, que es donde está la casa de mi familia, donde yo pasé toda mi infancia y donde ahora vivo con mi madre. Lo hago por estar con ella, porque es el sitio donde me refugié cuando Virginia y yo nos separamos y porque allí me cuidan y trabajo bien. La casa, que se hizo poco después de la guerra civil, tiene un edificio principal de dos plantas, en el que está la vivienda en sí, formada por un salón, una sala de estar, una cocina, tres habitaciones y dos baños, y otra construcción aparte, separada de la primera por un pequeño jardín y compuesta por una cocina, una bodega y un comedor, que es donde yo me encierro a leer y escribir. Bueno, o más bien un antiguo comedor, porque en los últimos tiempos, según he ido tomando posesión de él, sus paredes se han ido llenando de estanterías y libros, y ahora mi madre lo llama, un poco pomposamente, «la biblioteca».

Mientras avanzábamos por la carretera de La Coruña, sentí lo mismo que sentía siempre al ir hacia Las Rozas: nostalgia. Odio la nostalgia, ese moho de la memoria, esa oscura envidia de uno mismo. La nostalgia es el opio de los tristes, es una droga alucinógena que te hunde a la vez que te alivia, te hace sonreír mientras te clava en la espalda sus pretéritos perfectos e imperfectos: yo tenía, yo hice, yo estaba... En cuanto me subí a aquel autobús, se subieron mi madre y yo detrás de mí, hace tanto tiempo, ella con carmín en los labios y un traje azul oscuro; yo de su mano, vestido con pantalones cortos y lleno de inquietudes que

40

giraban dentro de mí como satélites alrededor de un planeta. Se sorprendieron mucho al ver cuánto había cambiado el paisaje, qué increíbles todos aquellos edificios de oficinas, restaurantes, tiendas de muebles, viveros, concesionarios de coches y discotecas donde antes sólo hubo pequeños chalés, jardines o, sencillamente, el campo; mira allí, mamá, donde antes estaban los nidos de ametralladoras en los que juego todos los días; fíjate en esa fábrica que van a hacer dentro de treinta años, qué horrible es.

Sacudí la cabeza, para espantar todas esas imágenes y volver a Carmen Laforet, Atlanta, Dolores Serma, mi *Historia de un tiempo que nunca existió* y mis demás planes de futuro. No me fío de los recuerdos, porque nunca se sabe dónde van a desembocar: te pones a darle vueltas a la cabeza y una cosa llama a la otra, igual que si las conectase al azar una telefonista borracha, y de pronto el juego se convierte en una ruleta rusa, y el cargador no estaba vacío, y aparece la bala, y estás muerto. No, gracias.

Me puse a hojear el periódico, en el orden en que lo hacía siempre, buscando primero las páginas de cultura, luego los deportes, después los editoriales y las secciones de sociedad e información política. La cartelera resultaba deprimente, tomada por las clásicas películas sobre la Navidad: ya saben, hora y media de niños gelatinosos que no creen en Santa Claus, chistes recalentados y moralejas con las que se podría hacer el relleno de una tarta. Eso sí, justo al lado, quizá para compensar, estaban los anuncios por palabras, en los que todo se compra y se vende y es fácil encontrar soluciones para el cuerpo y el alma saltando de las agencias matrimoniales a los videntes y de las inmobiliarias o las ofertas de empleo a las relaciones personales, donde la gama de servicios va de las «lavativas mutuas» al «culturismo acrobático» y de ahí al «tridimensional lésbico», el masaje tailandés, el holístico o el «especial anaconda», que sin duda era el más inquietante que vi ese día, junto a otro que se limitaba a preguntar: «¿Quieres ser mi felpudo?». Es asombroso descubrir, a los cuarenta y tantos años, cuántas cosas te quedan aún por hacer y, sobre todo, por que te hagan.

Al llegar a casa, mi madre no estaba, pero había dejado una nota en la mesa de la cocina: «He ido a ver a Amelia. Si tienes hambre, hay pescado en el horno. Te quiero mucho». Me serví un ron y brindé a su salud. Luego puse agua a hervir: cocería un par de huevos y unas patatas y podríamos hacer para la cena una ensalada de las que a ella le gustan, añadiéndole espárragos verdes, tomate, zanahoria, maíz, aguacate, un poco de atún —aunque éste sólo en su plato— y queso feta. Me gusta cocinar, porque me relaja. Además, siempre puedes imaginar que le estás haciendo a tu jefe lo que le haces a los calabacines.

Le había dicho a Natalia Escartín que el nombre de Dolores Serma me resultaba vagamente familiar, y era cierto. ¿Dónde lo había leído? Fui a la biblioteca, busqué las memorias de Carlos Barral, un ensayo de Miguel Delibes sobre la narrativa de posguerra, una *Historia de la novela española contemporánea* y algunos libros más. Los puse sobre el escritorio y luego encendí el móvil. Ahí estaba el mensaje de Virginia y sus hola soy yo, necesito hablar contigo, por favor, no sé a quién acudir y ayúdame habituales en los últimos tiempos.

Marqué su número y mientras sonaba el tono de la llamada me atravesaron algunas ráfagas de nuestros años juntos... piiiiiiiii... imágenes que resumían la felicidad, la música, la marihuana... piiiiiiiii... el sexo, Virginia desnuda, el amor... piiiiiiiii... la heroína, las sombras, la enfermedad... piiiiiiiii... el diluvio de los reproches, los charcos del rencor, el barro de la clemencia... piiiiiiiii...

—¿Sí?

—Hola, soy yo —dije, intentando parecer exhausto y un poco distante. No sirvió de mucho.

—¡Gracias! ¡Gracias por llamar! Oye, es que necesito verte. Tengo... un gran problema. Estoy..., la verdad es que me da apuro decirlo..., estoy desesperada... Por favor. No sé qué hacer.

Estuve por contestarle que a mí me empezaba a ocurrir lo mismo, pero no lo hice.

—Bueno, Virginia, pues... ¿te llamo mañana desde el instituto, comemos en algún sitio y me lo cuentas?

—No, por favor, mañana no: hoy, esta noche.

Miré los libros que acababa de amontonar en mi mesa y me bebí lo que quedaba del ron. De repente, tenía un sabor amargo, herrumbroso.

—De acuerdo —dije, comenzando a encontrarme bastante mal, como si su angustia se reprodujese en mí a escala—, pero tiene que ser tarde. A eso de las doce. Tengo miles de cosas que hacer.

—Vale. ¿En el Café Star, a las doce?

Dije que sí, claro, y luego empecé a leer, aquí y allá, mientras en mi cabeza se encendían y apagaban letreros luminosos con los nombres de Carmen Laforet, Bárbara Arriaga, Dolores Serma, Natalia Escartín, mi madre y, sobre todo, Virginia... Resulta evidente que tras el final de la guerra civil, la literatura española... ¿Cómo cayó

Virginia por aquella espiral de drogas y abandono?...
Con narradores de la categoría de Max Aub o Francisco
Ayala en el exilio... Y ¿por qué no pude ayudarla?... Algunas de las obras que aparecieron al otro lado del Atlántico, como *La forja de un rebelde*, de Arturo Barea, o *Juego limpio*, de María Teresa León...

«¿Qué o quién te va a impedir llevar adelante tus planes?», me pregunté de nuevo, y la respuesta fue la misma: «Tú, que no sabes decir no, que te dejas distraer por cualquiera, que sólo eres capaz de eso, de hacer planes que después apilas en cualquier lado, que son como los primeros fascículos de una de esas colecciones de quiosco que se empiezan, nunca se terminan y acaban por ser la abreviatura de todo lo que ignoras, aprenda bricolaje, curso de inglés, *Historia de un tiempo que nunca existió...*».

Cerré los ojos, hice un gesto con la mano para detener aquella catarata de reproches y volví a decirme vamos, vamos, no te rindas, adelante, a qué esperas, tú puedes, vamos, vamos, vamos. Y después volví a mirar mi agenda: miércoles, junta para aprobar los presupuestos del instituto; jueves, reunión del Consejo Escolar... Venga, me dije, intentando vencer el virus que Virginia me había contagiado, desmontar aquella maqueta de sus preocupaciones que había construido en mí, tú puedes; harás un ensayo sobre Ana María Matute, otro sobre Cela, otro sobre Delibes, vamos, vamos, vamos. ¿Por qué no iba a animarme? Siempre he pensado que el fatalismo es una carencia propia de gente sin recursos: un fatalista es alguien que no tiene la suficiente imaginación como para engañarse a sí mismo.

De cualquier modo, y aunque eso entonces yo no lo podía ni siquiera imaginar, en cuanto empezara a hundirme en la oscura historia de Dolores Serma y su familia, todas aquellas preocupaciones me iban a parecer muy poca cosa. Qué son los problemas de un humilde profesor de Literatura si los comparas con un drama en el que se cruzan y resumen casi todos los infiernos por los que tuvo que pasar este país a partir de 1936.

Capítulo tres

Al día siguiente, la ciudad y yo aún nos parecíamos: no había más que ver la luz demacrada y un poco turbia que me encontré al salir hacia el instituto, después de haber dormido apenas cuatro horas, y que me pareció tan análoga a mi estado de ánimo. El frío todavía era intenso, cortante, y los edificios y jardines que se veían a derecha e izquierda de la autopista estaban cubiertos de nieve. En el autobús, la gente viajaba más silenciosa de lo habitual, sin duda absorbida por el esplendor y la novedad de aquel paisaje. A la entrada de algunas empresas se veían abetos adornados con luces de colores, y en un par de ellas habían montado uno de esos belenes con ostentosas figuras de tamaño natural. Me los imaginé, dentro de unas tres semanas, al árbol en la basura y a la Virgen y los Reyes Magos en un almacén, entre muebles rotos y archivadores viejos, mientras un lugar en la explanada principal lo ocupaban unos paneles publicitarios. Es que a la *abnegación* en cuanto le quitas tres letras se queda sólo en *negocio*.

Ni que decir tiene que la noche pasada apenas había avanzado en la conferencia sobre Carmen Laforet, ni antes ni después de cenar con Virginia, aunque sí había logrado localizar el nombre de Dolores Serma en el libro de Miguel Delibes *España 1936-1950: Muerte y resurrección de la novela*, en un párrafo en el que habla de algunos autores de la primera posguerra que con el tiempo se fueron quedando en el olvido, como José Suárez Carreño, Ángel María de Lera, Tomás Salvador o José Luis Castillo-Puche. Al referirse al primero de ellos, Delibes escribe: «En 1949, Carreño ganó el Nadal con su novela *Las últimas horas*, no muy divertida pero construida sabiamente. Carreño, de ascendencia mexicana y con parientes en Valladolid, era conocido mío, primo de los Gavilán (familia de artistas) y, cuando estaba en la ciudad, frecuentador de algunas tertulias a las que también asistían jóvenes aspirantes a literatos como los poetas Francisco Pino y Pepe Luelmo o la hoy día muy oculta Dolores Serma, narradora de interés a quien traté bastante en mi juventud y a quien, además de proporcionarle algún trabajo cuando llegué a director de *El Norte de Castilla*, recomendé en algunas ocasiones, para que le publicasen en la revista de Cela, *Papeles de Son Armadans*, y para que fuera invitada al célebre Coloquio Internacional sobre Novela del hotel Formentor, en Palma de Mallorca, del que ya he hablado. Pero Dolores Serma, que tanto prometía, se desvaneció con los años, como tantos otros, por ejemplo Luis Romero y Luisa Forrellad, ambos distinguidos en su momento con el Nadal; o Manuel Pombo Angulo y Rosa Cajal, finalistas de la edición de 1947, la que yo gané con *La sombra del ciprés es alargada*».

Claro, ahí pudo haber sido donde yo leí el nombre de Dolores Serma, y por eso no me resultó completamente extraño cuando se lo oí a Natalia Escartín. De cualquier modo, el hallazgo me llenó de alegría, porque era una primera evidencia a la que agarrarse, un as en la manga con el que iba a mejorar la musculatura de mi ensayo y a sorprender a mis colegas de Atlanta. Copié el fragmento de Delibes, le añadí unos datos sacados del ISBN y lo sumé al manuscrito igual que si hinchase una rueda desinflada. Después, escribí: «Podemos comprobar qué razón tiene Delibes cuando insinúa lo difícil que resultaba en aquellos años abrirse el camino que se abrieron Carmen Laforet, Cela o él mismo y, más aún, mantenerse a flote, si tenemos en cuenta que de los novelistas que menciona el autor de *Cinco horas con Mario*, Rosa Cajal sólo publicó dos obras en su vida, y con una diferencia de quince años entre ambas: *Juan Risco*, en 1948, y *El acecho*, en 1963; Pombo Angulo y Luis Romero otras tantas, el primero *Hospital general* y *La sombra de las banderas* y el segundo *La noria* y *Tres días de julio*; en cuanto a Luisa Forrellad, su bibliografía, igual que la de Dolores Serma, se reduce a un solo título, *Siempre en capilla*, del que, eso sí, se imprimieron numerosas ediciones».

Eso tenía buena onda, ¿no creen? Era como empezar a trazar las rayas que iban a darle perspectiva al dibujo. Situaba a Serma, ofrecía los datos, fechas y títulos que forman el decorado de cualquier trabajo crítico y, sobre todo, acababa de proporcionarme una estrategia para mi *Historia de un tiempo que nunca existió:* no iba a analizar a los escritores de uno en uno, sino por parejas; calibraría el mérito de los triunfadores comparándolo con el fracaso de los que quedaron en el camino, y usaría a Carmen Laforet y Dolores Serma como punto de partida. ¿No era magnífico? Dos amigas escriben juntas sus primeros libros en el Ateneo de Madrid, donde han llegado, en los tiempos terribles de la posguerra, una desde Barcelona y la otra desde Valladolid. Pero mientras que Carmen triunfa y, casi a pesar suyo, se transforma en algo muy similar a un mito, Dolores es ignorada y desaparece. ¿Por qué? ¿Cuáles son las llaves del éxito y del fracaso? ¿Qué dosis de fortuna, perseverancia, oportunidad y talento son necesarias para sobrevivir en el inestable mundo de la literatura?

Todas esas preguntas me entusiasmaron, pero cuando me disponía a correr tras ellas y empezaba a tramar dúos con Luis Martín-Santos y Luisa Forrellad, Delibes y Rosa Cajal o Ana María Matute y Luis Romero, vi que ya eran más de las once y tenía que marcharme. «Si serás imbécil», me dije, «a ti qué te importan los problemas de Virginia. ¿Quién te crees que eres: San Francisco de Asís?». Recordé que, según la sentencia de Montesquieu, de la discusión con los demás surge la retórica y de la discusión con uno mismo surge la poesía, de manera que añadí, de camino al Café Star: «Tú lo que eres es gilipollas, me cago en todos tus muertos, subnormal, tonto del culo». Me sentí un poco mejor. A veces, no hay nada como recurrir a los clásicos.

Al día siguiente, mientras el autobús de Las Rozas se acercaba a Madrid, empecé a desesperarme por lo mismo de siempre, que era la falta de tiempo para hacer las cosas que me interesaban. Estaba deseando acabar mi conferencia y empezar mi ensayo, pero cómo dedicarme a eso, si el instituto iba a impedírmelo: a primera hora, tenía que llamar a mi despacho a los que molestaban al hijo de Natalia Escartín, y sólo después telefonearla para pedirle *Óxido;* luego perdería dos horas en preparar las facturas y los informes que tenía que presentar en la junta del día siguiente; y también estaban mis dos clases de bachillerato; y una reunión con los tutores de la ESO. En resumen, otra vez una mañana tan ocupada como vacía.

Por si fuera poco, no dejaba de darme vueltas a la cabeza la situación de Virginia, a quien durante nuestro encuentro en el Café Star encontré en números rojos y contra las cuerdas. Les voy a contar la historia a grandes rasgos, antes de que el autobús en el que iba aquel martes llegue a su destino.

En estos momentos, Virginia tiene un restaurante macrobiótico, en la calle Belén, que se llama Deméter, en honor de la diosa del trigo y los frutos de la tierra, y ese negocio está siendo su ruina. Lo montó hace casi tres años, invirtiendo en él todo lo que le quedaba, que no era mucho, más algún dinero que nos pidió a mí, a sus hermanos y a varios amigos. Pero, según me contó en el Café Star aquella noche, el Deméter no iba bien y ella estaba llena de deudas; los acreedores la acosaban y en el mercado donde se abastecía le hubieran fiado antes un hacha al Raskolnikov de Dostoievski que una lechuga a ella. En plena crisis, llevaba dos meses sin poder hacerse cargo de los recibos de la luz y del gas, y la compañía de teléfonos le acababa de cortar la línea. Además, en esos momentos seguía un tratamiento muy duro, a base de interferón, para intentar vencer la hepatitis que había contraído en sus tiempos de heroinómana, y las inyecciones semanales la dejaban agotada. Una verdadera hecatombe porque, en su caso, entregarse a la medicina tradicional fue otra rendición: ella siempre había sido partidaria de la homeopatía. Pero su hígado no mejoraba con los remedios naturales; las transaminasas no paraban de crecer y cuando, por fin, decidió hacerse unas pruebas en un hospital, el veredicto de los doctores fue rotundo: si no se sometía urgentemente a aquel tratamiento de choque, en tres o cuatro años estaría muerta.

Durante el tiempo que me estuvo contando sus desventuras, me impresionó lo poco que se parecía aquella Virginia angustiada y enferma a la que conocí veinte años antes, entonces tan segura, tan inmune a la adversidad. Porque por fuera, en líneas generales, aún era ella, a pesar de su aspecto demacrado y su aire de fragilidad, casi de transparencia; pero por dentro la habían desfigurado las preocupaciones y me pareció que, tras muchos años de lucha, empezaba a rendirse y tenía la sensación de que por mucho que escalase, siempre estaría al pie de la montaña. Eso es lo que ocurre cuando a lo que llamabas *mala suerte* empiezas a llamarlo *destino*.

Antes de salir del Café Star le di un cheque de mil euros, que no quería admitir de ningún modo, imagino que más por vergüenza que por orgullo, para que pudiese pagar el teléfono, la electricidad y a algunos de sus proveedores. Pero eso, que equivalía a mi bonificación de cuatro meses como jefe de estudios, no iba a resolver su bancarrota; como mucho, lo que le sobrase le serviría para comprar dos o tres kilos de esa cosa a medio camino entre el arroz y la sémola que se llama daikon y un poco de tofu, una caja de remolacha, un litro de soja y unos cuantos nabos japoneses. Aun así, cuando nos despedimos, al filo de las tres de la madrugada, en medio de una calle vacía en la que sólo se escuchaba una de esas sirenas nocturnas que al estallar en la oscuridad te estremecen igual que si el diablo te metiera la lengua en el oído,

Virginia me besó las manos, en señal de una gratitud que resultaba igual de humillante para ella que para mí, y sus lágrimas me dejaron deprimido y con un terrible sentimiento de culpa. Pero ¿qué más podía hacer?

Al día siguiente, desde aquel autobús de veinte años más tarde, vi llegar a Virginia por primera vez, una noche de principios de 1980, a uno de los santuarios de la Movida madrileña, La Vía Láctea; la vi abrirse paso entre una canción de los Sex Pistols y otra de los Ramones, tan rubia y tan misteriosa, y mirar a su alrededor desde algún lugar frío y distante, con esos ojos suyos color verde-astucia que parecían decir: no intentes mentirme. Y también me recordé a mí mismo hacia el final de esa noche, tras dos horas de flirteo y ya absolutamente drogado de ella, cuando me atreví a preguntarle si me daría su número de teléfono para que la llamara, y ella dijo cuándo me vas a llamar, y yo dije siempre, y ella se rió y dijo para qué, y yo dije porque quiero otra dosis, y ella dijo otra dosis de qué, y yo dije de lo mismo que hoy, ¿cómo se llama: virginiamicilina, virginiazepan, virginiacetamol...?

El autobús llegó a Moncloa y allí cambié a otro de la EMT, para ir al barrio de Saconia a través del campus de la Universidad Complutense. Me gusta ese lugar, con sus praderas, sus campos de deporte y sus grandes árboles amarillos, y al mirarlo pensé lo que pensaba siempre: tú serás profesor en una de estas facultades, muy pronto. ¿Sería cierto? Quién sabe, porque la ambición siempre está en el mismo sitio, entre las esperanzas y la realidad, pero nunca se sabe cuándo puede ser el puente que las una y cuándo es el abismo que las separa.

Intenté pensar en las dos clases que tenía esa mañana, que eran las de todos los días, de lunes a jueves, a primero y segundo de bachillerato. Me tocaba hablarles, respectivamente, de *La colmena*, de Cela, y *Tiempo de silencio*, de Luis Martín-Santos, que a la mayoría le importaban tanto como un informe sobre la repoblación del ornitorrinco en los lagos de Australia. Pero qué se le va a hacer si ése es el trabajo de un profesor, predicar en el desierto esperando que en los cactus florezcan girasoles.

Cuando conocí a Virginia yo aún tenía, más o menos, lo que mi madre llama una novia formal, que es algo así como el croquis de una esposa. Llevábamos alrededor de tres años juntos y aunque en ese tiempo los dos habíamos descubierto que el otro no era exactamente la persona de nuestros sueños, supongo que estábamos predestinados a hacer lo que hacen tantas parejas, que es acabar sus estudios, buscar un trabajo y casarse, precisamente, cuando ya no se quieren; o al menos, cuando ya no están en las aguas jurisdiccionales del amor, sino sólo en las del cariño, que es justo lo contrario. ¿Saben lo que intento decir? Tracen una raya y pongan a un lado las cosas que tienen que ver con *amor* y, al otro, las que tienen que ver con *cariño*. En una mitad estarán *pasión*, *idolatría* o *arrebato* y en la otra estarán *costumbre*, *urólogo* y *colcha*. ¿Qué más pruebas necesitan?

Desde luego que antes de encontrarme con Virginia yo había cometido algunas infidelidades con otras mujeres: no olviden que aquéllos eran los años de los que iban a surgir los atrevidos ochenta pero también los fúnebres noventa, igual que el Amazonas nace de las fuentes del Marañón y el Ucayali, y que nuestras noches del viernes y el sábado se basaban en la trilogía música, drogas y libertad; de modo que no era difícil acabar fumando el último cigarrillo de hachís en la cama de alguien, a menudo sin que llegaras a saber quién, cómo ni dónde. Les voy a decir lo que pienso yo ahora, casi un cuarto de siglo más tarde, de todo aquello: bendita sea cada una de esas chicas. Malditos sean los que creen que la decencia sólo se puede conservar con la ropa abrochada, todos esos reprimidos cuya virtud huele a perro muerto y con cuya moral yo abonaría la tierra de un sembrado. Malditos sean los que consideraron lógicas las calamidades que después pasarían muchas de esas inocentes diosas del humo, santas desnudas, sacerdotisas de la alucinación. Que les parta un rayo. Punto y final.

Y a pesar de todo, seguramente porque los deseos son el enemigo natural de los principios, lo de Virginia fue otra cosa desde que puso en mí su campamento, aquella noche de La Vía Láctea: a ella la quería en exclusiva y hasta tal punto que casi antes de estar enamorado estuve celoso, sufrí porque me la quitaran aunque aún no la tuviese, pero quién, cuál de ellos, me decía, viendo fantasmas y traiciones por todas partes, y sintiendo que me sangraban heridas que aún no tenía, porque al celoso no le hacen falta razones ni pruebas: le basta con lo que no ha ocurrido. No quisiera dar la impresión de ser uno de esos hombres que, como dice Jules Renard, parecen casarse nada más que para evitar que sus mujeres se casen con otros, pero debo reconocer que el día de nuestra boda me sentí como Orfeo rescatando a Eurídice de entre las llamas de Plutón.

Aquel día, cuando miré hacia ahora desde una ventana de los juzgados, vi con claridad todo lo que al final no pasó: nos vi anclados uno en el otro para siempre, dueños de un amor invulnerable. Hoy, al mirar hacia lo que vino después, hacia los últimos días con Virginia, me veo como un hombre aturdido por la decepción, alguien que no sabe si ha olvidado dónde escondió un tesoro o si es que olvida que jamás lo tuvo, y siento verdadera compasión por ese desdichado que entonces pasaba por uno de los momentos más penosos de la vida, que es cuando descubres que la otra mitad de cada cosa es su opuesto y que el final de todos los caminos consiste en desandar lo andado, en ir sucesivamente del ímpetu a la calma, de la fe a las dudas y de la ilusión al desencanto. La suerte es la muerte con una letra cambiada. Qué barbaridad.

El autobús llegó a mi parada y los recuerdos se detuvieron. Seguía haciendo un frío polar y avivé el paso hacia el instituto, en parte por entrar en calor y en parte para poder tomar tranquilamente un café en el Montevideo. A esa hora la ciudad empezaba a arrancar sus motores, algunas tiendas abrían sus cierres metálicos y de las pastelerías emanaba el dulce olor de la diabetes hipoglucémica. A la entrada de un laboratorio fotográfico había un pobre hombre-anuncio disfrazado de Papá Noel y con un letrero al cuello, de esos que cuelgan por delante y por detrás y que definen muy bien cuál es la receta del capitalismo: se pone una persona cruda entre dos rebanadas de publicidad y se le sirve a un banco.

—Buen día, profesor —me dijo Marconi cuando llegué al Montevideo.

—¿Qué tal? ¿Cómo va la mañana?

—De a poquitos, no más. ¿Un café negro?

—Sí, por favor.

—¿Querés algo de comer: una tostada integral, un sándwich olímpico?

—No, Marconi, muchas gracias.

—Por nada.

Cada día me gustaba más ese hombre, tan discreto y poco dado a las intimidades que era capaz de no decir una sola palabra acerca de aquel temporal de frío que parecía dispuesto a congelar sobre las aceras hasta la sombra de los que pasaban. Y fíjense si eso es raro en un mundo en el que la conversación del ochenta por ciento de las personas se reduce a dos únicos temas: su salud y el tiempo. Pero Marconi estaba hecho de otra madera.

Aprovechando que, a base de huir del frío, había llegado más pronto que nunca al Montevideo y aún quedaba casi media hora para las nueve, me puse a buscar en las memorias de Carlos Barral lo que hubiese escrito acerca de las famosas Conversaciones Poéticas del hotel Formentor y el inmediato Primer Coloquio Internacional sobre Novela, celebrados en 1959 en Palma de Mallorca, a los que Delibes afirmaba haber hecho que Cela invitase a Dolores Serma. Si estuvo allí, hospedada junto al resto de los autores en «aquel bello edificio, guardián de un paraíso odisaico», según la descripción de Barral, quizás habló en alguna de las mesas redondas que se celebraron durante el congreso y hasta era posible que su intervención se publicase en la revista de Cela, *Papeles de Son Armadans*. Puede que incluso se conservara alguna foto suya junto a los otros invitados, entre los que Barral recuerda, aparte de Cela y Delibes, a escritores que me parecieron muy reconocibles para mi inminente público de Atlanta, entre otros Robert Graves, el futuro Premio

Nobel de Literatura Vicente Aleixandre y dos miembros del ala más bien franquista de la Generación del 27, Dámaso Alonso y Gerardo Diego.

—¡Aquí está! —grité, al tiempo que daba una estruendosa palmada en el mostrador, que sonó a loza rota y a tenedores revueltos. Marconi, que me servía en ese instante el café, me miró dos segundos por encima de las gafas, con cierta curiosidad, y después se retiró al fondo de la barra, inmutable, sin un solo gesto ni un comentario. Su cara era una piedra a medio esculpir. Adoro a ese hombre. En una ocasión le hablé a mi madre de su prudencia y ella zanjó el asunto con uno de sus refranes: «Como debe ser, hijo: el pez en el agua y el herrero en la fragua». Pero se equivoca, porque en este caso no se trata de un problema de clase social, sino de temperamento. A menudo, la gente confunde las cosas.

Dolores Serma estaba atrapada en un párrafo displicente pero muy revelador de las memorias de Barral: «No consigo identificar con seguridad —escribe— a los que intervinieron en aquel primer encuentro de narradores. Mercedes Salisachs, Juan Goytisolo, a quien sin duda acompañaría Monique Lange... Dionisio Ridruejo, en representación de la literatura oficial. Tal vez Ana María Matute. Entre los extranjeros, con certeza Italo Calvino, Robbe-Grillet y Henry Green. De Doris Lessing recuerdo que había perdido el avión en el aeropuerto de Londres, pero no si al final estuvo o no estuvo en el hotel Formentor. Y a la lista hay que añadir a algunas esposas de poetas —olvidé a Clementina Arderiu, la de Carles Riba—, a la narradora Dolores Serma, paisana de Delibes y tenaz aspirante al Premio Biblioteca Breve, y a un grupo de damas de la capa más leída de la sociedad palmense».

Tensé el brazo y apreté un puño para exprimir aquel limón del árbol de la felicidad. Me pasé la mano por la cara, bebí lo que quedaba del café, apunté en mi libreta el número de la página que acababa de leer y escribí acto seguido: «Esas líneas demuestran que las gestiones de Delibes ante Cela surtieron efecto; pero, sobre todo, confirman que en 1959, aún inédita y todavía a tres años de publicar su único libro, Dolores Serma era algo más que un fantasma: habían pasado ya quince años desde sus sesiones junto a Carmen Laforet en el Ateneo de Madrid, pero la autora de *Óxido* estaba en activo, participaba en simposios literarios de primera magnitud y, por lo que dice Barral, sabemos que buscó el éxito, como cualquiera. Pero no se debe olvidar que en ese mismo espacio de tiempo que para Serma fue tan infructuoso, su amiga Laforet ya había publicado, además de *Nada*, otras dos novelas, *La isla y los demonios* y *La mujer nueva*, cinco novelas cortas, algunos relatos y hasta un tomo con sus obras completas, y había ganado tres premios, el Nadal, el Menorca y el Fastenrath. Y en cuanto a su protector, Miguel Delibes, ese mismo año sacó su noveno libro, *La hoja roja*, y acababa de ser nombrado director de *El Norte de Castilla*».

Me interrumpí porque empezó a sonar mi teléfono. Era mi madre, que me llama cada mañana, exactamente a las nueve menos cinco, para preguntar qué tal el viaje y si había llegado bien, como si en lugar de recorrer dieciocho kilómetros en autobús hubiera ido a los Andes a escalar el Tupungato. Es parte de su rutina, que consiste en levantarse, sin ninguna necesidad, a la misma hora que yo, hacerme el desayuno y, alrededor de una hora y media después, darme esa voz de alarma. No me importa, porque creo que eso la hace sentirse útil; de manera que le sigo la corriente.

—Hola, mamá. Buenos días.

—Buenos días, hijo. Ya son casi las nueve. ¿Estás en el trabajo?

—¿Qué trabajo? Estoy en el casino, jugándome nuestra casa en una partida de póquer.

—Anda, anda, déjate de bromas y no seas viva la Virgen. Entonces, ¿no has llegado al instituto?

—Aún no. He venido al Montevideo a tomar un café y me había distraído con unos papeles. Menos mal que me avisas.

—¿Lo ves? Si es que últimamente estás en Babia, hijo, que se te va el santo al cielo.

—Bueno, pues salgo ahora mismo. Luego hablamos, ¿vale?

—Te habrás abrigado, ¿verdad?, porque es que hace un frío horroroso. ¿Te has puesto una bufanda? ¿Y guantes?

—Claro que sí —mentí, mientras dejaba el dinero del café en el mostrador y salía hacia el instituto—. Por cierto, es mejor que no te muevas hoy de casa. Las calles están heladas y son peligrosas. Si necesitas algo, dímelo y yo te lo llevo.

—No, hijo, no necesito nada, gracias. ¿Qué tal anoche? Olvidé preguntarte esta mañana. ¿A qué hora volviste de la cena? ¿Trabajaste mucho?

—Bueno, un poco. No estuvo mal.

—Me alegro. ¿Y Virginia?

—Bien, más o menos. Con problemas en su negocio y regular de salud, como sabes; pero intentando abrirse paso.

—Vaya por Dios, pobre muchacha, ¡con lo que tiene sufrido! Pero ya verás como al final todo se arregla, y pronto. Ya sabes: año de nieves, año de bienes. Hasta luego, mi amor.

—Hasta luego, mamá.

Entré en el instituto con Carmen Laforet y Dolores Serma en la cabeza, pero en cuanto vi los pasillos que empezaban a llenarse de alumnos y a Bárbara Arriaga que, al cruzarnos, me saludó como si en el idioma de las brujas *buenos días* significase *muérete*, la realidad se adueñó de todo, el hotel Formentor se vino abajo, *Nada* y *Óxido* ardieron en una hoguera y la palabra *literatura* fue trasladada al campo semántico al que pertenecen *cepo* y *sacacorchos*. Adiós, gran conferenciante y escritor del mañana; bienvenido, pequeño maestro de ayer y de hoy. Debería haberme dedicado a cualquier otra cosa, no sé, a hornear empanadas, vender pólizas de seguros, o algo así.

—Muy buenos días, jefe —me saludó Julián, saliendo de su conserjería—, ¿cómo va eso? Menuda mañana, ¿eh? Como esto siga así, dentro de poco vamos a comer bocadillos de pingüino.

—Buenos días —le contesté, estrechando con cierta aprensión la mano de hierro que cada mañana me tendía, porque Julián es uno de esos tipos que no distinguen muy bien entre saludarte y zarandearte—. ¿Qué tal anoche?

—Pues regular. La mujer dice que me había dejado un bizcocho en la cocina, por si me levantaba, y que en lugar de comérmelo tal cual, lo he mojado en suavizante para la ropa.

—¿De verdad?

60

—Eso parece. Ya sabe que ella, antes de acostarse, marca todos los botes con un rotulador, por ver si baja el nivel, ¿no?, y ése sí que estaba más bajo, sí.

—Pero ¿no me dijo que guardaban las cosas venenosas con llave?

—Las guardamos, sí, lo cual no evita que pueda ocurrir un despiste, ¿no? Y ésa, pues que se nos olvidó anoche, estrictamente hablando. Según mi señora, me he tomado casi tres centímetros.

Me dieron ganas de contarle el chiste de Sócrates: «¿Que he bebido *qué*?». Pero me contuve y, en lugar de eso, dije:

—¿Y se encuentra usted bien?

—Divinamente. Digo yo que será por eso de que lo que no mata engorda. Pero la mujer se ha enfadado porque no quise ir al ambulatorio a que me miraran. Y bueno, ahí ya sí que se armó la marimorena. ¡No vea cómo se ha puesto: hecha una sidra!

—Una hidra, Julián.

—Eso, eso, una hidra: que dice que si soy un irresponsable y no puede más; que si esto no es vida; que si la estoy matando...

—Pues nada, hombre, paciencia y barajar, como decía Cervantes.

—Qué remedio, jefe, qué remedio. Paciencia, que es paz más ciencia, como solía decir mi padre.

Subí a la sala de profesores, según es costumbre, para saludar a los colegas. El ambiente era tan espeso que te lo podías comer a cucharadas. Como me había entretenido en el Montevideo con las memorias de Barral y en la entrada del instituto con el conserje, llegaba un poco tarde, así que algunas miradas me taladraron y en algunas bocas serpenteó la culebra del desprecio. En una esquina del cuarto, Bárbara Arriaga se ponía su absurda bata de farmacéutica y tenía una cara que parecía haber pasado la noche a remojo en vinagre. En el rincón opuesto, Miguel Iraola se retocaba a ciegas el nudo de la corbata y el peinado. Dos maestros más jóvenes, uno de Educación Física y otra de Lengua, él llamado Sebastián y ella Matilde, se reían junto a la ventana. Vinieron a por mí uno a uno, antes de salir hacia sus clases: Iraola, con sus andares jacarandosos y vestido con un traje de color carne guisada, me dio los buenos días cortésmente y me preguntó cuándo pensaba llamar al orden a los estudiantes de los que me había hablado. Sebastián me advirtió, con un gesto más bien torvo, que debía presionar al secretario para que a la hora de hacer los presupuestos no olvidase las reparaciones que necesitaba el gimnasio. Y Matilde me recordó que a la una y media tenía que reunirme con los tutores de la ESO. Los odié a todos, tanto por lo que eran como por lo que no eran, y me hubiese ido en ese mismo instante a mi casa, dando un portazo, con tal de no volver a ver a esa gente con la que compartía ocho horas diarias y no tenía absolutamente nada en común. Pero de qué serviría eso, si ya lo dice un proverbio árabe: disparando al caballo no matarás a las moscas que lo rodean.

Cuando los otros tres salieron, Bárbara Arriaga y yo estuvimos aún un minuto en la sala de profesores, que de pronto me pareció una cripta o una mazmorra. Había empezado a llover furiosamente, y el aguacero azotaba el tejado y debía de llenar las calles de peatones góticos. En alguna casa vecina al instituto aullaba un perro. Arriaga me miró de tal manera que hizo que me acordase, en una ráfaga, de todas las locas acerca de las que había hablado en mis conferencias de Dresde y Nuremberg, en un congreso sobre Literatura y Enfermedad: recordé a la Lucy Ashton de *La novia de Lammermoor*, de Walter Scott, y a la desdichada protagonista de *María, o las injusticias que sufre la mujer*, de Mary Wollstonecraft; pensé en *Cassandra*, de Florence Nightingale, y en la cataléptica Marta Rougon de *La conquista de Plassans*, de Zola; en la ominosa Bertha Mason que imaginó Charlotte Brontë para *Jane Eyre*; en la Lynda Coleridge de *La ciudad de las cuatro puertas*, de Doris Lessing; en la señora Danvers, célebre y terrible ama de llaves de la *Rebeca* de Daphne du Maurier; en la pobre Irene Quiroga de *La fuente enterrada*, de Carmen de Icaza, y en la esquizofrénica sin nombre que Charlotte Perkins Gilman puso en su cuento «El empapelado amarillo». Unas simples aficionadas, en comparación con la profesora de Física y Química de mi instituto.

Muy poco después, intentaba organizar en mi despacho las cuentas que presentaría en la reunión del día siguiente, mientras Carmen Laforet y Dolores Serma llamaban a mí como a la puerta de una casa vacía. Perdí el tiempo preparando las previsiones de gastos e ingresos del instituto, lo cual era una ocupación fascinante, como ya pueden imaginar. Por un lado, estaban las propuestas y reclamaciones del claustro: la profesora de Música, por ejemplo, solicitaba que se comprasen un piano vertical y una docena de atriles para las partituras; la bibliotecaria pedía más fondos para adquirir libros y tres tableros de ajedrez, y el profesor de Educación Física, cinco colchonetas y diez balones de voleibol, además de exigir el arreglo de los vestuarios, las duchas y la cancha de baloncesto. Por otro lado, las partidas de gastos estaban destinadas a las obras en el edificio; la reparación y conservación de maquinaria, elementos de transporte, mobiliario, enseres y equipos informáticos; a los suministros de energía eléctrica, agua, combustible y alimentos; al pago de tasas, contribuciones, impuestos y primas de seguro; al abono de facturas de los sistemas de comunicación, teléfono, fax, servicio postal o telegráfico y correo electrónico; a trabajos realizados por empresas de seguridad, limpieza y aseo. Finalmente, las casillas de los ingresos las fui llenando con cifras que resumían conceptos y subconceptos, cobros y donaciones, recursos públicos y recursos propios, créditos y ayudas oficiales. ¿Se aburren? Pues imagínense yo. Cuando acabé con todo eso, ya eran casi las once y, por lo tanto, tenía que ir a dar mi primera clase de la mañana, sobre Luis Martín-Santos, a segundo de bachillerato. Me sentía como si acarrease un barril lleno de arena.

Ojalá el mundo real fuese tan justiciero como el literario, me dije, según caminaba hacia el aula. Carmen Laforet triunfó desde el principio y casi contra su voluntad, porque *Nada* lo merecía. Dolores Serma se movió pero no fue a ninguna parte porque *Óxido* no sería gran cosa, como sin duda iba a comprobar el jueves, si conseguía que me la prestasen, en mi avión hacia Atlanta. El médico Martín-Santos, que dirigía el sanatorio psiquiátrico de San Sebastián y era un absoluto desconocido, presentó *Tiempo de silencio* al Premio Pío Baroja de 1961, y el galardón fue declarado desierto, pero Barral se la publicó de inmediato y, muy pronto, se empezó a hablar de él. Sería fabuloso si el resto de la vida fuese así y los resultados que consigue cada persona fueran proporcionales a sus méritos. Por desgracia, no lo es. Deberían ver, por ejemplo, al director de mi instituto, de quien ni les he dicho ni les voy a decir una sola palabra, por no perder el tiempo y porque, como suele decir mi madre: en este mundo, al que habla claro todo le sale turbio. Como máximo, se me ocurre una cosa: les doy un par de adjetivos y ustedes les construyen el personaje alrededor. ¿De acuerdo? Vale, pues imaginen cualquier cosa que ajuste con *incompetente* y *lameculos*, y será él. Seguro que ya se hacen una idea.

A las doce, después de haber pasado una hora hablándoles de *Tiempo de silencio* a quince adolescentes que, de los ciento ochenta centímetros que medían, calculo que alrededor de ciento treinta los habrían crecido dentro de un Burger King y otros diez en una sala de videojuegos, salí de clase «moderadamente eufórico», por usar una expresión feliz de Julián, el conserje: aunque parezca mentira, la mayor parte había leído el libro y, en general, les había gustado. Increíble.

A las doce y cinco tuve una entrevista con la tutora del hijo de Natalia Escartín y diez minutos más tarde llamaban a la puerta de mi despacho los dos presuntos culpables de molestarlo. Apreté los dientes, tensé los músculos de la cara, dije adelante y les clavé los ojos más japoneses que pude, intentando hacer que se sintieran como dos insectos atravesados por un alfiler. Así es la vida: Nabokov cazaba mariposas y yo cazo alumnos de secundaria.

Tampoco hay tanta diferencia. Si no fuese porque él escribió *Lolita* y yo no, seríamos casi la misma persona.

Vamos a llamar Héctor y Alejandro a los dos esbozos de matón que tenía frente a mí. Ustedes ya los conocen: son los más fuertes y los más estúpidos de su clase y, aunque ahora quizás usen otros nombres, ni su apariencia ni su actitud han cambiado desde que los sufrieron, hace años, en su propio instituto: ahí están la chulería panfletaria, los andares ondulantes que les hacen parecer un ser humano superpuesto a un mono y el clásico rictus de desdén aprendido de los malos actores de las películas para idiotas; ahí sigue su postura indolente, con los pulgares en los bolsillos del pantalón y el cuerpo destensado por la indiferencia; y en cuanto a su modo de hablar, aparte de haber asumido la jerga de moda, tampoco ofrece muchas novedades, sigue siendo un combinado de desinterés y provocación, de qué me hablas, tío, corta el rollo, colega. Lo único distinto es que hace tiempo, cada vez que cometían una tropelía, sus padres les ajustaban las cuentas en casa, y ahora van al colegio a ajustárselas a los profesores. De hecho, algunos defienden a sus hijos con tal ferocidad que, dentro de poco, nuestra profesión va a tener que incluirse entre las que hacen obligatorio el uso del casco.

—¡Cómo no! —dije, a la vez que levantaba demagógicamente las manos—: Héctor y Alejandro, una vez más. El Dúo Calavera en persona. Chicosduros.com.

—Mire, jefe, nosotros no hemos hecho nada —dijo uno de ellos—. No sé ni por qué nos ha llamado.

—¿En serio? Oye, ¿con quién crees que hablas? ¿Eh?

—Oiga, ya le he dicho...

66

—Perdona... Perdona un momento. Os suena de algo Ricardo Lisvano, ¿verdad? Me han dicho que últimamente os divertís bastante a su costa.

—Qué va, para nada.

—¿No? Bueno, pues a pesar de todo, si volvéis a importunarlo, os voy a hacer la vida imposible, ¿vale? Quizá no os pueda expulsar, porque eso es difícil: ya sabéis que en este país la escolarización es obligatoria, incluso para los que en lugar de tener cerebro sólo tienen sesos, como las vacas. Pero voy a amargaros cada segundo que paséis en el instituto. ¿Me explico?

—Pero si nosotros...

—Para empezar, ya le he dado a vuestra tutora la orden de que os separen en clase. A partir de mañana, os sentaréis los dos en la primera fila, cada uno en un extremo.

—¿Por qué? Si le digo que nosotros...

—Y voy a hablar con vuestros profesores, uno a uno, para pedirles que os saquen a la pizarra cada mañana, os echen de clase a la mínima y os manden aquí conmigo. Yo os educaré, en persona.

—Pero...

—Por otro lado, ya sé que estáis en el equipo de baloncesto. Voy a hablar con el entrenador, para que os dé de baja.

—¿Qué? Oiga...

—Éste es el primer y el último aviso. Ya podéis marcharos.

Supuse que con eso bastaría: al fin y al cabo, aquellas dos abreviaturas de malhechor sólo tenían dieciséis años. Desde luego, no podía cumplir ni la mitad de mis amenazas y, además, si a esas dos joyas les daba por contar en casa lo que les dije, corría el peligro de que a la mañana siguiente apareciera en mi despacho un energúmeno en forma de padre, dispuesto a comerme vivo. Pero, por esa vez, me arriesgaría.

El siguiente paso era telefonear a Natalia Escartín. Marqué el número de su móvil y le dije que había llamado severamente la atención a los dos alumnos que fastidiaban a su hijo y que sus profesores de Literatura e Inglés me iban a dar un informe sobre las causas por las que iba mal en esas asignaturas.

—Pero, básicamente, lo que tiene que hacer es trabajar más en casa —dije—; sobre todo el Inglés, que lo tiene muy abandonado. Para ayudarle con la Literatura, le voy a fotocopiar los apuntes de su compañero Alfonso, que es el más listo de la clase. Si los estudia, aprobará seguro. De cualquier forma, no se preocupe. Su hijo es inteligente y no va a tener ningún problema para sacar el curso, si él no quiere tenerlo.

Odio decir esas bobadas, pero he aprendido que son las únicas que quieren escuchar los padres de los alumnos. De modo que cuando llegan furiosos a mi despacho, dispuestos a encontrar al culpable de que su excepcional hijo haya puesto en un examen que el Guadalquivir pasa por Zaragoza, que la capital de Marruecos es Kuala Lumpur o que el nombre de pila de Cervantes era Mariano, les sueltas un par de alabanzas de ese tipo y es como clavarle un dardo narcótico a un rinoceronte. «No, si ya sé que le sobra cabeza», dicen, ya más tranquilos, «lo que pasa es que ahora los chavales, como lo tienen todo tan fácil...».

—Le agradezco mucho todas las molestias que se ha tomado —dijo Natalia Escartín. En el teléfono, además de su voz se insinuaba, de fondo, el baqueteo metálico del

hospital: camillas, carros de medicamentos, biombos, sillas de inválido...

—No tiene por qué. Es mi obligación.

—Bueno, la amabilidad nunca es obligatoria: uno la
elige. ¿Qué tal su conferencia?

—Pues, ya que lo menciona, he estado buscando información sobre su suegra, y he encontrado algunas cosas de interés.

—¿En serio?

—Sí, sí, ya le contaré; hay varios autores importantes que la mencionan en sus memorias, gente como Miguel Delibes y Carlos Barral. Y tal vez encuentre algunos
otros.

—Vaya, pues me gustaría que me diese los datos,
para comprarme esos libros. No creo que mi esposo los
conozca. Sería un buen regalo de Navidad.

—Será un placer. Sin embargo, lo que no voy a poder conseguir, sobre todo de aquí al jueves, es un ejemplar
de su novela. Ni creo que sea sencillo encontrarla, en
realidad. Me pregunto si ustedes tienen alguna copia, y
si me la prestarían para que la lea en el vuelo a Atlanta.

—Eso es fácil: si no me equivoco, en el desván hay una
caja llena, de modo que le regalaremos una, con mucho
gusto. ¿Quiere que se la envíe mañana, con un mensajero?

—No me gustaría causarle molestias. Y..., bueno...,
también podría ir a por ella yo mismo. Así le doy, de paso, los apuntes de Alfonso. ¿Le parece bien? O podemos
encontrarnos en algún otro lugar, si lo prefiere.

Hubo un silencio que yo llené de sus posibles sospechas: pero qué cara dura tiene este tipo, a qué juega,
¿será posible?

—Claro que sí —dijo, finalmente—. Será un placer. ¿Le vendría bien en la cafetería del hotel Suecia, a eso de las cinco y media?

Fijamos la cita y acabé la mañana lo mejor que pude. Di mi segunda clase, esta vez a primero de bachillerato y sobre *La colmena*, sin lograr que se interesaran gran cosa en el libro. Fui con el secretario a llevarle una copia de los presupuestos al director. Perdí diez minutos con Julián, el conserje, que tenía que explicarme las obras del baño de las chicas. Después le di un aviso, sin demasiado entusiasmo, a los alumnos de los que se había quejado Miguel Iraola. A continuación me reuní con los tutores de la ESO, que me pidieron cosas tan diversas como que le insistiera al secretario para que ordenase la compra de diverso material de laboratorio, desde vasos de precipitado y matraces Erlenmeyer hasta un amperímetro; que autorizara una visita a las cuevas de Altamira o que se instalara un pasamanos en las escaleras del aparcamiento. Luego hice la fotocopia de los apuntes de Literatura para el hijo de Natalia Escartín y, como colofón a esa fantástica mañana, hablé por teléfono con las encargadas de Secretaría, que me dieron mi agenda de visitas del día siguiente, con el director, con mi madre, con la presidenta de la APA, con la inspectora de la Comisión Pedagógica y con Virginia, que me llamó para contarme en qué había usado el dinero que le di en el Café Star y que pronto iba a ir al médico para someterse a una prueba importante. Algunos de ustedes sabrán que Colofón es el nombre de la ciudad donde Homero se quedó ciego.

Vamos, vamos, me dije, mientras caminaba hacia el Montevideo sobre la nieve deshecha, agotado y deprimido por aquel día absurdo. Vas a escapar de esto, vas a escribir tu ensayo, vas a triunfar, te harás rico, te arruinarás y cuando te pregunten por qué te arruinaste podrás repetir lo que dijo el futbolista George Best: gasté mucho dinero en coches, alcohol y mujeres; el resto, lo he malgastado. Venga, no te desanimes, vuelve a 1959, tú has estudiado a fondo ese año en que se celebran las Conversaciones del hotel Formentor y mientras Cela reúne en Palma de Mallorca a una serie de escritores, entre los que está Dolores Serma, el poeta Manuel Altolaguirre muere en Burgos, en un accidente de coche; el italiano Salvatore Quasimodo gana el Nobel de Literatura; Jaime Gil de Biedma publica *Compañeros de viaje;* Vargas Llosa, *Los jefes;* Julio Cortázar, *Las armas secretas,* y Neruda, *Navegaciones y regresos;* Fidel Castro entra en La Habana; en Francia se elige a De Gaulle presidente de la República y en España se pone en marcha el Plan de Estabilización, se funda la banda terrorista ETA, Franco manda trasladar los restos de José Antonio Primo de Rivera desde El Escorial al Valle de los Caídos, se inauguran los grandes almacenes Galerías Preciados... Venga, venga, venga, reconstruye alrededor de Carmen Laforet y Dolores Serma aquel año horrible y triunfal en que todo se hunde pero Severo Ochoa gana el Nobel de Medicina, Federico Martín Bahamontes el Tour de Francia y Alfredo Di Stéfano el Balón de Oro. En 1959 Ernest Hemingway recorre España con los toreros Luis Miguel Dominguín y Antonio Ordóñez, va de Bilbao a Málaga, de Pamplona a Madrid, Sevilla, Burgos, Valencia... Juan Goytisolo y la hija de André Malraux, Florence, acuden en mayo al congreso de Palma de Mallorca y en agosto estarán en Málaga con Hemingway, que para entonces ya tiene su famoso aspecto de Papá Noel por lo civil, ha ganado el Nobel hace cinco años y sólo escribe novelas póstumas, todas esas que aparecerán después de que se pegue un tiro en 1961: *París era una fiesta, Islas a la deriva...* Ana María Matute ha ganado el Premio Nadal con *Primera memoria* y Juan García Hortelano va a ganar con *Nuevas amistades* el Biblioteca Breve al que, si es cierto lo que dice Carlos Barral, también Dolores Serma debía de haberse presentado. En el año 59 los dibujantes Goscinny y Uderzo inventan Astérix y se matan en un avión Buddy Holly, Ritchie Valens y el gimnasta Joaquín Blume; y mueren Raymond Chandler y Billie Holiday; y Hemingway, que en 1937 estuvo en Madrid defendiendo a la República, ahora comparte el palco de la plaza de toros de Bilbao con Carmen Polo, la mujer de Franco. Venga, venga, sé ambicioso y Atlanta caerá rendida a tus pies.

—Buen día, profesor —me saludó Marconi, nada más entrar al Montevideo—. ¿Qué tomás? ¿Un café negro?

—No, hoy no. Mejor dame directamente la botella de Château Cantemerle.

Es que hacer planes es siempre algo equívoco, ¿no les parece? Hablamos de los planes como si fueran un manual de instrucciones, pero sólo son un libro en blanco. Muy pronto, yo mismo me sorprendería al ver de qué iban a llenarse las páginas que pensaba escribir sobre Dolores Serma y por qué caminos inesperados debería internarme mientras perseguía su historia.

Capítulo cuatro

—Claro que sí —dijo mi madre—, Joaquín Blume, un gran atleta. Murió en la flor de la vida.

—Y lo convirtieron en héroe y mártir del Régimen, ¿no es verdad?

—El Régimen, el Régimen... Anda, cambia de tercio, que siempre estás con la misma cantinela. Pues claro que sí. Él hacía esa figura en las anillas, el Cristo, con una perfección que, vamos, aquello era el no va más. Se quedaba clavado en el aire, sin que se le moviera un músculo. Algo verdaderamente extraordinario.

Había pasado toda la tarde solo en la biblioteca, haciendo fichas, reuniendo información y añadiéndole diferentes datos a mi texto, y ahora estábamos en la cocina degustando su plato más especial, rape alangostado, que me hace a menudo y que es una delicia, tan suave y tan sabroso a la vez. ¿Por qué no se alimenta de cosas así todo el mundo, en lugar de meterse en el cuerpo cosas que parecen Mussolini partido en trozos?

—Sí, pero en realidad —añadí, para provocarla— el Régimen le hundió la vida a Blume, ¿no lo sabías?

—¡Y dale! Hijo mío, tú es que eres erre que erre.

—Cuando Blume estaba en su mejor forma, le prohibieron ir a las Olimpiadas del 56, en Melbourne, y también al Mundial del 58.

—¿Y eso por qué?

—Lo del 56, para protestar contra la invasión de Hungría por la Unión Soviética.

—Ah, bueno, ¡acabáramos! Los comunistas, con su bandera roja y sus tanques de la paz. Ahí sí que vivía bien la gente, en la Unión Soviética de Stalin.

—Stalin ya había muerto, mamá. En el 59 estaba Kruschev.

—Que era el mismo perro con distinto collar. Vamos, que con uno o con otro aquello sí que era Jauja. Tengo entendido que en Moscú ataban los perros con longaniza.

—No te pongas irónica, haz el favor.

Cortó un trozo de pescado y lo masticó lentamente. Siempre le ha encantado ese tipo de esgrima dialéctica. Y a mí, que no hacía más que leer libros sobre la posguerra, me venía bien ensayar mis conocimientos en aquellas discusiones.

—Pues no tergiverses las cosas —dijo—, que no es propio de ti. ¿No fue Kruschev el que hizo el Muro de Berlín?

—Sí.

—¿Y el que llenó Cuba de misiles y estuvo a punto de provocar la tercera guerra mundial?

—O sea —contraataqué, dejando de lado su pregunta—, que en España, en el año 59, se vivía en la gloria, ¿no? Era todo libertad y prosperidad.

—Anda, anda, tú qué sabrás del año 59. Si es que os ponéis a hablar a tontas y a locas, sin saber de la misa la media. En España, pues también pasábamos las de Caín, no te digo que no, pero por lo menos no había un Archipiélago Gulag, como en Rusia.

—Te equivocas. En España hubo campos de concentración hasta 1962, que cerraron el de Los Merinales, en Sevilla. De ahí y de las prisiones sacaban los esclavos de lo que se llamó el Sistema de Redención de Penas por el Trabajo. Los muy miserables se los alquilaban a empresas constructoras y del jornal que les pagaban, el Estado se quedaba con el ochenta y cinco por ciento. Así se hicieron carreteras, puentes, embalses, vías férreas, el Valle de los Caídos, Puerto Banús, la canalización del Bajo Guadalquivir y la cárcel de Carabanchel, entre otras cosas. Y, por lo demás, Franco estuvo asesinando gente hasta un minuto antes de morir.

—Pues en 1959, por si no lo sabes, es cuando vino a Madrid el presidente Eisenhower. Y bien que se abrazaba al Caudillo, de modo que no debía de ser tan malo. Eso lo pudimos ver todos los españoles.

—Sí, en el NO-DO, en la prensa del Movimiento y, los que la tuviesen, en la televisión de la dictadura, más manipulada que las escopetas de un tiro al blanco. Ahí sí que os ibais a enterar de mucho.

—Bien interesantes que eran algunos programas de los de entonces, mucho mejores que las desvergüenzas que dan ahora. Ponían buenas obras de teatro en *Estudio 1* y había aquel magacín, *Gran Parada*, donde actuaba la flor y nata de los cantantes, desde Los Cinco Latinos a Edith Piaf, Gilbert Bécaud, Joséphine Baker... Había un espacio cultural, por cierto, que se llamaba *Tengo un libro en las manos*. Y otro, los miércoles, que se llamaba *Tras el telón de acero* y que te convendría haber visto, me parece.

Bravo. Ésa siempre ha sido una estrategia característica de su retórica: cambiar de tema, subir el nivel como un avión que gana altura para hacerse invisible y luego, cuando menos te lo esperas, aparecer otra vez a tu espalda, lista para derribarte.

—Ya ves tú —dije—, qué desvelo por la Historia y la cultura, con todo lo que salía por la pantalla censurado y al servicio del glorioso Movimiento Nacional.

Tomó aire y cerró los ojos, cargándose a la vez de paciencia y de argumentos.

—Nada, nada, que en *Estudio 1*, por ejemplo, daban obras estupendas. Me acuerdo de María Dolores Pradera en *Crimen y castigo;* de un *Don Juan Tenorio* en el que Conchita Velasco hacía de Doña Inés; y de José María Prada, qué gran actor era, haciendo de Colón en el *Nuevo Mundo* de Lope de Vega.

Sonrió y vi un destello de triunfo en sus ojos. Acababa de llevarme a su terreno predilecto, el teatro, que es la gran pasión de su vida: lleva casi setenta años yendo prácticamente todos los fines de semana a ver alguna obra. También le encanta leerlas y hablar de los estrenos y los autores con su amiga Amelia.

—Naturalmente —dije—: Colón y don Juan Tenorio. Viva el Imperio.

Por la forma en que la sonrisa se ensanchó en sus labios, supe que, en su opinión, me había manipulado y se iba a llevar el gato al agua, como tantas veces. La adoré por su inteligencia, su memoria y su espíritu combativo.

—Ya, pero resulta que también daban obras de Arthur Miller, de O'Neill, de Jean Cocteau, de Henry James, de los hermanos Machado...

—Sí, *La Lola se va a los puertos*, que es pura España folclórica.

—Naranjas de la China. Y *El conde de Montecristo*, *El caballero de la mano en el pecho* o *La dama del alba*, que por cierto, como sabes muy bien, era del republicano Alejandro Casona.

—Un traidor, como tantos otros.

—Un dramaturgo buenísimo. Tu padre y yo vimos el estreno de *La dama del alba*, en el Teatro Bellas Artes. En fin —concluyó, haciendo un gesto displicente que me daba por derrotado—, déjate de política y dime cómo vas con tu conferencia.

Serví otro vaso de té, que siempre ha sido nuestra bebida por las noches: té verde sin azúcar, con hierbabuena y agua de azahar. Ella lo llama té moro.

—Bueno —dije—, pero es que en realidad no es un tema distinto, porque estoy buscando datos sobre esa época, especialmente del periodo que va de 1945, que es cuando Carmen Laforet publicó su primera novela, a 1963, que es cuando publicó la última.

—¿No es demasiado tiempo? Ten cuidado —dijo, acariciándome una mano—, que ya sabes que quien mucho abarca, poco aprieta.

Le devolví torpemente la carantoña con unos golpecitos desmañados, como si palmeara el lomo de un ternero. Qué quieren: nunca he sido muy expansivo con las personas que me importan, tal vez para compensar lo antipático que soy con todas las demás.

—No sé si vosotros lo notabais —dije, volviendo a poner la conversación en sus vías—, pero en el 45, al acabar la Guerra Mundial, Franco estaba muerto de miedo. Pensaba que los aliados iban a venir contra él.

—Ya, pero a lo que vinieron fue a abrazarle.

—Eso fue después. En el 45, a los cretinos de la División Azul aún les humeaban las pistolas y a nadie se le había olvidado el abrazo de Hendaya entre Franco y Hitler.

—Anda que no estuvo ahí vivo el Caudillo, manteniéndose neutral.

—Fue astuto, como suelen serlo los miserables, pero no neutral. De hecho, al principio, cuando soñaba con el triunfo de los nazis, con recuperar Gibraltar y expandirse por el norte de África, no era neutral, sino sólo «no beligerante».

—O sea, que primero lo llamó de un modo, luego de otro y las dos veces supo nadar y guardar la ropa. Un buen estratega, ¿no te parece?

—Más bien un ladino. En cuanto acabó la guerra, proclamó que su dictadura era una «democracia orgánica», hizo correr el rumor de que se retiraría para reinstaurar la monarquía, se puso a dictar leyes huecas, como la Ley de Referéndum Nacional y el Fuero de los Españoles, y siguió ejecutando inocentes en nombre de Dios y de la Patria. Ése era el criminal al que se abrazó Eisenhower en el palacio de El Pardo.

—Bueno, bueno, tengamos la fiesta en paz. Pero déjame añadir sólo una cosa, y es que él, en el fondo, fue el único que no cambió de bando: siempre estuvo contra los comunistas. Mira, hijo, las guerras son un espanto y en ellas casi nadie es inocente.

—Eso es absurdo. Los inocentes son todos los que mandan al cementerio, a la cárcel o al exilio los militares sediciosos y sus aliados. Pero, en fin, hablemos de algo más concreto. ¿Te acuerdas que te conté que Laforet y

Dolores Serma escribieron *Nada* y *Óxido* juntas, en el Ateneo de Madrid?

—Lo recuerdo perfectamente.

—Pues resulta que justo al final de ese año el Ateneo, que estaba en manos de la Falange, pasó a ser controlado por el Opus Dei y por la Asociación Católica Nacional de Propagandistas. ¿Sabes algo de ellos?

—¿Qué año? ¿El 45?

—El 44.

—¿Y quiénes eran ellos, según tú?

—Bueno, el ministro de Asuntos Exteriores, Martín Artajo, era de la ACNP, y en el Opus Dei militaban el de Educación, Ibáñez Martín, el futuro almirante Carrero Blanco, el tecnócrata López Rodó y el general de artillería y próximo ministro de Obras Públicas, Jorge Vigón, de quien se dice que era la persona en quien más confiaba vuestro Funeralísimo, como lo llamaba Alberti.

—Venga, déjate de monsergas y no te vayas por los cerros de Úbeda.

—Vale, vale, tienes razón. El presidente de la ACNP era Ángel Herrera Oria.

—Ah, sí, el cardenal Herrera Oria, claro. Pero él y su gente, si no me equivoco, tenían algo que ver con los jesuitas, ¿no?

—Bueno, Azaña lo describe en sus memorias como «un jesuita de capa corta». De hecho, la secta la fundó un jefe de la Compañía, Ángel Ayala. Pero la cuestión es ésta: en aquellos años, a mediados de los cuarenta, ¿se notaba el papel de esa gente en el manejo del Estado? El escritor falangista Agustín de Foxá decía que España se había transformado en un país *nacionalseminarista*.

—Bueno, yo no sé eso que dices del Ateneo, si lo controlaban o no lo controlaban Herrera Oria y el Opus Dei. Pero ya te he contado cientos de veces que yo estuve allí, en 1946, en la famosa conferencia que dio Ortega y Gasset.

—¿Esa en la que dijo que la España de Franco gozaba de una «casi indecente salud»?

—Dijo eso y otras cosas. Me parece, por ejemplo, que era bastante anticlerical.

—Murió siéndolo, de hecho. El antiguo decano de la facultad de Filosofía y Letras de Madrid, Mánuel García Morente, que dejó de ser volteriano para ordenarse sacerdote, llegó a ofrecer su vida a cambio de la conversión de Ortega.

—Ya, ya... Pues sobre eso que me preguntas, para qué nos vamos a engañar: claro que en aquellos años se notaba mucho sermón y mucha beatería por todas partes. Eso fue lo peor de la posguerra, la sobredosis de púlpitos y sotanas, los crucifijos hasta en la sopa y la gente con las manos atadas todo el día a un rosario. Una lata.

Intenté imaginar a mi madre en esa época. Ahí está, tan guapa, tan joven y un punto irreverente, en ese Madrid siniestro de 1945, quizá militando en la moda de las llamadas chicas topolino, con unos zapatos de suela ortopédica, un impermeable de celofán azul y el semanario *La Codorniz* bajo el brazo. A su alrededor, la Falange, que siempre ha defendido la separación de la Iglesia y el Estado, pierde influencia y su poder recae en los fundamentalistas católicos que se han adueñado del Ateneo. Los escritores falangistas, con Dionisio Ridruejo al mando, se reúnen en el Café Frascati, en la calle Velázquez:

allí están el novelista Gonzalo Torrente Ballester, los poetas Luis Rosales y Luis Felipe Vivanco, el filósofo José Luis L. Aranguren y el profesor Antonio Tovar. Hasta hace poco, han apoyado a Hitler sin titubeos y es de suponer que el lingüista Tovar debe de contarles a menudo a sus contertulios simpáticas anécdotas de la entrevista de Hendaya entre el Führer y Franco, a la que él acudió en calidad de intérprete.

—En cualquier caso, lo de quién controlaba el Ateneo no tiene duda —dije—: Acababan de nombrar director a un tal Pedro Rocamora, que era también secretario general de Propaganda y miembro de la Asociación Católica Nacional de Propagandistas. Un perro fiel que, por lo visto, incluso fue a ver a Franco para interceder por Ortega.

—¿Qué clase de intercesión?

—Parece que Ortega y Gasset quería saber si le sería permitido decir públicamente las cosas que no le gustaban del Régimen, a cambio de decir también las que le agradaban. Había creído, al igual que otros muchos, el engaño de que el dictador se retiraría en el 46, para dar paso a un Gobierno constitucional o a una monarquía parlamentaria, y como le habían insinuado que él iba a ser ministro del nuevo Gobierno, se preparaba para encabezar la transición.

—¿Y qué contestó el Caudillo?

—Nada. Se levantó, dando por concluida la audiencia, y sólo dijo: «¡Ay Rocamora, Rocamora! No se fíe usted de esos intelectuales».

—Bueno —mi madre rió con cautela—, pero al final eso es lo que promovió Franco: una monarquía parlamentaria.

—Sí, pero sólo para después de muerto. En el 45, cuando un grupo de científicos y profesores, entre los que estaba el psiquiatra Juan José López Ibor, hizo público un manifiesto en el que pedía el retiro de Franco y la coronación de Juan de Borbón, los depuraron, los echaron de la Universidad y a algunos se los desterró.

—¿López Ibor no era un capitoste de la Falange?

—Había sido consejero nacional de FET y de las JONS y católico integrista en sus buenos tiempos. Pero se fue distanciando del Régimen y cuando desafió a Franco con aquella petición, lo destituyeron de su cátedra en la facultad de Medicina de Madrid y fue confinado una temporada en la ciudad de Barbastro.

—Pero ¿no dirigió el Hospital Provincial?

—Sí, porque después de caer en desgracia supo maniobrar, recurrió a ciertas amistades influyentes, dio muestras públicas de arrepentimiento y fue rehabilitado. Los tiranos pueden ser magnánimos con quienes saben humillarse a tiempo.

—Bueno, como suele decirse, rectificar es de sabios.

—O de ventajistas.

—Sí, sí, eso suele pasar —dijo, riendo de buena gana.

—Una cosa —la interrumpí, cambiando de tema—: ¿Tú hiciste el Servicio Social? Te lo pregunto para orientarme, porque supongo que Carmen Laforet y Dolores Serma también lo harían.

—Claro que sí, igual que todas las jóvenes de entonces. ¡Qué remedio! Es que si no lo hacías, no te daban ni el pasaporte, ni podías sacarte el carnet de conducir, ni matricularte en la Universidad, ni hacer una oposición, ni firmar un contrato.

—Y supongo que sería una estupidez. ¿Cuánto duraba?

—Seis meses, pero podías repartirlos a lo largo de tres años, si no recuerdo mal. Y era, sobre todo, una pérdida de tiempo. Se suponía que teníamos que hacer obras de caridad, atender a huérfanos y ancianos, visitar sanatorios y esas cosas; lo cual, sin ser un plato de gusto, sí era una buena obra; pero en cuanto te descuidabas, las beatas de la Sección Femenina te metían en unos ejercicios espirituales y te daban unas cuantas clases de cocina o unas lecciones degradantes sobre el papel de la mujer en la sociedad y en la familia: ten preparada una cena deliciosa para cuando él regrese del trabajo; minimiza cualquier ruido, apaga la lavadora o el aspirador; recíbele con una sonrisa y deja que siempre hable él primero; ofrécete a quitarle los zapatos; si tienes alguna afición, no trates de aburrirle hablándole de ella. Por Dios santo, ¿no es increíble que aún lo recuerde?

—Y luego estaba el Auxilio Social, que debía de ser más de lo mismo, ¿no?

—Ah, no, de ningún modo. Eso, además, no fue un invento de Pilar Primo de Rivera, sino de la viuda de Onésimo Redondo, Mercedes Sanz Bachiller.

—Y el Servicio Social también.

—¿Sí? Bueno, pues eso no lo recuerdo, pero puede que tengas razón. El Auxilio Social, en cualquier caso, hizo un buen trabajo, y sin tanta mojigatería y tantas alharacas como las de la Sección Femenina: se preocuparon de abrir las Cocinas de Hermandad, que eran comedores de beneficencia, unos centros de acogida que llamaban Casas de la Madre, orfanatos y escuelas.

—O sea, que alentaron una guerra de cerca de un millón de muertos y, después de ganarla, se remangaron la camisa azul de la Falange y se hicieron unas santas. Qué abnegación tan ejemplar. Acabarán en los altares.

Bebió el té que le quedaba en el vaso, que ya debía de estar frío, y me observó en silencio unos segundos. Parecía preocupada.

—En fin, si quieres hacerme caso, procura tomar distancia y no te dejes llevar por la cólera, que suele nublar la razón. Piensa en lo que dice el refrán: el que juzga con ira, venga pero no castiga. Y recuerda que lo que tienes que hacer en Estados Unidos es dar una conferencia, no un mitin.

—Lo que tengo que hacer es contar la verdad.

—Bueno, mi amor —dijo, poniéndose en pie con una agilidad impropia de sus años—, yo me voy a acostar, que no puedo con mi alma. Mañana será otro día. ¿Vas a trabajar ahora?

—Un poco.

—Muy bien. Pero no te vayas muy tarde a la cama. En el desayuno, seguimos hablando, ¿te parece?

—Claro.

Le di un beso. La vi andar hacia la puerta y pararse en el quicio, justo antes de salir, como si recordara algo, de pronto.

—En esos años ya se curaban algunas heridas —dijo—, y no todo era rencor para siempre. ¿Sabes de qué me estaba acordando? Pues del estreno de *Historia de una escalera*, de Buero Vallejo. ¿Qué año sería? No sé, pero a finales de los cuarenta, eso seguro. La daban en el Teatro Español y la dirigía Cayetano Luca de Tena. Ya ves, y ahí estaban al final de la representación, los dos juntos, saludando sobre el escenario. Un gesto simbólico, ¿no? Porque supongo que conoces sus historias...

—La de Buero, aproximadamente.

—Entonces sabrás que se había presentado al Premio Lope de Vega con dos obras, y que ganó con *Historia de una escalera* y quedó finalista con *En la ardiente oscuridad*. El montaje en el teatro municipal, que era una de las recompensas del galardonado, fue dirigido, como te digo, por Cayetano Luca de Tena. Así que ya ves, Buero Vallejo y Luca de Tena, un rojo y un nacional; el primero del Partido Comunista y el segundo de Acción Católica. Los dos habían sido detenidos, llevados de cárcel en cárcel y condenados a muerte. Buero coincidió en su prisión con Miguel Hernández y Luca de Tena, en la suya, con Pedro Muñoz Seca, que fue asesinado en Paracuellos del Jarama: la noche de la ejecución, los subieron a un autobús a cada uno, con otros cautivos, pero mientras el de Muñoz Seca alcanzó su destino, el de Luca de Tena se perdió en una encrucijada y llegó hasta Alcalá de Henares, donde lo dejaron preso gran parte de la guerra. Después, si no me falla la memoria, lo trasladaron a Alicante. Buero Vallejo salió del penal de Ocaña poco antes de ganar el premio. Sin duda, formaban una buena alegoría sobre las tablas del Teatro Español. ¿No crees? Hasta mañana, hijo.

Salió de la cocina como si saliese de un escenario, para dejar que su monólogo me impregnara.

¿Y Dolores Serma?, me pregunté, siguiendo por el camino en el que me había puesto la tétrica historia de los dos dramaturgos. ¿De qué lado estaba la autora de *Óxido*? ¿O militó en las filas de los neutrales, que es donde siempre se situó a sí misma Carmen Laforet, llevándole la contraria a sus propias novelas, que son una denuncia evidente de aquella sociedad atroz? Eso tal vez conviniese investigarlo.

Trabajé hasta la madrugada en mi conferencia. «En septiembre de 1944, aquella joven resuelta e independiente llamada Carmen Laforet era un ser bastante insólito en esa España de la Sección Femenina y el Auxilio Social. Debe tenerse en cuenta que con la llegada de la dictadura los derechos de las mujeres en la sociedad civil habían sido socavados, y las leyes impulsadas por políticas como Clara Campoamor, firme promotora del sufragio femenino, Victoria Kent y Margarita Nelken, que defendieron el matrimonio civil y el divorcio, o Federica Montseny, que cuando era ministra de Salud firmó la legalización del aborto, fueron abolidas. En su lugar, se intentó reducir a las mujeres al papel de madre y esposa, se les exigió un carácter sumiso y fueron condenadas a una existencia secundaria: "La primera idea de Dios fue el hombre —dice un panfleto falangista de la época—. Pensó en la mujer después, como un complemento necesario, esto es, como algo útil". Es obvio que personas como Carmen Laforet, Ana María Matute, Carmen Martín Gaite o Josefina Aldecoa no hubieran escrito sus libros si hubiesen tomado al pie de la letra esas recomendaciones de la Sección Femenina, u otras igual de sonrojantes: "Las mujeres nunca descubren nada —dejó dicho Pilar Primo de Rivera—; les falta el talento creador, reservado por Dios para inteligencias varoniles; nosotras no podemos hacer nada más que interpretar, mejor o peor, lo que los hombres nos den".

»En medio de ese mundo doctrinario y hermético, gobernado a partes iguales por el fundamentalismo militar y el religioso —no se olvide que uno de los primeros actos públicos de Franco nada más acabar la guerra fue entregarle la espada de la victoria al cardenal Gomá—, la vocación de las autoras mencionadas les hizo vencer todos los obstáculos. Sin duda, su triunfo requirió una gran entereza y mucha perseverancia.»

Obviamente, debería explicarles a los espectadores de Atlanta quién era el cardenal Isidro Gomá, arzobispo de Toledo, redactor de la *Carta colectiva del Episcopado español*, donde se hacía explícito el apoyo de la Iglesia al Alzamiento Nacional y se calificaba la guerra como «un plebiscito armado» y «un movimiento cívico-militar» que salió «en defensa del orden, la paz social, la civilización tradicional y la patria»; autor del libro fascista *Por Dios y por España* y, durante la guerra civil, responsable de la Delegación Pontificia Castrense. En mayo de 1939, Franco —que debía sentirse como el emperador Carlos V cuando cruzó el Elba para derrotar a los protestantes y dijo: vine, vi y Dios venció— hizo entrega de su espada a la parroquia de Santa Bárbara, de Madrid, y Gomá ordenó que el arma se depositase, para su custodia, en el Tesoro de la Santa Iglesia Catedral Primada. Qué bárbaro. Desde luego, la doctrina de Jesucristo y la actitud de esos infames se parecían tanto como el trono de Luis XIV y un taburete de ordeñar vacas.

Incluí la información acerca de Gomá en el texto, me entretuve en consultar las biografías de Mercedes Sanz Bachiller y Onésimo Redondo, busqué algunos datos que necesitaba sobre las publicaciones de la Sección Femenina y continué dándole forma al manuscrito. «En 1944, mientras Laforet y Dolores Serma escribían *Nada* y *Óxido*, la primera conoció en el Ateneo al periodista Manuel Cerezales, con quien se casó dos años más tarde y tuvo cinco hijos. En su número de agosto de ese mismo 1944, la revista *Teresa*, editada por la Sección Femenina, incluía este suelto: "La vida de toda mujer, a pesar de cuanto ella quiera simular —o disimular—, no es más que un eterno deseo de encontrar a quien someterse. La dependencia voluntaria, la ofrenda de todos los minutos, de todos los deseos y las ilusiones, es el estado más hermoso, porque es la absorción de todos los malos gérmenes —la vanidad, el egoísmo o la frivolidad— por el amor". Es evidente que ni la autora ni el personaje central de *Nada*, un ser emancipado, autónomo y un punto rebelde, resultaban acordes con esa sociedad puritana y retrógrada que, por otra parte, tenía un fiel reflejo en el ámbito de la literatura, muchos de cuyos nombres más pujantes eran censores, delatores, miembros del Opus Dei o la Compañía de Jesús, destacados falangistas o afiliados de Acción Católica. El más célebre de todos, Camilo José Cela, dejó para la posteridad la siguiente frase: "Las mujeres están para ser degustadas; y, después, a unas se las deja y a otras no". Ése es el entorno en el que Carmen Laforet escribe su obra.»

Al tiempo que en Carmen Laforet, me puse a pensar, otra vez, en mi madre. ¿Qué vida había llevado, en realidad? ¿Cómo contemporizó una mujer de su clase, culta y resolutiva, con aquel tiempo hipócrita en que cada mediocre tenía su pedestal? ¿Por qué no se habían sublevado ella y todas las mujeres, hasta las más conservadoras, contra los bobos que una y otra vez citaban como centinela espiritual de la patria a Santo Tomás de Aquino, para que el piadoso napolitano les repitiera, desde su reino de ultratumba: «Como individuo, la mujer es un ser endeble y defectuoso»? ¿Era el miedo a otra guerra lo que la había hecho tan acomodaticia? La imagen que siempre he tenido de ella es la de una mujer feliz, positiva y, sobre todo, perspicaz. Sigmund Freud decía que sólo existen dos maneras de ser feliz: hacerse el idiota o serlo. Dado que mi madre jamás entraría en el segundo grupo, tengo que pensar que pertenece al primero.

¿Y su vida privada? ¿Observó las normas de decencia, pudor y acatamiento que les impuso el Régimen a las españolas? En un panfleto de la Sección Femenina que se titula *Economía doméstica para bachillerato y magisterio* y que se publicó en 1958, se dictan todas las normas que ella pudo o quiso recordar esa noche, lo de tener preparada la comida al marido, quitarle los zapatos y demás, pero también otras: «Una vez que ambos os hayáis retirado a la habitación, prepárate para la cama lo antes posible, teniendo en cuenta que, aunque la higiene femenina es de máxima importancia, tu marido no quiere esperar para ir al baño. [...] En lo que respecta a la posibilidad de relaciones íntimas, es importante recordar tus obligaciones matrimoniales: si él siente la necesidad de dormir, que así sea, no le presiones o estimules. Si tu marido sugiere la unión, entonces accede humildemente, teniendo siempre en cuenta que su satisfacción es más importante que la de una mujer. Cuando alcance el momento culminante, un pequeño gemido tuyo será suficiente para indicar cualquier goce que hayas podido experimentar. Si tu marido te pidiera prácticas sexuales inusuales, sé obediente y no te quejes. Es probable que tu esposo caiga entonces en un sueño

89

profundo, así que acomódate la ropa, refréscate y aplícate crema facial nocturna y tus productos para el cabello. Puedes entonces ajustar el despertador para levantarte un poco antes que él por la mañana. Esto te permitirá tener lista una taza de café para cuando despierte».

¿Existían, de verdad, mujeres que comulgaran de buen grado con todo eso? Pues al parecer sí, y no sólo entonces, porque hasta cuatro décadas más tarde, ya tras la muerte del dictador, todavía era posible ver de vez en cuando, por las calles de algunas ciudades españolas, a grupos de jóvenes que desfilaban llenas de orgullo, vestidas con los uniformes de la Sección Femenina, a la cabeza de casi todas las manifestaciones que convocaba, para reivindicar la añoranza de la opresión, el grupo ultraderechista Fuerza Nueva. Chicas que soñaban con que volviesen el nacionalsindicalismo y las Escuelas de Hogar; con oír misa en el castillo de la Mota y que la revista *Medina* les enseñara sus obligaciones de perfectas amas de casa, que consistían en ser «cocinera, doncella, costurera, bordadora, zurcidora, planchadora, recadera, enfermera, contable, economista, maestra e higienista». Qué nostalgia de la servidumbre, la de esas alegres falangistas de la transición. «¿Qué haría una mujer sin su aguja? —se pregunta el anuario de 1941 de la Sección Femenina—. Con ella es como un hada: cose, borda, teje, crea todas las fantasías de su imaginación. Hoy día se ha abandonado la aguja, pero nosotras hemos de devolverle todo su prestigio. La aguja es la mejor compañera de la mujer». Sí, y el cinismo es la mejor pareja de baile de la estupidez.

La República había luchado por la dignidad de las mujeres, les había dado, por primera vez, entre otras muchas cosas, el derecho a votar. La Sección Femenina, a través de su fundadora Pilar Primo de Rivera, les aseguró que el temperamento femenino se manifestaba en dos únicas virtudes, «la abnegación y el silencio», y les dio una consigna tres veces inquebrantable: «Vosotras no tenéis que tener más que obediencia, fortaleza y fe».

La Sección Femenina fue desmantelada en 1977 por el Gobierno de centro-derecha de Adolfo Suárez. Pilar Primo de Rivera murió en 1991. Las estatuas ecuestres de Franco en torno a las cuales solían reunirse, cada 18 de julio y cada 20 de noviembre, las jóvenes viudas del yugo y las flechas y sus camaradas, siguieron en pie hasta el año 2005, en que un Gobierno socialista presidido por José Luis Rodríguez Zapatero ordenó retirarlas. Cuatro cretinos fueron a poner flores y a cantarle el *Cara al sol* a las peanas vacías, y un par de ultraderechistas en barbecho se quejaron de que aquella decisión pervertía y negaba la Historia. Se equivocaban: los dictadores no hacen Historia, sólo la deshacen. No valen para nada más. Ésa es mi opinión, por si les interesa. Y estoy seguro de que la mayor parte de los lectores que me sigan hasta el final de esta novela que me he visto obligado a escribir, estarán de acuerdo conmigo. O eso, o es que no tienen corazón.

Capítulo cinco

Mañana no será otro día. Eso es lo que te dices cada noche, al acostarte, cuando tienes un trabajo como el mío. Y en efecto, la mitad del miércoles se fue entre las reuniones con algunos padres de alumnos, la junta para aprobar los presupuestos del instituto y mis clases. No me importó, porque la conferencia sobre Carmen Laforet estaba prácticamente resuelta: tenía hechos el estudio y la valoración de su obra, la había situado en su generación y en su época, y la noche anterior había encontrado una segunda referencia a Dolores Serma en las memorias de Carlos Barral. Los pormenores sobre las circunstancias políticas y sociales del país en los años en que se escribieron sus obras gustarían especialmente al público norteamericano, igual que me había entretenido a mí su búsqueda, y sólo faltaba añadirle al manuscrito tres o cuatro datos más sobre Dolores Serma para exponer el fondo de mi teoría, que era una defensa a ultranza del talento individual frente a las excusas de la Historia. «Autores solventes como Laforet o Delibes, y más tarde Ana María Matute, Luis Martín-Santos o Rafael Sánchez Ferlosio, por limitarse al ámbito de la narrativa, no sólo se sobrepusieron a las prohibiciones terribles que les imponían la censura y el estado general de aquel Régimen opresor que había vuelto mordazas las banderas, sino que usaron la adversidad como cantera de su talento. Mientras muchos afirmaban tener ocultas en un cajón novelas revolucionarias que no era posible publicar entonces pero que, cuando llegase su hora, marcarían una época —cosa que, como se sabe, nunca llegó a ocurrir—, Carmen Laforet se sirvió precisamente de la ruindad y la usura de aquel tiempo para crear una obra maestra como *Nada*, que no debemos olvidar que saldría en la editorial Destino, cuyo origen era el semanario barcelonés del mismo nombre y de orientación falangista.»

Acabé de redondear ese párrafo y me disponía a añadir la nueva cita de las memorias de Barral cuando, cómo no, llamaron a la puerta y apareció el conserje con un café, como todos los días, un hábito que me desagradaba hasta tal punto que una vez le dije, medio en serio y medio en broma, que, teniendo en cuenta la calidad de aquel brebaje, no estaba seguro de qué era él, si un cobista o un envenenador; pero ni con eso fui capaz de quitarle la costumbre. Odio los gestos serviles, que a menudo son una forma encubierta de tiranía: hacer favores es hacer rehenes.

—Muchas gracias, Julián —dije—, es usted muy amable. Pero por qué se molesta, hombre, si ya le tengo dicho que no hace falta que me traiga nada.

—Si no es molestia ninguna, jefe. Para eso estamos.

—Muy amable. Y ahora, si no necesita nada más...

—Pues sí, mire, una cosa: que de parte del fontanero, que si la factura de lo del baño nos la hace con IVA o sin IVA.

—Bueno, que la haga como tiene que hacerla, con IVA. Lo otro es ilegal.

—Eso mismo le acabo yo de decir, jefe. Con impuestos y garantizada, como debe ser. Que si no, luego se rompe una cañería y échale un galgo a éste, que te va a decir que sí, que a reclamar a Sierra Morena. En esta vida, por desgracia, ya no hay formalidad.

—Qué le vamos a hacer.

—Pues que el obrero tenga una ética, señor mío. Y el que no, a la calle. Si es que aquí tenía que ser todo igual que los médicos, que antes de nada tienen que hacer el juramento hidráulico.

—Hipocrático, Julián.

—Exactamente —remató, con un tono algo brusco, mientras se retiraba.

Miré la hora: aún quedaban cinco minutos para las nueve, de modo que me puse a resumir el párrafo de *Los años sin excusa* que comienza cuando Barral relata la llegada a Mallorca, en el verano de 1959, del ganador del segundo Premio Biblioteca Breve, el entonces desconocido Juan García Hortelano, para incorporarse al Coloquio Internacional sobre Novela del hotel Formentor. Barral cuenta que cuando vio aterrizar en Palma al autor de *Nuevas amistades* «con un terno a rayas oscuras, cuello de camisa almidonado y corbata de seda de color burdeos», le dijo a quienes lo acompañaban: «¡Qué desastre! ¡Le hemos dado el premio a un guardia civil!». Pero la verdad es que García Hortelano era justo lo contrario, un hombre muy próximo al Partido Comunista que, de hecho, puso al editor catalán en contacto con algunos de los más señalados intelectuales comprometidos que vivían en

Madrid y se encontraban «en el restaurante Gambrinus», en una tertulia a la que acudían, «eventualmente, incluso Juan Benet y Luis Martín-Santos»; o en el sótano de la cafetería Pelayo, frecuentada por autores en la órbita del PCE. Todo eso hasta que Barral promovió una serie de reuniones de trabajo que se celebraban «en una suite del hotel Suecia, junto al casino de Bellas Artes», y que «tenían por objeto negociar acuerdos de opción preferente para las próximas novelas. Los encuentros del Suecia se hicieron rápidamente operativos. Se hablaba de los libros en proceso, se establecían turnos de publicación. Además de los antes citados, venían a esas copas de trabajo Juan Eduardo Zúñiga, Juan Bernabéu, Fernando Ávalos, Dolores Serma y, cuando estaba en Madrid, el sevillano Alfonso Grosso. Otros, como el novelista Rafael Sánchez Ferlosio, nunca se dignaron acudir».

Iba a consumar esas líneas con una reflexión sobre lo anodinas que serían, finalmente, las carreras literarias de buena parte de esos escritores, entre ellas la de Dolores Serma, y con una pregunta sobre la ideología de la autora de *Óxido*, que a tenor de sus amistades debía de ser cercana al comunismo o el socialismo, cuando, a las nueve en punto, el deber llamó a mi puerta. Se podía haber ido al infierno. Se podía haber quedado en casa limpiando el desván. Se podía haber ido a Brasil a repoblar las selvas del Mato Grosso. Pero no.

—Buenos días —dijo mi primer cliente de la mañana, que era una mujer de ojos mortecinos y con cara de empate a cero a la que ya conocía de otras ocasiones. Se llamaba Enriqueta y pertenecía al gremio de las que usan al jefe de estudios como psiquiatra. Su marido era policía nacional y en una de sus últimas visitas me confesó que, a veces, cuando llegaba a casa algo achispado, sacaba la pistola y, delante de los niños, le decía: «Venga, a la cama, que te voy a poner mirando a Murcia». A veces me pregunto cómo es posible que algunas personas anden sólo sobre dos patas y usen taxis para ir a los sitios cuando, seguramente, podrían saltar de farola en farola.

—Muy buenos días, doña Enriqueta —le contesté, mientras bajaba al mínimo el radiador.

A las once, una hora antes de lo habitual y tras haberme reunido con cuatro madres de alumnos díscolos y con el insufrible padre de uno de los revoltosos que molestaban a Iraola, un tipo de más de cien kilos que tenía los labios de color violeta, una mirada gelatinosa y los modales de un legionario herido en un hombro, di por terminadas las visitas y comandé la reunión para discutir y aprobar los presupuestos del instituto. Expuse el estado de cuentas y después, mientras mis queridos profesores hablaban, me dediqué a pensar en mi cita con Natalia Escartín y en mi ensayo, que eran las dos únicas cosas que realmente me interesaban en aquel momento.

La verdad es que, al especializarme desde mis primeros artículos en la biografía y la obra de los narradores españoles de posguerra, le había dedicado la mitad de mis esfuerzos a estudiar esa época macabra, y cada vez me resultaba más indignante. Qué asco, pensar en todos esos médicos, filósofos y escritores de segunda que ocuparon las plazas de los depurados, vivieron de algún modo sus vidas y cuando el dictador se fue al otro mundo, los más indecentes aún intentaron falsear la Historia para exculparse, y formaron el coro del descaro: yo evolucioné pronto, yo obedecía órdenes, yo no he matado a nadie, yo ayudé a muchos de izquierdas, yo nunca firmé nada, yo sólo era anticomunista, yo sólo fui monárquico, yo he sufrido un terrible exilio interior. Los cobardes lo son siempre, tanto en la victoria como en la derrota. Es su condición.

Mientras el director del centro, que como les he dicho es idiota y sin embargo imbécil, daba su enfático discurso de todos los años y yo me lo imaginaba en la guerra civil, cosa que suelo hacer con cierta clase de personas, y lo veía saltar, con equilibrios de sapo, de Renovación Española a la CEDA, de ahí a la Falange y, finalmente, al Opus Dei, lo cual a muchos les sirvió para ocultar primero los crucifijos debajo de las banderas y después las armas tras los altares, me fijé en cómo asentían de forma ostensible, al oír sus simplezas, algunos de los maestros que peor hablaban de él a sus espaldas, y sentí asco. Qué lástima que sea tan fácil retroceder de la independencia a la indecencia.

Al acabar la reunión, le pedí a la tutora de Ricardo Lisvano que lo mandase pasar por mi despacho antes de irse a casa, hice tres o cuatro llamadas burocráticas, di mis dos clases del día y seleccioné unas fichas de mi archivo que tal vez me sirviesen para el trabajo sobre Laforet.

El hijo de Natalia Escartín no me gustó demasiado. Era un joven tan poco despierto que me parece que hubiera necesitado hacer un cursillo de tres semanas para poder entender cualquier cosa que le dijese, de modo que me limité a contarle que había reprendido a Héctor y Alejandro y le ofrecí mi ayuda para cualquier cosa que necesitara. Mientras le hablaba parecía estar a punto de dormirse, de modo que lo despedí de inmediato y, sin querer pararme ya en nada, salí rumbo al Montevideo.

En media hora, volvería a mi despacho para trabajar hasta las cinco, y luego iría en taxi al hotel Suecia, para encontrarme con Natalia Escartín.

—Hombre, jefe, qué prisa tiene usted —me gritó Julián, al tiempo que salía de la conserjería y se colocaba en mi camino—. Mañana se va de viaje, ¿no? Así que ya no le vemos, hasta el lunes.

—No, no, Julián, mañana vendré a trabajar, porque el viaje es por la noche. Cuando faltaré será el viernes. Pero, en cualquier caso, tengo que acabar algunas cosas, antes de salir... Ya sabe, uno está de acá para allá.

—¡Qué me va usted a decir a mí! Si me tienen como un zascandil todo el santo día, el uno que si es muy urgente, el otro que si la cosa no puede esperar... Vamos, que quieren que esté en misa y repicando. Ahora, que yo siempre contesto lo mismo: tranquilícese y coja número, que aquí el único que puede estar en todas partes a la vez es Dios, que es omnívoro.

—Mire, Julián, omnívoro sí que lo es usted. Lo que se supone que es Dios es omnipresente.

—Justo. A eso me refería.

—Y por lo demás —intenté acabar, encaminándome a la salida—, ¿qué tal anoche? Esta mañana, con las prisas, no le he preguntado.

—Sin novedad en el frente. Al parecer, me levanté, me comí un bocadillo de carne que me había dejado en la mesa de la cocina la mujer, y me volví a acostar.

—Lo celebro. Y ahora, si me disculpa, voy a tomar cualquier cosa por aquí cerca y vuelvo en un rato, que aún me queda tarea por hacer.

—¿Regresa luego al instituto?

—Hoy sí —dije, al tiempo que agitaba una mano, en señal de despedida. El conserje, quién sabe por qué, se pasó una mano cavilosa por el mentón, entrecerró los ojos y me miró como si se sintiera escamado por algo. De repente, me había convertido en un sospechoso y él no las tenía todas consigo. Hay que ver. No sé dónde leí que existen tres tipos de mentiras: las falsedades, las calumnias y las encuestas. No digo que no, pero tampoco me costaría gran cosa confiar en un sondeo realizado entre los conserjes, ordenanzas, recepcionistas y porteros del mundo en el que, preguntados por qué les hubiera gustado ser en la vida, las tres respuestas más reiteradas fuesen Aristóteles Onassis, inspector de policía y confidente de la Gestapo.

Nada más entrar al Montevideo, le expliqué a Marconi que tenía prisa y unos minutos más tarde, moviendo la cabeza con desaprobación pero, como siempre, sin hacer preguntas, me sirvió un menú lacónico pero exquisito.

—Acá tenés, profesor. Arroz saborizado, verduras hervidas en agua mineral Salus, de la Sierra de Minas, y la botella de Château Cantemerle. ¿Seguro que no querés nada más? Un pescado a la plancha lo hago en un instante.

—Gracias, pero hoy no tengo tiempo.

—¿Ni un postre? Tenemos sambayón, que está bárbaro: es azúcar batido con vino garnacha. ¿Querés probar?

—No puedo, de verdad.

—¿Y un poco de fruta fileteada? Hay mango, kiwi y bananas.

—De acuerdo, pero una ración pequeña.

Se fue a la cocina, un poco más satisfecho, y yo me puse a consultar, mientras comía a rachas y distraídamente, los índices onomásticos de algunos libros que llevaba conmigo, entre ellos el segundo volumen de la autobiografía de José Manuel Caballero Bonald, *La costumbre de vivir*, donde Dolores Serma era citada. El poeta jerezano, sin fechar con exactitud los acontecimientos, habla de los mismos años, hacia el final de la década de los cincuenta, a los que se refería Barral, porque unas páginas antes de mencionar a Serma recuerda la muerte de Pío Baroja —que ocurrió en octubre de 1956— y cómo asistió al velatorio en su casa de la calle Ruiz de Alarcón, donde coincidió con Ernest Hemingway. El caso es que un día Caballero Bonald recibió una llamada de Dámaso Alonso, que lo invitaba «a un festejo que había preparado en honor de Jorge Guillén», de paso por España. La cena, celebrada en la casa del ilustre filólogo, en la calle de Alberto Alcocer, resultó muy concurrida y parece que, según avanzaba la reunión, las conversaciones fueron subiendo de tono, hasta desembocar en «una bronca de veras inaudita» protagonizada por el anfitrión y la poeta Ángela Figuera Aymerich, que por entonces debía de estar a punto de publicar, en México y con prólogo de León Felipe, su obra más conocida, *Belleza cruel*. «Por lo visto —escribe Caballero—, se había iniciado una enrevesada discusión sobre el grado de resistencia o colaboracionismo de los intelectuales intramuros de la fortaleza franquista. La voz más potente era sin duda la de Ángela Figuera Aymerich, cuyo bronco diapasón sobrepasaba con mucho al del resto de los acalorados contendientes. En un momento de la trifulca, Ángela Figuera se encaró con Dámaso y le reprochó sin ningún miramiento su manifiesta actitud de sumiso a la dictadura. Dámaso no tardó ni un segundo en encajarle un derechazo en plena mandíbula a la interfecta, de resultas del cual cayó ésta fulminada sobre el providencial sofá que tenía a sus espaldas, si bien Dámaso se arrojó encima de ella con la intención de seguir atizándola. La rauda intervención de algunos de los testigos, entre los que recuerdo a Luis Rosales, a la narradora Dolores Serma, muy amiga de la noqueada, y a la mujer del propio agresor, Eulalia Galvarriato, evitó males mayores.»

¿Qué pensaría Dolores Serma de aquel incidente? ¿Dónde había conocido a la poeta social Ángela Figuera, maestra republicana que, tras la victoria de Franco, fue represaliada junto a su esposo y pasó de catedrática de instituto a dependienta de un desabastecido bibliobús que circulaba por el extrarradio de la capital y ofrecía obras de Santo Tomás de Aquino, José Antonio Primo de Rivera o el reivindicado Marcelino Menéndez y Pelayo, el investigador que definía España como «luz de Trento y martillo de herejes» y que se hizo famoso por haber levantado su copa una mañana, en los jardines del Retiro, durante las celebraciones del tercer centenario de Calderón de la Barca y ante un grupo de intelectuales de Inglaterra, Francia y Alemania, para brindar «por la Santa Inquisición»? ¿Quizá se conocieron en Valladolid, donde Figuera, dieciocho años mayor que Serma, estudió los primeros cursos de Filosofía y Letras y donde regresaba a menudo?

Y de Dámaso Alonso, que llegaría a presidente de la Real Academia Española en 1968 y era uno de los pocos autores de la Generación del 27 que se habían quedado voluntariamente en España tras la guerra civil, ¿tendría

Dolores la misma opinión que su amiga Ángela? La evolución de Alonso había sido, como mínimo, zigzagueante: en julio de 1936, muy pocos días antes del Alzamiento, estaba con Federico García Lorca en Madrid, asistiendo a una lectura privada de *La casa de Bernarda Alba;* un año después, el filólogo, que había pasado las primeras semanas de la guerra civil escondido, junto a Ortega y Gasset, en la Residencia de Estudiantes, estaba en Valencia y colaboró en la revista republicana *Hora de España* con un ensayo titulado «La injusticia social en la literatura española»; dos más tarde, contribuía con otro artículo, «Tres poetas en desamparo», al nacimiento de la publicación pro franquista *Valencia católica.* En 1944, mientras Carmen Laforet y Dolores Serma escribían *Nada* y *Óxido,* editó su mejor libro de poemas, *Hijos de la ira,* que se interpretó como una amarga reprobación del Régimen. En su libro *Poetas españoles contemporáneos,* publicado en 1952, al rememorar aquel último encuentro con Lorca, le atribuye unas palabras con las que censuraba «a uno de los muchos escritores», según dice Alonso, «que por entonces estaban ya entregados a actividades políticas» y que resulta bastante verosímil identificar con Rafael Alberti: «¿Has visto, Dámaso, qué lástima? ¡Ya no va a hacer nada! Yo nunca seré político. Yo soy revolucionario, porque no hay un verdadero poeta que no sea revolucionario. ¿No lo crees tú así? Pero político no lo seré nunca, ¡nunca!». Y Dámaso Alonso concluye: «Yo asentí con la cabeza: me daba cuenta del sentido absoluto en que me lo decía. Metía en su idea a Dante, y a Góngora, y a Lope, y a Shakespeare, y a Cervantes...; hablaba del creador, de eso en que el poeta se parece a Dios, cuando con el poder

de la palabra forja lo nuevo, lo inexistente, lo inaudito».
Ya lo ven: asunto resuelto. No hay sangre derramada que
no pueda absorber el serrín de un adjetivo.

En cualquier caso, la aparición de Dolores Serma en
las memorias de Caballero Bonald, por escueta que fuese, me alegró la tarde. Cuantas más referencias encontra-
ra, mejor demostraría mi tesis: la autora de *Óxido* no sólo
estaba ahí, en el centro de la vida cultural de la posguerra, sino que lo estuvo mucho más que la propia Carmen
Laforet, que llevaba una existencia muy retirada. La verdad era que, por una parte, sentía curiosidad por leer el
único libro de Serma, pero por otra, empezaba a temer
el momento de empezarlo: no debía de ser gran cosa,
cuando a pesar de sus buenas relaciones con gente de fus-
te como Delibes, Cela, la propia Carmen Laforet o Dámaso Alonso, ni ella volvió a publicar nada, ni su novela
tuvo la más mínima repercusión. Serma intentó editar
Óxido durante años y ni Barral ni los sucesivos jurados de
los premios a los que se debió presentar mordieron el anzuelo; y tampoco pudo colocar alguna narración breve, cosa que hacía entonces casi todo el mundo para ganar algún
dinero, en colecciones baratas como La Novela del Sábado, donde Cela sacó *Café de artistas;* Laforet *La niña, Un
noviazgo, Los emplazados* o *El viaje divertido*, y en las que
también encontraron hueco Delibes, Ana María Matute,
Elena Quiroga, César González Ruano, Dolores Medio...
La verdad es que empezaba a temerme lo peor: leer *Óxido* iba a ser un trabajo duro. De cualquier modo, tampoco tenía tanta importancia, porque dentro de mi ensayo
sobre Laforet, Serma sería sólo lo que son todos los ejemplos: la sombra de otra cosa, algo contra lo que rebotar.

Me despedí apresuradamente de Marconi, que miró con pesar la macedonia de frutas casi intacta sobre la mesa; volví al instituto; puse el fragmento de Caballero Bonald en mi artículo e hice una pequeña lista de cuestiones que me interesaba preguntar a Natalia Escartín sobre su suegra. Ya sé lo que están pensando: creen que, para mí, la pobre Dolores Serma no era más que una simple excusa, un atajo hacia su hermosa nuera, ¿no es así? Pues se equivocan, pero no del todo.

Salí a la calle, que una vez deshecha la nieve había vuelto a ser nada más que ella misma, y paré un taxi. Me entretuve en maldecir la pomposa iluminación navideña que, de un modo sintomático, no te hacía pensar en Belén sino en Las Vegas. Cuando me acercaba a mi destino, llamó Virginia.

—Hola, soy yo. Tengo que pedirte un favor enorme —me soltó a bocajarro—. Pero si me dices que no, lo entenderé.

Me dieron ganas de preguntarle qué tenía yo que ver con sus asuntos y si conocía la diferencia entre *ex marido* y *botín de guerra*. Pero, en lugar de eso, dije:

—Claro, Virginia, lo que sea.

¿Por qué nos pasamos la vida diciendo cosas que no queremos para impresionar a personas que no nos importan? No lo sé. De hecho, creo que ése es uno de los dos grandes enigmas de la especie: el otro es la facilidad con que a menudo estamos dispuestos a hacer el imbécil para que no nos tomen por tontos.

—Pues te lo voy a contar sin preámbulos, porque estoy muy nerviosa, ¿vale? ¿Me sabrás perdonar también esto?

—Seguro que sí —dije.

—Mira, la cuestión es que, tal y como están las cosas, la única manera que tengo de salvar el Deméter y salvarme yo con él es pedir un crédito al banco. Si no liquido mis deudas y después invierto una cantidad de dinero en el negocio, lo tendré que cerrar y... adiós a mi vida.

—Eh, eh, no te pongas tan trágica. ¿Qué eres tú: una mujer o una ópera?

—Si sigo así, voy camino de no ser absolutamente nada —respondió, después de dejarme oír una risa forzada.

—Saldrás de ésta, Virginia, no te preocupes. Es sólo una mala racha.

—El caso es que necesito que alguien me quiera avalar. Es una condición imprescindible. Alguien con un empleo estable y una nómina.

—O sea: yo.

—Sé que no tengo ningún derecho a pedírtelo. Lo que ocurre... —en ese punto se le quebró la voz— es que las personas desesperadas somos indecentes.

Hubo un silencio punzante.

—Escucha, Virginia —dije, al fin—, tenemos que hablar de esto con calma. Explícame las condiciones del préstamo y cuando las estudie, tomaré una decisión. No te puedo prometer nada antes de eso, ¿lo comprendes?

—Claro.

—Pero si está en mi mano, te ayudaré.

—Gracias... Estoy tan avergonzada que me gustaría que me tragase la tierra.

—No tienes por qué. La mala suerte no es un delito, ni un pecado.

—Y también me siento tan..., no sé cómo llamarlo..., tan extraviada...

—Bueno, pero a eso te podría echar una carrera. De hecho, estoy pensando contratar a dos acomodadores para que me guíen a través de mi confusión.

La oí reírse, pero con una risa que era un agente doble, un infiltrado de la tristeza.

—Siempre has sido tan ingenioso... Creo que por eso me enamoré de ti.

—Eh, eh, si no te importa, fui yo quien te enamoró de mí.

—Quién sabe... Entonces, ¿nos vemos y hablamos?

—Sí, pero tendrá que ser a partir del lunes, cuando regrese de Estados Unidos. Porque esta noche me es imposible, aún tengo que acabar la conferencia y preparar el equipaje.

—Vale, pues si tú puedes, nos encontramos el lunes. Te invitaría a cenar en casa, pero... Verás, es que la otra noche no te lo conté, por no deprimirte con mis problemas... El caso es que he dejado mi piso. No podía pagar el alquiler. Estoy viviendo en el Deméter. Duermo en una cama plegable, en la trastienda.

Me impresionó el tono de su voz, tan resignado, tan desabastecido.

—Virginia, lo siento de verdad.

—Es que... es todo tan... irreal. Y no sé cuánto podré resistir.

—Bueno, pero resiste y vencerás. Tú solías decir que, según Confucio, el que tropieza y no cae, avanza dos pasos.

—Ojalá...

—Y por la cena, no te preocupes. Si te parece, nos vemos otra vez en el Café Star, a las once.

106

—De acuerdo. Me vendrá bien salir del restaurante, porque lo estoy empezando a odiar.

Resultaba penoso e increíble ver derrumbarse de aquella forma a alguien como Virginia, pero lo era aún más el hecho de que estuviera tan sola. ¿Por qué? ¿Dónde habían ido a parar su familia, sus amigos, los hombres que antes la codiciaban? Ya ven, no hay nada tan sencillo como pasar de todos a nadie: basta sufrir un par de desventuras, porque la gente huye del infortunio como si fuera contagioso o indigno; te ven en llamas y en lugar de auxiliarte, te rehúyen: apártate de mí, sálvese quien pueda. Si ya lo avisó Bob Dylan en una de sus canciones: lo único que descubres cuando estás abajo del todo es que todavía puedes caer un poco más.

Lo cierto es que no era capaz de volverle también yo la espalda a esa Virginia enferma y aislada, y no crean que, en el fondo, no me hubiese gustado, más aún después de aquella conversación en la cual lo que había venido a pedirme, más o menos, era que desmantelase mi barco para tapar los agujeros del suyo. Pero ustedes ya han notado que, dentro de mí, la sombra de Virginia es muy alargada, de modo que comprenderán que no me fuese posible apartarme de sus desgracias, porque era como si en lugar de ocurrirle a una mujer de la que llevaba años separado le ocurriesen todavía a la otra, a la que aún era mi esposa y tenía un proyecto en común conmigo. ¿Quizás es que, en el fondo, pensaba que todos sus infortunios habían empezado entonces y, en consecuencia, yo era responsable, en alguna medida, de ellos? La mala conciencia inventó a Dios, por eso nunca me ha gustado.

Salí del taxi y me acerqué sin prisa al hotel Suecia, porque aún quedaban más de veinte minutos para las cinco y media. Pedí un café negro y me puse a revisar mis fichas sobre algunos libros que podrían servirme para robustecer mi conferencia, entre ellos *Casi unas memorias*, del falangista Dionisio Ridruejo. Pero no pude concentrarme mucho, con la historia de mi ex mujer dándome vueltas a la cabeza.

Virginia tenía dos hermanos, pero su relación con ellos era escasa y tirante, sobre todo desde que les pidió dinero para montar el Deméter y, como es obvio, no se lo pudo devolver. Se trataba de dos tipos rancios y que nunca vieron con buenos ojos los presuntos excesos de su hermana en los años ochenta, a los que, por otra parte, debían estar muy agradecidos, porque al final eso les sirvió de disculpa; así, en lugar de ayudarla, le podían decir: tú te lo buscaste; y supongo que en lugar de traidores y desalmados, se sentían rectos y decentes. Ya lo ven, todo un clásico: la moralidad como coartada.

Al contrario que esos dos pisaverdes, sus padres habían sido personas de gran dignidad, él funcionario y ella dueña de una mercería, heredada de su madre, en el centro de Madrid, en la calle Larra, muy cerca del mercado de Barceló. Con el dinero que les proporcionaban sus trabajos, les dieron una educación exquisita a sus hijos, primero en el Colegio Estilo, fundado y dirigido por Josefina Aldecoa, y después en la Universidad Complutense, donde los dos varones estudiaron Derecho y Empresariales y Virginia hizo Periodismo.

Pero creo que ella sólo fue a la facultad a hacer tiempo, que nunca pensó realmente entrar en un periódico, una emisora o una cadena de televisión. Le interesaban otras cosas y, por encima de todo, desde muy joven vivía fascinada por la cultura oriental. Primero aprendió esa mezcla de filosofía y gimnasia que es el tai-chi, con sus técnicas de relajación y sus posturas copiadas de las de los animales. Después siguió la senda del budismo Zen y leyó toda la poesía japonesa que pudo conseguir, se aficionó a los haikus, los tankas y todo eso. Cuando vivíamos juntos, muchas veces citaba versos de Matsuo Basho, Masaoka Shiki, Issa Kobayashi o Yosa Buson para apoyar sus argumentos sobre tal o cual cosa. Yo adoraba que hiciera eso.

Más adelante, Virginia se interesó por la digitopuntura, el llamado masaje shiatsu, y por el feng-shui, que es el arte de decorar las casas según los dogmas del Zen. Por fin, alquiló una buhardilla en el Madrid de los Austrias, la decoró según los preceptos recién aprendidos y puso anuncios por todo el barrio para ofrecer sus servicios de masajista. Los primeros clientes no tardaron en llegar, y muy pronto empezaron a aparecer algunas celebridades emergentes, actrices o músicos que habían oído hablar de las virtudes del shiatsu y que le hicieron una enorme publicidad. Al año, compró un local en el barrio de Chueca y, siguiendo la ciencia del ikebana, un arte floral basado en la armonía de los colores y los aromas, lo convirtió casi en un templo donde los visitantes, cada vez más numerosos, se relajaban y pacificaban su espíritu.

También tomó clases de cocina natural, aprendió los principios nutricionales del yin y el yang y a preparar desde algas con nombres maravillosos como hiziki, nori, kombu o wakame, a manjares macrobióticos como la sopa de miso, el nituke de verduras o los marinados de tofu.

A la vez, y gracias a su relación con artistas, escritores y músicos, empezó a hacer algunas exposiciones en el local, y lo prestó para que se presentaran libros y discos. Los principales gurús de la famosa Movida madrileña pasaron por ahí, una gran parte eran asiduos y todos la adoraban. Hoy, muchos de ellos están muertos y Virginia, que se estrelló con la misma rapidez con que había despegado, ya han visto que subsistía a duras penas. Eso sí, aunque fuese de milagro, estaba viva. Y lo sigue estando, no se preocupen por eso.

Y ahora, si me disculpan, no les voy contar más sobre el tema, porque en ese punto llegó Natalia Escartín a interrumpir mis pensamientos y a llenar el hotel Suecia con su elegante resplandor.

Capítulo seis

Vista con más tranquilidad, Natalia Escartín me pareció lo que suele llamarse una persona con los pies en el suelo, una pragmática irredimible, de esas que creen que las únicas cartas de las que te puedes fiar son las cartas boca arriba y cuyo tiempo es oro, algo que delataban su forma de mirarte desde los límites del puro desdén y su manera económica de hablar, con un estilo a la vez claro y adusto que parecía añadirle a sus palabras un eco autoritario: atiéndeme, no te distraigas, no pienso repetirlo. La verdad es que imponía un poco, con su aire a la vez cándido y eficaz, virtuosa como una virgen renacentista e intransigente como un general de brigada. En cualquier caso, tampoco había en ella nada altisonante, ni descortés. Era, en resumen, una mujer seria, profesional, llena de obligaciones inminentes y tan desapasionada como una caja registradora. Al menos, en apariencia.

De literatura sabía tan poco que su ignorancia hubiera podido dividirse en provincias, pero sí que había leído numerosas obras de divulgación científica que nos ayudaron a romper el hielo, entre ellas las de Gregorio Marañón, algunas de Laín Entralgo, varias de los psiquiatras López Ibor y, como van a ver pronto, Antonio

Vallejo Nájera, este último catedrático, coronel de artillería y autor de un libro que yo había consultado para dar mis conferencias en Alemania, *Literatura y psiquiatría*, y también de otras obras que por entonces no sabía ni que existiesen, como los panfletos *Eugenesia de la hispanidad y regeneración de la raza* y *La locura y la guerra. Psicopatología de la guerra española*, de los que la doctora estaba a punto de hablarme y que, en cierto modo, son otra de las razones de que exista esta novela que alguno de ustedes tiene ahora mismo en las manos.

Natalia también conocía, en ese terreno fronterizo entre la literatura y la psiquiatría, las memorias de Carlos Castilla del Pino y un par de raros ensayos de Luis Martín-Santos con los que me hizo una llave de lucha grecorromana: cuando salió su nombre y le pregunté, con cierta suficiencia, si había leído *Tiempo de silencio*, me replicó, en un tono desafiante:

—La verdad es que no. Pero usted tampoco ha leído *Dilthey, Jaspers y la comprensión del enfermo mental* ni *Libertad, temporalidad y transferencia en el psicoanálisis existencial*, que también escribió Martín-Santos.

Desde luego, la doctora poseía un carácter susceptible y desenfundaba deprisa. Debería tener precaución con ambas cosas.

En cualquier caso, Natalia Escartín era uno de esos seres atareados que jamás hacen las cosas de una en una y, de hecho, parecen tener el don de parcelarse en sectores autónomos que resuelvan de forma simultánea asuntos distintos, de modo que mientras su mente construía una ácida réplica a mi pregunta, una de sus manos le hizo un gesto al camarero para que se acercara y la otra sacó

112

del bolso el ejemplar prometido de la novela de Dolores Serma, que me entregó, tras darme su latigazo verbal, con una delicada sonrisa. Justo lo que pensé: mano de hierro en guante de seda. Cada vez me gustaba más.

Óxido era una novela breve y de aire desangelado, afeada por una de esas encuadernaciones insípidas que, irremediablemente, le dan a los libros de los impresores aficionados el aspecto de una guía farmacéutica. Las pastas eran de color café frío y las hojas, de un gris endeble, eran los parientes pobres del papel de estraza de los mercados. Una birria.

—Quizá su suegra tuviese alguna relación con Martín-Santos —dije—. ¿Alguna vez la oyó hablar de él?

—No. Lo recordaría, si lo hubiese hecho. De todas formas, eso no quiere decir que no lo conociera. ¿Sabe?, es que ella no solía hablar mucho de esas cosas.

—¿Y de Carmen Laforet?

—De ella, sólo a veces, como ya le dije, y únicamente porque le venía bien para contar algún episodio de su juventud; ya sabe, anécdotas de cuando llegó a Madrid, y esa clase de historias. Alguna vez también la oí referirse a una tal Carmen de Icaza, que se había portado muy bien con ella con motivo de no sé qué asuntos. Sé que la ayudó en algo llamado una Escuela de Hogar. La llamaba siempre la baronesa.

—Sí, claro, Carmen de Icaza, la autora de *Cristina Guzmán, profesora de idiomas*. Fue muy conocida, en los años cuarenta.

—Lo cierto es que Dolores nunca habló mucho ni de literatura ni de ella misma como escritora. Supongo que lo consideraba agua pasada.

más de la creación de las personas falsas parecidas reales.

—Pero usted me dijo que solía hablar de Laforet y de Miguel Delibes.

—No que *solía* hablar, sino que *alguna vez* habló de ellos. Delibes, por ejemplo, parece que le proporcionó algunos trabajos, en un periódico de Valladolid del que, si no me equivoco, él era director. Pero quizás eso ya lo sepa.

—No, la verdad es que no. Pero, efectivamente, Delibes dirigió *El Norte de Castilla*. Puede que su suegra escribiese allí.

—Es posible. Seguro que le será fácil averiguarlo.

El camarero se acercó a tomarnos nota: un tipo de cara desigual, con ojos bovinos, una boca como hecha con un abrelatas, labios color berenjena, dientes sucios y caóticos que parecían las lápidas de un cementerio profanado y una voz herrumbrosa con la que hacía las preguntas de rigor en un tono impertinente. Lo detesté con la misma fuerza con que él detestaba al dentífrico.

Pero volvamos a la doctora Escartín. ¿Qué creen que va a beber? Yo pensé que sería un té, una manzanilla o algo por el estilo. ¿A que ustedes también? Pues no: se pidió un vodka con naranja. Eso me gustó. Y cuando vi que ni miraba los frutos secos que trajeron con las copas, la adoré. Odio a la gente que toma esa basura. ¿Se han fijado en el sonido que hacen cuando comen avellanas? Es igual que si masticasen un esqueleto. Qué repulsivo.

—Pues le puedo asegurar —dije, reanudando la conversación— que escribir fue mucho más que un pasatiempo para Dolores Serma. Lo he investigado y sé que se pasó media vida intentando publicar sus cosas. Y, al menos hasta los años sesenta, estuvo muy presente en los círculos culturales del país.

—Vaya, pues le aseguro que nunca lo hubiera imaginado. ¿No me contó también algo de varios libros en los que se habla de ella?

—Efectivamente. Por cierto, que le he copiado los títulos en la primera página de los apuntes de Literatura del compañero de Ricardo. Aquí los tiene.

Mientras les echaba un vistazo, sonó su teléfono y mantuvo una conversación en la que oí expresiones como citoesqueleto neuronal, núcleo subtalámico y atrofia olivopontocerebelosa. Magnífico: las dijo todas sentada en su sillón, sin tener que levantarse a tomar carrerilla.

—De acuerdo —le dijo a su interlocutor, que por el tono que empleaba Natalia debía de ser una enfermera a su servicio, o quizá su secretaria—, pues entonces lo describes como una pérdida de neuronas dopaminérgicas y les certificamos la aparición de los cuerpos de Lewy, ¿correcto? Y entre los síntomas principales citas la bradicinesia, objetivada en el temblor asimétrico de las manos, la hipomimia facial y el lenguaje aprosódico. ¿Has tomado nota? Luego me llamas y me confirmas que se lo has enviado.

Después de que hojease los apuntes de Alfonso tuvimos que hablar del instituto, la enseñanza y los problemas escolares de su hijo, y me contó que Ricardo había estudiado siempre, con notas más bien mediocres, en un colegio privado de las afueras de Madrid, pero que su padre, harto de su holgazanería, lo llevó al instituto «para que viera cómo son las cosas». Me pareció que esa última frase tenía forma de grieta en el muro, de modo que intenté seguirle el rastro.

—¿Y está de acuerdo con la decisión de su marido? Quizá —rematé con un tono algo insidioso— usted prefiera la enseñanza privada a la pública.

—Si quiere que le sea sincera, en principio me da igual —dijo, mientras leía un mensaje que le habían enviado al móvil—. Yo creo que eso, como casi todo, es mitad suerte y mitad trabajo; que profesores buenos y malos los hay en todas partes y alumnos responsables e irresponsables, también. Pero, en último término, el que quiere estudiar lo hace, sea donde sea.

—A propósito, ¿su suegra hizo alguna carrera universitaria? Carmen Laforet vino a Madrid, teóricamente, a estudiar Derecho.

—Claro, es que fue en la facultad donde se conocieron, ¿no lo sabía?

—No. En realidad, no sé mucho de Dolores Serma. Pero estoy muy interesado en comparar las historias de las dos.

—La triunfadora y la fracasada, ¿no es eso?

Caramba con Natalia Escartín. Si así es como charlaba a la hora de la merienda, no quise ni imaginármela aplicándole un electrochoque a un paciente. ¿O eso no lo hacen los neurólogos, sino los psiquiatras?

—Lo cierto es que ésa no es la idea que tengo —mentí, pero la astucia destelló en sus ojos como sobre un cuchillo.

—Claro, claro —dijo—. De todas formas, Laforet no se licenció, ¿verdad?

Me irritó su costumbre de acabar muchas de sus frases con una pregunta que, de algún modo, al examinarte te dejaba en una posición de inferioridad, pero me contuve.

—No, sólo terminó los dos primeros cursos. Mi impresión es que no le interesaba demasiado la facultad. Sólo quería escribir y eso es lo único que hizo.

—Dolores sí consiguió acabar. Ya ve: en eso fue la mejor de las dos.

—¿Y llegó a ejercer la abogacía?

—Podría decirse que... sólo en cierto sentido.

—¿Es que se dedicó a la enseñanza, o algo así? Muchas escritoras de la época lo hicieron: Ángela Figuera Aymerich, Josefina Aldecoa, que tiene una novela que se llama *Historia de una maestra*, o Dolores Medio, que escribió otra titulada casi igual, *Diario de una maestra*.

—No, la que había sido profesora de Historia del Arte era su hermana, la pobre Julia... Ella fue el motivo por el que Dolores quiso estudiar Derecho.

—No la comprendo, Natalia.

Bebió un poco más de vodka, seguramente para ganar tiempo mientras pensaba qué responder, y me miró como tasándome.

—Mire —dijo al fin, después de dejar escapar un suspiro impaciente—, la vida de mi suegra, por lo que yo sé, no ha sido un camino de rosas. Pero el caso es que tampoco estoy muy enterada; ya le he dicho que nunca fue una mujer muy proclive a las confidencias. ¿Usted sabe quién era Mercedes Sanz Bachiller?

Me asombró el giro que daba, de pronto, nuestra conversación. Pero como vi que Natalia miraba la hora y no iba a tener mucho tiempo, contesté sin hacerme más preguntas.

—Lo sé a grandes rasgos. Era la viuda del político ultraderechista Onésimo Redondo y la fundadora de aquella organización caritativa de la posguerra, el Auxilio Social. Es curioso: ayer mismo estuvimos hablando de ella mi madre y yo.

—Dolores trabajó durante veinte años para ella y para su segundo marido. Que, por cierto, creo que también era novelista.

—¿Mercedes Sanz Bachiller? Ni siquiera sabía que hubiera vuelto a casarse. Yo pensaba que ella era algo así como la viuda oficial del Régimen.

—Pues por lo visto, no. El caso es que Sanz Bachiller era de Valladolid, como mi suegra, y sus familias se conocían de siempre. Y cuando su hermana Julia tuvo ciertas dificultades con la Justicia, Dolores le pidió que intercediera en su favor. ¿Sabe de qué le hablo?

—No.

Le echó otra mirada impaciente al reloj y volvió a suspirar, con cierto fastidio.

—Mire, son esas viejas historias de la guerra civil, ya sabe. Julia tuvo algunos problemas legales y Dolores se quiso sacar el título de abogada para defenderla, o al menos aconsejarla, si llegaba el caso. Y luego, desde su puesto en el Auxilio Social, ayudó y asesoró a otras personas necesitadas. Eso es todo lo que sé.

—¿Su suegra militaba en la Falange?

—Sí, creo que sí. Al menos yo he visto algunas fotos suyas con el uniforme falangista. O tal vez fuera el del Auxilio Social. ¿No eran iguales?

—Más o menos. Auxilio Social pertenecía a la Sección Femenina y ésta era parte de Falange. En cualquier caso, todos llevaban la camisa azul y el yugo y las flechas de los Reyes Católicos.

—Pues entonces, sería eso —dijo, en un tono algo cortante.

Así que Dolores Serma andaba con los sublevados, cara al sol con la camisa nueva de Torrente Ballester, Ridruejo y los demás. Tendría que analizarlo con más calma, pero sin duda eso cambiaba de forma radical las cosas

118

y me obligaba a revisar el enfoque que le pensaba dar a su personaje en mi conferencia. De entrada, vi una posible salida: Carmen Laforet se mantuvo en el terreno de la literatura y triunfó, mientras su compañera de fatigas lo quiso sobrepasar, se sumó a la parafernalia del Régimen ingresando en el Auxilio Social y abandonó la escritura. *Óxido* debía ser un ejemplo de la oronda narrativa falangista que tantos autores de usar y tirar le ha dado a la novela de aquellos años. O algo aún peor. Aunque entonces, ¿qué hacía Serma, unos años más tarde, en las tertulias de los escritores de izquierdas, en el restaurante Gambrinus y la cafetería Pelayo? Eso lo tendría que investigar.

—De modo que su suegra nunca hablaba de su vida literaria —dije.

—Muy poco. Siempre creí que lo consideraba una especie de pecado de juventud.

—¿Y no tenía relación con otros escritores? No sé, por ejemplo con Cela, que una vez la invitó a un congreso en Palma de Mallorca. ¿No volvió a ver a Carmen Laforet o a Delibes?

—Desde que yo la conozco, no. Ni sé nada de ese congreso que dice. Pero tenga en cuenta que tampoco he tenido un trato muy íntimo con ella. Y mi esposo, en realidad, tampoco, porque lo mandó a un internado cuando era muy niño.

—Comprendo.

—De manera que no le vamos a ser de mucha ayuda. Espero que, al menos, el libro le sirva de algo.

—¿Y cómo se encuentra ella de salud? Me dijo que estaba en una clínica, si no recuerdo mal.

—Bueno, usted sabe lo que es el Alzheimer. Tiene días mejores y peores, pero sus facultades están muy mermadas, como supondrá.

—Ya, pero lo que me gustaría saber...

—... es si Dolores puede recordar cosas sobre su vida, y demás. Pues mire, sí pero no. Ella habita un mundo que está más allá de lo que los médicos sabemos; su memoria es invertebrada y da la impresión de vivir a la vez y en presente toda su vida, de manera que un minuto se cree en Valladolid, en la casa de sus padres, tiene ocho años y no es capaz de encontrar su muñeca favorita, y al siguiente es una joven que busca unos libros para ir a la facultad. De forma esporádica da la impresión de hilar un par de frases lógicas, o responde coherentemente a lo que se le pregunta. Pero, como le acabo de comentar, son reflejos aislados.

—Vaya, pues lo lamento mucho. Es una enfermedad terrible, el Alzheimer. ¿Usted suele tratar muchos casos?

—Ni muchos ni pocos, porque ésa no es mi especialidad. Yo me ocupo de lo que se llaman enfermedades extrapiramidales.

—No tengo ni idea de qué son y, de hecho, estoy seguro de que ni siquiera sabría pronunciar sus nombres: mientras hablaba por teléfono me he dado cuenta de que la diferencia entre su trabajo y el mío es que en la literatura las palabras se miden en sílabas y en la medicina, en metros.

Me miró con condescendencia.

—A grandes rasgos, las enfermedades extrapiramidales son disfunciones de los centros de control del movimiento. La más conocida es el Parkinson, pero hay más. Mi padre, que era pediatra, suele decir que son dolencias con nombre de bufete de abogados para ricos: la enfermedad de Huntington, la de Hallervorden-Spatz, la de Steele-Richardson-Olszewski.

—¿Le puedo hacer una consulta? Es sobre ese trastorno del sueño que se llama Síndrome Alimentario Nocturno.

—Sí, lo conozco. Pero no sé demasiado acerca de él.

—Se lo preguntaba porque uno de los bedeles del instituto lo sufre y siento curiosidad. Es un desarreglo extraño, ¿no? El pobre desdichado se levanta dormido y se puede tomar cualquier cosa, desde una salchicha hasta un trozo de jabón.

—Sí, sí, es una patología muy interesante. Sin embargo las investigaciones aún están muy verdes en ese tema. Se dice que las causas pueden provenir del estrés corporal o de la mala alimentación. Hay quienes lo consideran una clase de bulimia y quienes creen que es un derivado de la anorexia. Lo único que está comprobado, si no recuerdo mal, es que bajan los niveles de melatonina y leptina y suben los de cortisol. Pero, en general, todavía es un misterio, lo mismo que otras muchas afecciones cerebrales.

—Y muy inquietante. Ahora mismo, cuando me hablaba de la situación de su suegra, estaba pensando en cuántos escritores terminan sus días en un geriátrico o en un manicomio. No sé, desde María Teresa León a la propia Carmen Laforet. Qué injusto, ¿verdad?, acabar de ese modo después de pasarse la vida trabajando con la memoria y usando el ingenio.

—Es triste, sin duda. Pero también es fascinante. Dentro de no demasiado tiempo, muchas de esas afecciones se podrán prevenir y curar gracias a las células madre.

—Hay muchos escritores que se han interesado por ese asunto, ¿sabe? Una vez di una conferencia sobre las mujeres y la demencia en la literatura. Hay enajenadas de toda clase en los libros de Walter Scott, de Charlotte Brontë, de Doris Lessing o, por cierto, de Carmen de Icaza.

—¿Por qué sólo mujeres y sólo insanas mentales?

—Era en un curso sobre Literatura y Enfermedad, que se celebró en Dresde y Nuremberg, y a mí me pidieron que hablase de personajes femeninos.

—Qué notable. ¿Conserva ese trabajo? Me gustaría leerlo.

—Se lo daré con mucho gusto, y también podría prestarle algunos libros difíciles de encontrar, como *El empapelado amarillo*, de Charlotte Perkins Gilman, que es la historia de una esquizofrénica. Pero le voy a pedir un pequeño favor a cambio. Espero que no le moleste.

—Usted dirá.

—¿Podemos tratarnos de tú? Es que me siento como si fuésemos personajes secundarios de una novela de don Benito Pérez Galdós.

«Ahora te va a dar un buen corte», pensé. «Y puede que hasta llame al instituto y proteste ante el director por tu atrevimiento.» Me vi expedientado y con mi reputación convertida en pienso para murmuradores. Pero Natalia abrió una gran sonrisa en medio de su seriedad y dijo:

—Al fin. Ya pensé que nunca te ibas a atrever. La verdad es que me sentía un poco envarada.

—Gracias. Yo también.

—Realmente —continuó la doctora—, se me está ocurriendo que si de verdad Dolores se tomó tan en serio como dices su trabajo literario, que tú lo resucites ahora, aunque sea en Atlanta y por un día, es algo muy hermoso. Ojalá ella pudiera darse cuenta.

—Quizá no lo haga sólo por un día. En realidad pienso preparar un libro sobre los escritores de la posguerra. Y Carmen Laforet será uno de sus protagonistas principales. Desde luego, Dolores Serma aparecerá a su lado, aunque sólo sea como contrapunto. Por eso me gustaría conocer algunos detalles de su vida. ¿Cuándo vino a Madrid? ¿Cuándo dejó de ver a su compañera del Ateneo? ¿Cuándo se afilió a la Falange? ¿Qué trabajo hacía para el Auxilio Social? ¿Cómo compaginaba su...?

Natalia me interrumpió con una risa abrasadora. Dios, qué guapa era cuando no era el mariscal Rommel.

—Perdona, perdona —dijo, agitando una mano igual que si borrase precipitadamente una obscenidad escrita en una pizarra—, es que me divierte que seas así de apasionado. Déjame preguntarte una cosa: ¿por qué tienes tanto interés en esa época? A ti la dictadura te afectó poco: eras demasiado joven.

—Bueno, eso depende. Para empezar, yo no le llamaría poco a quince años.

—Así que eres... Si Franco murió en el 75 y tú tenías quince años... eres del 61. Yo soy del 63. Cuando empezamos a tener uso de razón, el Régimen estaba gastando sus últimas balas.

—Sí, en sentido literal. Pero ¿sabes?, yo creo que, en algunos aspectos, la dictadura nunca se ha acabado del todo. Que en esta España hay aún demasiado de aquélla.

—¿Es un trabalenguas?

—Es la descripción de un crimen. Me parece una vergüenza la forma en que unos y otros han pactado el

123

olvido; porque aquí, a base de hablar de la reconciliación nacional, no se ha intentado pasar página, sino arrancarla.

—¿En qué sentido?

—Pues mira, por ejemplo en el sentido de que no hay biografía de un miserable que no se haya reescrito. La gente te habla como de un campeón de la democracia del escritor Dionisio Ridruejo, que preparó el golpe de Estado, arengó a otros para que matasen en nombre de sus ideas, fue jefe provincial de Falange en Valladolid, dirigió el Servicio Nacional de Propaganda, fue filonazi y admirador declarado de Mussolini, luchó en la División Azul y, cuando Franco socavó la influencia de la Falange, se hizo disidente. Hoy todo el mundo lo cita como un modelo de valor y decencia, y no hay quien deje de recordarte lo mucho que sufrió en la España fascista. Hombre, no seré yo quien lo niegue, pero me parece que peor les fue a Federico García Lorca, a Miguel Hernández, a Antonio Machado o a las decenas de miles de personas que *pasearon* sus camaradas y que, hoy día, aún siguen enterradas en siniestras fosas comunes, por las cunetas de todo el país.

—Vaya. Veo que, efectivamente, es un tema que te apasiona.

—... Y otro tanto ocurre con Luis Rosales, con Torrente Ballester o con Pedro Laín Entralgo, a quien has citado y recordarás como director de la Real Academia Española, que en 1941 publicó *Los valores morales del nacionalsindicalismo* y, al año siguiente de morir Franco, su inmundo *Descargo de conciencia*. Imagínate.

—¿No eres demasiado duro? ¿No crees que hubo matices?

—Lo que hubo fue un enorme cinismo. Esa gente primero quiso darle una justificación intelectual al golpe de Estado y luego se dedicó a intentar apropiarse de algunas de las figuras republicanas, como Antonio Machado, vaciándolas antes de todo contenido ideológico. Dionisio Ridruejo escribió que «hay que destruir a los contrarios asumiéndolos» y que «el modo único de quitar al adversario la parte de razón que tiene o tuvo es el de hacerla propia cuando se le ha vencido». Y ahí tienes a Eugenio d'Ors que, partiendo de la base de que «el delirio rojo en España nunca ha tenido verdaderamente a su lado más que unos rebaños de bestias, pastoreados por un cuarterón de pedantes», apostaba en su *Nuevo glosario* que Machado «nunca, en la intimidad de su corazón, renegó de Dios ni de España», que «no pudo sumarse auténticamente con los que violaban su tierra», ni «participó de la sanguinaria embriaguez de las masas». O a su discípulo José Luis López Aranguren, que sin duda terminaría por ser una persona decente, pero que entonces definía al pobre Machado como un hombre muy religioso y, ante la falta de pruebas, concluye que «aunque católico nunca lo fue, acaso habría llegado a serlo». Viva el rigor. Eso sí, nada más acabar la guerra, todos los libros de Machado, excepto *Campos de Castilla*, fueron prohibidos.

—Pero ¿ves como tú mismo —dijo Natalia, sonriéndome— me das, al menos en parte, la razón? Hubo quienes evolucionaron más que otros, ¿no es cierto?

—Naturalmente. No es lo mismo Pemán, que en 1977 aún escribía que «la guerra la ganó España»; o Luis Rosales, que jamás renegó abiertamente de su pasado falangista; o Pío Baroja, que exigió que al «tumor» de la

República «lo saje cuanto antes la espada de un militar» pero no dijo nada parecido de la dictadura franquista; o Eugenio d'Ors, que mantuvo siempre que «en cuestiones de guerra y de paz no debo, ni puedo, ni quiero tener otro parecer que el de mi caudillo»... No son lo mismo ésos que Ridruejo, que le plantó cara a sus antiguos cómplices y llegaría a sentir tal repugnancia por la dictadura que acabó en la cárcel, lo deportaron, se involucró en las revueltas universitarias del año 56 y hasta se enfrentó violentamente al marqués de Luca de Tena, en las páginas de *ABC*, para defender a José Bergamín.

—¿Entonces?

—Pues el *entonces* es que, a pesar de todo, Ridruejo aún definía a José Antonio Primo de Rivera, en los cincuenta, como «el hombre peor adivinado y más condenado a sus palabras ocasionales» de toda España; y dos décadas después seguía distinguiendo entre una Falange «real» y una Falange «hipotética», que consideraba coincidente con muchas de las tesis del socialismo. Y eso es querer olvidar que José Antonio había sido uno de los apóstoles de la sublevación armada y que su gran mensaje fue: «Hay que movilizar España y ponerla en pie de guerra». Y es querer olvidar la represión sanguinaria de sus camaradas, que asesinaron a miles de personas, durante y después de la guerra civil. Mira, Natalia, de cualquier forma, yo sólo estoy dispuesto a matizar a partir de un hecho: todos los que alentaron, financiaron, pusieron en marcha y sostuvieron el golpe de Estado contra la República democrática eran o unos criminales o la sombra de los criminales. A partir de ahí, unos evolucionaron mejor y otros peor.

La doctora Escartín bebió un poco de vodka y sonrió, creo que con cierto agrado, al ver cómo me enardecía el tema. Luego dijo:

—O sea, que como las personas son distintas, aceptas que siempre se pueden hacer matices, hasta en las situaciones más dramáticas. En el terreno de la psicología pasó igual, por lo poco que yo sé del tema. López Ibor, por ejemplo, era un médico magnífico, de reputación internacional, y las cosas suyas que leí en su momento me parecieron sensatas. Por el contrario, Vallejo Nájera era un demente que se dedicó a estudiar lo que llamaba «las raíces biopsíquicas del marxismo», que según él era una enfermedad cerebral.

—¿Vallejo Nájera? ¿El que fue catedrático en la Universidad y director del manicomio de Ciempozuelos? ¿El autor de *Literatura y psiquiatría*?

—El mismo.

—Qué increíble. Yo trabajé con ese texto, mientras preparaba mis conferencias sobre las locas en la literatura. Y ¿dónde leíste eso?

—Pues mira, curiosamente en un libro que tenía mi suegra y que se llama *La locura y la guerra. Psicopatología de la guerra española*. Otra de sus teorías era que había que «separar el grano de la paja», es decir, quitarles a los marxistas sus hijos, para curarlos a través de la reeducación.

—Igual que en Argentina y en Uruguay. Qué banda de chiflados y cómo le hicieron creer a los pobres españoles que eran, precisamente ellos, la encarnación de la cordura. El marido de Mercedes Sanz Bachiller, por ejemplo, era un terrorista que se dedicó a conspirar contra la República desde el día siguiente del triunfo de la izquierda en las elecciones del 31.

—¿Un terrorista?

—Sí, que defendía la violencia y la insurrección, igual que José Antonio Primo de Rivera. Onésimo Redondo alentó el Alzamiento desde un periódico fundado por él en Valladolid, que se llamaba *Libertad*. Allí creó las Juntas Castellanas de Actuación Hispánica, compró un auténtico arsenal y alquiló un polideportivo, a orillas del Pisuerga, donde entrenaba para el combate a sus milicias. Él y sus afines se dedicaban a poner bombas en las comisarías y a hacer incursiones en la Universidad y la Plaza Mayor para atacar a tiros a los estudiantes y los obreros de izquierdas. Lo encarcelaron en varias ocasiones.

—¿Tan violento era?

—Tras la revolución de Asturias, distribuyó por la ciudad unas octavillas en las que pedía que se ahorcara a Azaña, Largo Caballero, Indalecio Prieto y Lluís Companys. O sea, que imagínate. De hecho, él y sus compinches eran tan radicales que la gente de la CEDA, el partido de Gil Robles, los llamaba «los catastrofistas».

—Vaya por Dios, pues menudo marido se había buscado doña Mercedes Sanz Bachiller.

—Sí, desde luego: una auténtica joya.

—Yo la conocí, ¿sabes? Hace no mucho, debió de ser en el 2000 o 2001. Creo que tenía unos noventa años.

—¿En serio? Natalia, cada vez me sorprendes más.

—Sí. Fuimos mi marido y yo a su casa del barrio de Salamanca, a pedirle unos papeles de Dolores, que ella tenía en su poder.

—¿Papeles? ¿Qué clase de papeles? ¿Manuscritos, o algo así?

Natalia me miró... ¿con qué? ¿Con admiración, ternura, complicidad, simpatía? Elijan ustedes mismos, y eso será lo que pasó.

—No lo sé bien —dijo—, no te hagas ilusiones. La verdad es que ni Carlos ni yo les prestamos mucha atención. Sencillamente, Dolores nos pidió que los recuperásemos, y lo hicimos. Nos atendió una secretaria suya, muy atenta, y antes de irnos, pasamos a una sala contigua, para saludar a doña Mercedes. El encuentro no duró más de cuatro o cinco minutos, pero estuvo muy cariñosa.

—Carlos es tu marido...

—Sí.

—¿También es médico?

Pareció divertirle mucho la pregunta, porque echó hacia atrás la cabeza y soltó una carcajada.

—No, qué va, él siguió la senda de su madre y es abogado. Y creo que habría sido cualquier cosa con tal de no ser médico. Es que no nos aprecia mucho, ¿sabes? Según él, no somos más que «veterinarios de guante blanco».

Iba a hacer algún comentario agudo cuando sonó una vez más su móvil. Volví a oír palabras de tres pisos como acinesia, bromocriptina o anticolinérgico, y Natalia habló, con cierta hosquedad, de alguien que sufría «rigidez en rueda dentada» y al que «habría sido necesario someter a la maniobra de Froment». Cuando cortó la comunicación, parecía muy contrariada.

—¿Problemas en el trabajo? —pregunté.

—Nada grave. En realidad es que yo no debería estar aquí, sino en la consulta. Ya te dije que sólo descansaba los viernes.

—Igual que yo, casi.

—Creía que los profesores de los centros públicos daban clase la semana entera, como los de los privados —dijo, con cierta sorna.

—Se supone que sí, pero hacemos algunos ajustes por nuestra cuenta. Por ejemplo, yo debería dar cada semana tres clases a primero y otras tres a segundo de bachillerato, pero les doy cuatro, de lunes a jueves, y el viernes sólo trabajo de nueve a doce. En compensación, las horas complementarias, que son las que dedicamos a las juntas, tutorías, claustros, reuniones con los padres de los alumnos o guardias, y que deben ser treinta y dos al mes, te aseguro que yo, como jefe de estudios, las supero con creces. De manera que vaya lo comido por lo servido.

—¿Tu mujer trabaja? ¿O no estás casado?

—Lo estuve —contesté, mientras le hacía un gesto al camarero para que nos trajera una segunda ronda, a la que ella no se opuso.

—Vaya. Otra familia rota.

—Sí, bueno, ya sabes: es que convivir suele ser complicado, excepto cuando es imposible. Y en cuanto al matrimonio, Alejandro Dumas decía que es una carga tan pesada que hacen falta dos personas para llevarla... y a menudo tres.

La doctora se acomodó en su silla, igual que si una nueva postura fuese necesaria para pasar a un plano distinto de la conversación.

—Ése —dijo, después de darle un buen trago a su segunda copa— podría ser el evangelio de los infieles... o el de los cínicos.

—Yo creo que el problema es que la gente se hace acomodaticia y que los sobrentendidos y la costumbre lo matan todo.

—¿Qué mal hay en acostumbrarse a alguien? ¿No se trata justo de eso?

—¿De qué? ¿De sentarte a ver cómo los toboganes se convierten en mecedoras? Qué horror, admitir que cada paso que den dos personas juntas sea un paso hacia atrás. ¿No te parece?

—Hombre, pero esto no es todo arriba o abajo, ¡qué agotamiento, si lo fuera! Por suerte, también se puede ir hacia los lados. O pararse.

—Pues sí, ésa es la cuestión: volverse un alpinista que sólo sabe bajar montañas. O un mentiroso que usa sus propias mentiras como salvoconducto: puesto que me engaño a mí mismo, tengo derecho a engañar a todos los demás. Así es la mayoría de la gente.

Cuando acababa de decir eso, sonó un aviso de mensaje en mi móvil. Vi que era de Virginia, pero no respondí. Tomé, yo también, un buen sorbo de mi copa y Natalia tomó otro parecido de la suya. Creo que los dos empezábamos a sentirnos relajados. ¿Qué demonios tienen los masajes shiatsu que no tenga el vodka?

—Entonces —dijo, clavándome los ojos—, ¿tú no crees que existan la lealtad, la honradez, ese tipo de valores?

—Creo que la mayoría de la gente se preocupa más de fingirlos que de otra cosa. Creo que la palabra hipocresía es un buen retrato-robot de casi todo el mundo. Y, en cualquier caso, ¿qué quieres decir con eso de valores? ¿Los valores de quién, para quién, desde cuándo, hasta dónde?

—Ya sabes: valores, virtudes, defectos.

—Pues creo que se es injusto con algunos defectos y que la mayoría de las virtudes están sobrevaloradas.

131

—¿Ah, sí? ¿Como cuáles?

—La candidez, que en el fondo no es más que una forma de simpleza. O la sinceridad, que a menudo es fronteriza con el vandalismo. O la fe, que siempre es fascista. O, por encima de todo, la abstinencia, que produce cirrosis hepática.

Volvió a reírse igual que antes y mi vodka y yo pensamos que nunca jamás habíamos visto nada tan hermoso. Me importa un bledo que no se deba decir nunca jamás: por mí, pueden coger ahora mismo sus gramáticas y sus diccionarios de María Moliner, arrancarles las hojas y empapelar con ellas la cocina, porque eso es exactamente lo que sentí y ni *jamás* ni *nunca* son capaces de explicarlo por sí solas. Así que, ya lo han oído: nunca jamás.

—Oye —dijo—, ¿sabes una cosa? Tú eres muy peligroso: haces reír a los demás siempre que quieres.

—¿Eso te parece peligroso? ¿Por qué?

—Porque es una demostración de poder. Y el poder, sea del tipo que sea, siempre supone una amenaza.

Iba a halagarla respondiéndole que ella era aún más temible porque hacía hablar a la gente, incluso a alguien tan reservado como yo, pero otra vez sonó su móvil. Esta vez, intuí que era una llamada de su marido, o al menos de su casa, por el tono de la conversación. Al colgar, ya no era la misma. Sus ojos volvían a tener la belleza dura de un mineral y su cara estaba, de nuevo, llena de preocupaciones.

—Te tienes que ir, me temo —dije.

—Así es. Pero he pasado un rato muy agradable. ¿Me dejas que te invite? Y muchas gracias por los apuntes.

Todo eso lo dijo mientras se levantaba, metía el móvil en el bolso, se ponía el abrigo, miraba la cuenta, dejaba

el dinero sobre la mesa y me tendía una mano profesional, de esas que te saludan y te obstaculizan al mismo
tiempo, te reciben y te dan el alto.

—Al contrario: gracias a ti por prestarme la novela
de Dolores —contesté. Y luego, bajando los ojos y la voz,
añadí—: Me ha encantado estar contigo.

Mientras cruzábamos apresuradamente el vestíbulo,
me observó con cierto recelo, pero su cara cambió, en unos
segundos y para mi fortuna, de acechante a afectuosa.

—A mí también —dijo—. Bueno, ¡adiós!

Esta vez, nos despedimos con dos besos. Ni se ima-
ginan lo suave que era su piel, lo bien que olía la suma de
ella y uno de esos perfumes caros que te acarician y te azo-
tan al mismo tiempo, y la turbación que me produjo reconocer en Natalia Escartín el aroma de lo inalcanzable.

—Sólo una cosa más —dije, cuando ya se iba y, de
hecho, había descendido algunos peldaños de la escalera
del hotel Suecia, el mismo en el que Carlos Barral citaba
de forma regular, casi cincuenta años antes, a los escritores que, como Dolores Serma, anhelaban publicar un libro
en su editorial—: ¿Cuándo empezó a trabajar tu suegra
con Mercedes Sanz Bachiller?

—Creo que cuando se vino de Valladolid, al poco
de acabar la guerra. Debía de ser el año 40 o quizás el 41.
Si quieres, me informo y te cuento.

—¿Y qué hacía?

—No sabría decirte con exactitud. Sé que aquí en
Madrid estaba en las oficinas del Auxilio Social. Y luego ya
entró al servicio directo de Sanz Bachiller y de su marido, y
terminó echándoles una mano en un hotel que pusieron
por Málaga, que se llamó Los Álamos y creo que fue uno

de los primeros que hubo en Torremolinos. Pero otro día lo hablamos, ¿te parece? Ahora no me puedo entretener más. ¡Que os vaya bien en Atlanta, a Dolores y a ti!

No me dio tiempo a responderla. Pero y qué. Yo ya le había oído decir todo lo que necesitaba: otro día. El resto me pareció un simple etcétera.

Capítulo siete

La historia de *Óxido* empieza la mañana en que una mujer llamada Gloria sale a la calle en busca de su hijo y camina, sin poder encontrarlo, por una enorme ciudad llena de obras en la que, de pronto, descubre que al niño no lo ha visto nadie pero a ella la conoce todo el mundo. A los primeros que la saludan, en un paso de cebra, no les da mucha importancia: sencillamente, esos dos hombres con aspecto de oficinistas o funcionarios, que se interesan por sus últimos problemas de salud, serán amigos de amigos, gente fortuita con la que intercambió algunas palabras ocasionales quién sabe cuándo y a los que, como es lógico, no recuerda. ¿No habrán visto, por casualidad, a su hijo?, les pregunta Gloria, y les da su descripción. Pero no, ellos no saben nada.

Gloria, cada vez más lejos de su calle, aborda a una florista, entra en dos sanatorios y habla con enfermeras y celadores, interroga a un guardia urbano y a un cartero que fuma un pitillo junto a un buzón. Es que su hijo salió un momento a jugar en la acera de enfrente de casa y ahora no lo encuentra; ha probado en todos los comercios del barrio, en el parque y en la parroquia, pero nadie lo ha visto. Pues lo sienten mucho, pero ellos tampoco.

Por cierto, dicen sucesivamente los desconocidos, ¿se arregló lo del escape de gas de su cocina?; ¿ha recuperado la cartilla de racionamiento que perdió la semana pasada?; ¿qué tal sigue Remedios, la hermana de Gloria?

La escena se repite hasta el infinito, al cruzarse con extraños que la saludan por su nombre en cada esquina, pero que del chaval no saben nada; o al entrar en una tienda de ultramarinos, un taller mecánico, una mercería, una farmacia, una bodega, un estanco y un bar en los que nadie ha visto a su hijo, pero todos le preguntan qué tal el arreglo de su máquina de coser, si han vuelto a salir las goteras de su salón, cómo siguen sus prácticas de taquigrafía y mecanografía. Continúa caminando, toda la noche, por calles oscuras y cada vez más degradadas, desde el centro hasta el extrarradio, con miedo a caer en las miles de zanjas abiertas en cualquier parte. Llama a su hijo, una y otra vez, «y su nombre —escribe Serma— es un latigazo en las calles vacías». Le pregunta a varios serenos y a un par de juerguistas que salen de un antro: nadie ha visto a ningún niño; nadie sabe nada; pero, a propósito, qué ocurrió con sus solicitudes para ingresar en Cementos Portland-Iberia, en la Compañía Metropolitana y en la Telefónica, ¿tiene alguna noticia?

En el capítulo dos de *Óxido* ya ha pasado una semana y Gloria sigue preguntando en tabernas y paradas de tranvía, le describe su hijo a los obreros que cavan más y más fosos en la ciudad, a los transeúntes que la saludan allá donde va, a las monitoras de un centro deportivo de la Sección Femenina y a los tenderos de un mercado, pero sin conseguir una sola respuesta. También intenta una y otra vez, «con la esperanza de poder achicar aquella

136

agua siniestra de su corazón», entrar en una iglesia, pero siempre encuentra cerradas sus puertas.

Como a partir de cierto punto ya no está completamente segura de qué calles ha visitado y cuáles no, decide escribirse sus nombres en la piel, primero en la mano izquierda, luego en la otra, después en las piernas, los hombros... Pero a veces tiene la seguridad de que las mismas calles tienen, de pronto, nombres distintos, y tacha uno, escribe otros... Al regresar a casa, unas veces de día y otras al anochecer, se desnuda, se mira en un espejo y ve «la nada, el mapa de la nada».

En el capítulo tercero, ya han transcurrido seis meses, y la historia continúa. Para entonces Gloria, que sigue su interminable travesía «entre zanjas negras, árboles cortados y chimeneas frías», se tiene que parar a veces, porque se da cuenta de que se le ha olvidado algún rasgo de su hijo, que se empieza a difuminar cualquier pequeño detalle, y entonces se detiene esté donde esté, cierra los ojos y bracea en su memoria hasta rescatar ese fragmento naufragado del niño. Para sobrevivir, y también con la intención de profundizar en sus indagaciones en cualquier ámbito y a cualquier hora, suele emplearse en trabajos transitorios, por ejemplo en la cocina de un restaurante donde se alimenta, según escribe Serma, con «sobras y puré de San Antonio», en la recepción de un hotel para cubrir el turno de noche, en una academia de baile, en el guardarropa de un club de alterne, en una sastrería y como taquillera de un cine.

En el capítulo cuatro han pasado tres años y ahora la obsesión de Gloria, que cada mañana acude a una comisaría a que le informen de que todo sigue igual, ya no

es sólo tener presentes las facciones de su hijo, sino también imaginar su evolución: en qué ha podido cambiar, cómo se tienen que haber formado la boca, el mentón o la nariz. Por encima de todo, se repite de forma obsesiva, tiene que recordar sus ojos, porque eso no cambia nunca. Cuando lo encuentre, le mirará a los ojos y, sea quien sea, sabrá que es él. Cada tarde va a un colegio, espera a que salgan los niños, vigila atentamente a los que aparentan la edad del suyo y, en los casos en que tiene alguna sospecha, procura acercarse a ellos, entablar conversación con sus madres y, con cualquier disculpa al uso, agacharse y mirarlos a los ojos. La mayor parte se atemorizan cuando sienten la mirada ardiente de Gloria sobre ellos, «una mirada que es un corte limpio, profundo», según la describe Dolores Serma. Dos veces la denuncian y es arrestada, pero la policía la deja libre tras prestar declaración. Cuando la prenden y llevan a jefatura por tercera vez, sin embargo, le toman las huellas digitales, le dan una citación en la que le ordenan que se presente en un hospital del ejército, antes de dos semanas, para hacerse un examen psiquiátrico, y cuando le pide explicaciones al inspector que la ha atendido, éste consulta unos papeles, la contempla unos segundos con palpable enojo y le dice: «Señora, hasta hoy usted no había molestado a nadie y hemos sido muy pacientes, aunque teníamos ciertos informes. Pero si vuelve a causar problemas, nos veremos obligados a aplicarle la Ley de Vagos y Maleantes. Espero no volver a verla por aquí. Y, por el amor de Dios, sobre todo métase esto en la cabeza: usted no tiene ningún hijo, y nunca lo tuvo. ¿Estamos?».
Desde la llegada del verano, Gloria no ha vuelto a su casa

y duerme cada noche en una de las zanjas que se siguen abriendo en la ciudad, «a medio camino entre los enterrados y los desenterrados».

Contra todo pronóstico, el libro de Dolores Serma me dejó impresionado. Era una historia que parecía tener el sello de Kafka, además de alguna conexión con la literatura gótica; y que, para estar escrita en 1944, resultaba muy moderna: sin duda, ése podría ser indistintamente el comienzo de un relato de Samuel Beckett o de Julio Cortázar. Su estilo era de una sequedad hipnótica, en eso coincidía con Carmen Laforet, y el escenario que creaba, aquella ciudad obsesiva y abierta en mil zanjas, en la que el personaje de Gloria, como escribe la propia Serma, «al sentirse vigilada se sentía transparente y se había vuelto frágil, como de vidrio», era muy eficaz, te producía una inquietud adictiva, algo mareante.

Era indiscutible que Dolores Serma tenía buena prosa y, desde luego, nada en común con las retumbantes hipérboles de algunos narradores orgánicos del franquismo. La verdad es que me costaba unir esa escritura al arquetipo de una militante del Auxilio Social, con su camisa azul de la Falange, su delantal blanco con el yugo y las flechas bordados sobre el pecho y, en la boca, un lema sagrado: por la Patria, el Pan y la Justicia. De cualquier forma, eso daría lo mismo si *Óxido* sabía cumplir sus promesas y resolver los misterios que planteaba en sus capítulos iniciales, porque en ese caso quizás estuviese ante el sueño de cualquier filólogo con ambiciones: una obra injustamente relegada. ¿Qué les parece? ¿Y si descubría un genio oculto?

—¡Señor, le estoy preguntando si quiere cenar pasta o ternera! Si es tan amable...

La que me había gritado, para sacarme de mi ensimismamiento, era una azafata del avión que me llevaba de Madrid a Atlanta, una cincuentona teñida de rubio, con una cara angulosa, como llena de esquinas, ojos coléricos y una sonrisa tan acogedora como las paredes de un tanatorio. Les resumo la impresión que me produjo diciendo que si en aquel instante hubiera sacado una lengua de medio metro para comerse una mosca posada en un portaequipajes, no me hubiese sorprendido mucho. Ya me entienden.

—No, gracias, no quiero comer. Sólo deme una botella de vino.

—¿No quiere ni carne ni *tortellini*?

Miré el estofado de mi vecino de asiento: creí que se lo iba a guardar con la intención de usarlo como cebo para pescar truchas, o algo por el estilo. Pero, para mi sorpresa, empezó a comérselo.

—No. Nada más que el vino, por favor.

—Son cuatro euros. Las bebidas alcohólicas se cobran aparte, señor.

Le di el dinero y me puse a beber. Me encanta hacerlo en los aviones: la presión, el movimiento, la inestabilidad, las nubes... Me gusta la manera en que se junta todo eso; y también el letargo de después de las copas, con el zumbido de los motores al fondo. «Ese tumulto análogo al silencio», así define Paul Valéry el rumor del mar. Qué hijo de perra. Cuánto odio a la gente que escribe ese tipo de cosas en mi lugar, anticipándoseme, robándomelas. Me pregunto cómo habría definido Valéry el zumbido de los motores de un Boeing 747. ¿A qué suenan, en medio de la oscuridad y a dos mil pies de altitud, cuando el que los oye no puede dejar de pensar en cuatro mujeres, de las cuales dos son su ex esposa y la esposa de otro?

Atlanta, maldita sea. La sede de *Lo que el viento se llevó* y la Coca-Cola. Ya les dije que había estado una vez allí, dos años antes, para participar en otro congreso de hispanistas, y sabía de sobra que no puede haber ninguna definición de esa ciudad tan exacta como la que hace James Cagney en la película de Billy Wilder *Uno, dos, tres*: «Atlanta es Siberia con discriminación racial». ¿Por qué volvía, entonces? Bueno, pues porque Atlanta no era Madrid y, como suele decirse: fuera de casa, como en ninguna parte. ¿Se lo tengo que explicar? Supongo que no. Además, en este segundo viaje iba a conocer esos otros dos sitios, Dahlonega y Athens, que quizá no estuvieran tan mal. El profesor que me había invitado, que se llama Gordon McNeer y a quien les voy a presentar en breve, me había dicho que eran lugares hermosos y que mi hotel estaba junto a un río, en plena naturaleza, rodeado de bosques. No me entusiasmó demasiado esa perspectiva, porque yo soy como Marcel Duchamp, que cuando un amigo le invitó a pasar un fin de semana en el campo, le contestó: «¿El campo? ¿Quieres decir ese lugar donde los animales están crudos?». Pero, en fin, nunca se sabe. Y, además, si no vas a ver las cosas, nunca las podrás detestar con tu propio odio. No me digan que ése no es un buen motivo.

Continué la lectura de *Óxido*, que era asfixiante y contagiosa, con su reiteración contumaz de la angustia de Gloria, que seguía caminando entre zanjas y montones de tierra, e intentaba reconstruir el rostro de su hijo como un escultor que limpiara la herrumbre de una de sus estatuas; y con su detallado recorrido por aquella ciudad irrespirable que parecía en tantas cosas un duplicado del Madrid de posguerra y que llevaba al lector desde las mañanas pacíficas de los colegios exclusivos de los barrios de Salamanca y Chamartín a las noches densas de los bares golfos del centro, los que se llamaban o iban a llamarse Villa Rosa, J'Hay, Pidoux y Fuyma; de los alrededores de la cárcel de Ventas o los focos de prostitución del Retiro y el Jardín Botánico, a sitios de mala ralea como el club Tarzán, del que en el futuro serían habituales Juan Benet y Luis Martín-Santos, a los que Serma describe, en esta ocasión de forma inequívoca, cuando pinta ese lugar como «un cubículo donde Gloria podía servir la primera ronda a un boxeador profesional, la segunda a un grupo de estraperlistas y la tercera a un psiquiatra y un ingeniero que hablaban de Baroja y de William Faulkner a gritos». Más claro, agua.

Empecé a hacerme preguntas: ¿qué simbolizaba, en realidad, ese relato fantástico? ¿Qué poderes perversos eran los que horadaban la ciudad y para qué? ¿Cuál era su relación con Benet y Martín-Santos? ¿Qué mensaje querría transmitir la parábola del niño desaparecido? ¿No resultaba evidente que la novela de Serma hablaba de uno de los más viscosos expolios del franquismo, el rapto o hurto de los hijos de las represaliadas para entregárselos a familias afectas al Régimen, un tema del que se sabía realmente muy poco pero sobre el que se tenían oscuras sospechas? Porque o yo veía visiones, o en la ciudad siniestra de *Óxido* no era muy difícil intuir una representación de la España onerosa de la posguerra; la historia de la mujer acosada y evidente a todos se podía interpretar como la de cualquier familiar de un republicano preso, los que llevaban como una cruz el estigma de la desafección al Régimen y sufrían purgas y humillaciones continuas: no olviden que el país estaba infestado de campos de concentración —las famosas Colonias Penitenciarias Militarizadas, donde los reclusos eran tratados como esclavos—, ni que el número de presos políticos en las cárceles rondaba los 500.000. Y en cuanto a las zanjas interminables, estremecía ver en ellas un reflejo de las fosas comunes de Franco, en cuyo nombre se *paseó* a 190.000 personas, y que proseguía, tras estallar la paz, su inmisericorde represión de los vencidos: entre 1939 y 1947 se ejecutó, oficialmente, a una media de diez personas al día. Y por supuesto, las calles de Madrid y del resto de las ciudades reales eran oscuras, como las de *Óxido*, porque había continuos cortes de luz; y si Gloria camina entre «árboles cortados» y «chimeneas frías» es porque se prohibió el gasoil para calefacciones, a causa de la escasez, y porque la gente talaba los árboles del Retiro para calentarse con su leña. Y como al hambre no hay pan negro, que diría mi madre, es verdad que se comía una harina de almortas que llamaban puré de San Antonio, y cosas peores. Y, para terminar, ¿no es lógico ver en el episodio de las calles que cambian un reflejo de la manera en que, como suele ocurrir, los vencedores sustituyeron los nombres de la ciudad de los vencidos, de modo que el Paseo de la Castellana pasó a ser la Avenida del Generalísimo, el Paseo de Recoletos se convirtió en Paseo de Calvo Sotelo, la Gran Vía en Avenida de José Antonio, la Plaza de Cibeles en Plaza de los Héroes del 10 de agosto o la Cuesta de San Vicente en Paseo Onésimo

Redondo? Digan una sola vez *sí* y habrán respondido de golpe todas esas preguntas.

Al asunto de los niños secuestrados le había dado un vistazo el día antes, por pura curiosidad, a raíz del comentario de Natalia Escartín sobre el libro del coronel Antonio Vallejo Nájera que, al parecer, tenía Dolores Serma. Y créanme si les digo que la biografía de aquel delirante psiquiatra militar, al que luego he dedicado muchas horas de estudio, me dejó anonadado. Nacido en Palencia, Vallejo Nájera se licenció en Medicina por la Universidad de Valladolid, en 1909, y tras participar en las campañas de Marruecos y pasar un tiempo en Alemania, volvió a España en 1930, donde fue nombrado responsable del manicomio de Ciempozuelos y profesor de la Academia de Sanidad Militar. Al llegar la guerra civil, convenció a Franco de que creara el Gabinete de Investigaciones Psicológicas del Ejército, donde pensaba demostrar su teoría de que el marxismo era una tara mental, expresada en obras como la que habían leído Dolores Serma y su nuera, *La locura y la guerra. Psicopatología de la guerra española*, de 1939; en el volumen *Eugenesia de la hispanidad y regeneración de la raza*, aparecido un año más tarde y donde agradecía a Nietzsche «la resurrección de las ideas espartanas acerca del exterminio de los inferiores orgánicos y psíquicos, parásitos de la sociedad», o en textos como «Psiquismo del fanatismo marxista», donde hablaba de la «inferioridad mental de los partidarios de la igualdad social y política, o desafectos», criticaba «la perversidad de los regímenes democráticos, favorecedores del resentimiento que promociona a los fracasados sociales con políticas públicas, a diferencia de lo que sucede con los regímenes aristocráticos, donde sólo triunfan los mejores» y llegaba a la conclusión de que hay «revolucionarios natos» cuyas «tendencias instintivas» les llevan a pretender «trastocar el orden social». De entrada, en cuanto Franco le dio su beneplácito, se propuso probar sus hipótesis con dos grupos, uno compuesto por prisioneros de las Brigadas Internacionales y el otro por cincuenta mujeres detenidas en la cárcel de Málaga. No quiero ni imaginarme en qué consistirían sus experimentos y su trabajo de laboratorio.

Lo que sí sabemos son las conclusiones que obtuvo de sus análisis: tras estudiar a los voluntarios extranjeros, dedujo que «los marxistas aspiran al comunismo y a la igualdad de clases a causa de su inferioridad, de la que seguramente tienen conciencia, y por ello se consideran incapaces de prosperar mediante el trabajo y el esfuerzo personal. Si se quiere la igualdad de clases no es por el afán de superarse, sino de que desciendan a su nivel aquellos que poseen un puesto social destacado, sea adquirido o heredado». De su examen de las reclusas malagueñas, treinta y tres de las cuales estaban condenadas a muerte y diez a cadena perpetua, aprendió que se trataba de «libertarias congénitas que, impulsadas por sus tendencias biopsíquicas constitucionales, desplegaron intensa actividad sumadas a la horda roja masculina», y dedujo de su investigación lo que explica en su panfleto *Investigaciones psicológicas en marxistas femeninos delincuentes*: «Recuérdese, para comprender la activísima participación del sexo femenino en la revolución marxista, su característica debilidad del equilibrio mental, la menor resistencia a las influencias ambientales, la inseguridad del control sobre la personalidad. Cuando desaparecen los frenos que contienen socialmente a la mujer, se despierta en el sexo femenino un instinto de crueldad que rebasa todas las posibilidades imaginadas, precisamente por faltarle todas las inhibiciones inteligentes y lógicas, una característica de la crueldad femenina que no queda satisfecha con la ejecución del crimen, sino que aumenta durante su comisión. Además, en las revueltas políticas tienen la ocasión de satisfacer sus apetencias sexuales latentes».

Vallejo Nájera tuvo su premio al acabar la guerra civil: disfrutó de prebendas, acumuló honores, en 1947 obtuvo una plaza de profesor de psiquiatría en la Universidad de Madrid y cuatro años más tarde ingresó en la Real Academia de Medicina. Y todo, como ya han visto, por ser un simple chalado. Eso sí, en 1950, cuando publicó la única obra suya de la que yo tenía noticia, *Literatura y psiquiatría*, ya se había serenado: es un libro mediocre y caótico, en el que repasa algunos personajes con problemas mentales de Cervantes, Dostoievski, Zola, Edgar Allan Poe, Maxence van der Meersch —el autor de *Cuerpos y almas*—, Pedro Antonio de Alarcón, Armando Palacio Valdés y, entre sus contemporáneos, el Cela de *La familia de Pascual Duarte*, y Carmen de Icaza, que trató el asunto en *La fuente enterrada;* pero no parece la obra de un perturbado ni la de un asesino. Será que la sangre derramada vuelve locos a los fanáticos, como a los tiburones. En su momento, *Literatura y psiquiatría* me sirvió para descubrir esa novela de Carmen de Icaza, una autora a la que nunca había leído y que, como verán, terminaría por ser un personaje de importancia en esta historia que les estoy contando.

Pero regresemos a los niños perdidos.

Una vez *probado* por Vallejo Nájera que ser marxista era una enfermedad cerebral, se hacía necesario, según expresión muy del gusto del Régimen, «separar el grano de la paja», quitándoles sus hijos a los «débiles mentales», porque «si militan en el marxismo, de preferencia, psicópatas antisociales, la segregación total de esos sujetos desde la infancia podría liberar a la sociedad de plaga tan terrible».

Dicho y hecho, las autoridades franquistas aplicaron con todo el rigor del mundo sus tesis, llegando a crear en Madrid una penitenciaría para madres lactantes y disponiendo a su antojo de los hijos de las presas, que sobrevivían en condiciones terribles, hacinadas en cárceles inmundas, sin atención médica y sin derechos de ningún tipo. Sus hijos podían estar con ellas, pero como máximo hasta los tres años. Cuando ejecutaban a sus madres o ellos excedían esa edad, eran enviados a un seminario para que se los reeducase, o dados en adopción por la Iglesia y el Estado, que se habían atribuido su tutela legal, a familias católicas afines a la causa. Al no estar registrados como parte de la población penal, nadie sabe cuántos eran, ni qué sucedió con muchos de ellos. En cuanto a los que eran enviados a los hospicios del Auxilio Social, sus padres perdían la potestad sobre ellos en el instante en que ingresaban en la institución fundada por Mercedes Sanz Bachiller. El Estado los prohijaba y, cuando le convenía, les cambiaba los apellidos y los daba en adopción. Es incalculable el número de ellos que desapareció por ese sistema.

¿*Óxido* hablaba de todo eso entre líneas o sólo en mi imaginación? Y, si yo estaba en lo cierto, ¿qué demonios tenía que ver ese libro con una afiliada a la FET y de las JONS y, por lo visto, estrecha colaboradora de Mercedes Sanz Bachiller? Qué asunto tan extraño.

Imagínense a la fundadora del Auxilio Social en 1934, entrando en la Casa Social Católica de Valladolid junto a su Onésimo Redondo, que ese año, antes de que el nuevo Gobierno de izquierdas pudiera equivocarse en nada puesto que acababa de ganar las elecciones, escribía esto: «¡Preparad las armas, aficionaos al chasquido de la pistola, acariciad el puñal, haceos inseparables de la estaca vindicativa! La juventud debe ejercitarse en la lucha física, debe amar por sistema la violencia, debe armarse con lo que pueda y debe decidirse ya a acabar por cualquier medio con las pocas decenas de embaucadores marxistas que no nos dejan vivir». Ese mismo año, sus Juntas de Ofensiva Nacional Sindicalista se unieron a la Falange Española de José Antonio Primo de Rivera, que por entonces citaba para bien y para mal a Ortega y Gasset, se hacía fotos con los hermanos Machado después de alabarlos hasta la náusea en una conferencia y, detrás de esa máscara, era tan salvaje como su nuevo socio. Los discursos que dieron ambos en el mitin con que se presentaba en sociedad su flamante alianza en marzo del 34 y en el Teatro Calderón de Valladolid, fueron tan belicistas que al acabar sus intervenciones los asistentes salieron a la calle en masa, fueron en busca de los obreros que se habían declarado en huelga para protestar por aquel acto anticonstitucional y, como diría mi madre, aquello fue Troya. ¿Podía alguien escribir con una mano un libro como *Óxido* y con la otra ser, durante veinte años, una fiel ayudante de Mercedes Sanz Bachiller, la esposa de

Redondo, a quien admiraba sin matices y cuyas ideas, según su propio testimonio, compartía al cien por cien? Muchos intelectuales cambiaron de bando con la guerra civil, cayeron a la reacción desde un pasado anarquista, como Pío Baroja; desde la socialdemocracia, como Azorín, o desde los alrededores del comunismo, como Leopoldo Panero. El camino contrario lo hicieron tres cuartas partes de Ridruejo en el 46 y, muchos años más tarde, al morir Franco, todos los demás. Pero allí y entonces, en la década de los cuarenta, se antojaba de todo punto imposible ser, al mismo tiempo, las dos personas que parecía Dolores Serma. ¿Cómo lo hacía? ¿Por las mañanas enseñaba en las Escuelas de Hogar a hacer quitamanchas con bicarbonato y limón y por las tardes era una opositora al Régimen? ¿Y cuándo estudiaba Derecho? ¿Cuándo iba a la Universidad? Empezaba a divertirme.

Me levanté a estirar las piernas y a reflexionar, con una copa en la mano, sobre *Óxido*, su autora y el plan que debía seguir, a la luz de las nuevas circunstancias, en mis charlas de Dahlonega, Athens y, sobre todo, Atlanta. Me pediría un vodka, porque el vino de a bordo era un desastre.

Salí con todo el cuidado que pude, porque mi compañero de asiento dormía como un tronco, con la boca abierta, sin zapatos y con dos botones del pantalón desabrochados. A veces odio a la gente, la verdad.

Anduve hacia la cola del avión y allí estaba mi azafata favorita, observándome con tanto aprecio como si yo fuera de color verde-aguacate, tuviera escamas y me saliesen dos lagartijas a medio masticar de la boca. ¿Por qué había decidido aborrecerme desde que me vio? ¿Tan mal le sentó que le hiciera perder diez segundos, cuando estaba distraído y no la oí ofrecerme su bazofia? ¿O era porque no dejaba de leer, porque al pasar siempre me encontraba subrayando, tomando apuntes y haciendo una consulta? A algunas personas, quién sabe por qué, les indigna verte con un libro en la mano, se lo toman como un insulto: pero qué se habrá creído éste, que viene aquí dándoselas de intelectual; a la vía a poner traviesas, os mandaba yo a todos.

—¿Qué quiere? —dijo—. El baño está ahí, si es lo que busca. Pero también hay otros dos en la parte delantera, donde usted está sentado. No necesita venir hasta aquí, señor.

—Sí, lo sé. Pero no busco un lavabo, gracias. Lo que querría, si es posible, es beber algo.

—¿Agua?

—No. Mire, pensaba en algo un poco más fuerte.

—Son cuatro euros.

—Bueno, pero es que aún no le he dicho lo que quería...

—El agua es gratis. Todo lo demás vale cuatro euros, *señor* —la muy zorra decía señor igual que si te pegase con una pala en la cabeza.

—Ah, bien —dije, intentando contener, a duras penas, mis ganas de matarla—; pues sírvame un vodka con zumo de naranja, por favor.

Se quedó mirándome, sin mover un músculo, para que yo supiera que iba a seguir así hasta que viese mi dinero. Pero cuando estaba sacando la cartera, maldita sea mi suerte, el avión empezó a dar tumbos, se oyó un pitido y se encendió la luz roja de abróchense los cinturones.

—Oh, cuánto lo siento, señor —dijo, con un gesto de triunfo y dejándome ver su sonrisa desafinada—, ahora no le voy a poder atender. El piloto ha encendido la luz de alerta. Regrese a su asiento, por favor.

—Sí, sí, ya voy, pero ¿no me podría llevar la copa?

—Regrese a su asiento.

Volví a mi sitio, tambaleándome de ira. El ceporro de al lado seguía durmiendo. Al pasar, le rocé una pierna y masculló algo, abrió los ojos, me miró sin entender nada y después continuó roncando igual que antes y haciendo puf, puf, puf, puf, lo mismo que si fuera un neumático con un agujero. Me dieron ganas de despertarle de un codazo en los dientes.

Encendí el ordenador para organizar mis notas sobre Mercedes Sanz Bachiller, porque si iba a citarla le tendría que explicar a mis oyentes quién era esa mujer.

Como Dolores Serma, la futura creadora del Auxilio Social nació en Valladolid, en 1911, en el seno de una familia adinerada y católica hasta la médula que poseía grandes latifundios y, al igual que casi todos los hacendados de la época, se sintió agredida por la Ley de Arrendamientos y la Ley de Términos Municipales que promulgó la República para proteger a los agricultores. Los terratenientes le declararon al Gobierno la llamada *guerra del trigo*, haciendo subir los precios y escasear el producto para desesperar a la población y empujarla a una serie de huelgas, manifestaciones, enfrentamientos con la policía y, finalmente, a un motín.

Ya casada con Onésimo Redondo, Mercedes aprobó cada una de sus algaradas, y no se conocen objeciones suyas a la represión espantosa que, gracias al clima creado por su esposo, se desató en Valladolid en cuanto se inició el Alzamiento: de entrada, se pasó por las armas al gobernador civil, al alcalde socialista y al único diputado de ese partido que había en la ciudad; después, se ajustició a más de 15.000 ferroviarios en las cocheras del tranvía. A otros, especialmente los que iban a buscar los falangistas a las dos cárceles de Valladolid o al matadero municipal, los llevaban de madrugada a las afueras, al Campo de San Isidro, donde las interminables matanzas se convirtieron en un espectáculo que presenciaban cientos de personas, a veces familias enteras, y que hizo que se instalasen algunos puestos de café y churros en el lugar, para que los asistentes a la macabra función pudieran desayunar mientras contemplaban la carnicería. Sin embargo, el día en que la llamaron para decirle que su marido había muerto en el frente, aparte de desmayarse y perder al hijo que esperaba, debió de descubrir el dolor, porque de inmediato, y aparte de ejercer su cargo de jefa de la Sección Femenina de Valladolid, decidió que su puesto estaba junto a las víctimas del cataclismo y, especialmente, junto a los huérfanos —tal vez en eso influyera que ella misma lo era desde los catorce años—, de forma que, a base de donaciones, colectas y campañas petitorias por las calles de la ciudad, fundó el Auxilio de Invierno y abrió su primera Cocina de Hermandad en la calle Angustias. Año y medio más tarde, su organización había pasado a depender del Estado, se llamaba Delegación Nacional de Auxilio Social y tenía 7.000 comedores de beneficencia en toda España, donde los niños a cuyos padres habían matado los insurgentes tomaban un plato de sopa caritativa bajo las fotos de Franco y José Antonio Primo de Rivera, siempre después de un padrenuestro y un *Cara al sol*. Bendita misericordia para alimentar a lo que el propio dictador había calificado como «masas hambrientas de pan y fe».

Me detuve, asqueado y con la urgente necesidad de tomarme una copa, dispuesto a conseguirla aunque tuviese que arrancársela a la azafata-monstruo con unos alicates. La verdad es que el avión se había movido como un tractor mientras ordenaba mis notas sobre Mercedes Sanz Bachiller, zarandeado por eso que los pilotos llaman «fuertes turbulencias», pero en ese momento acababa de estabilizarse y se habían apagado las luces de alarma, de modo que volví a levantarme y eché a andar hacia mi vodka hecho un Cid Campeador.

El panorama era deprimente, con una oscuridad mortecina envolviéndolo todo y el noventa por ciento del pasaje dormido en posturas soeces e inverosímiles, como si fueran las ilustraciones de un *Kamasutra* para tetrapléjicos, o algo así. Y confío en que nadie se ofenda; aunque no sé, porque este mundo de locos se ha entregado de tal forma a la corrección política que con cada chiste que cuentas se te enfada un colectivo, como los llaman ahora: se enfadan los homosexuales, las familias de los deficientes, los paralíticos, las feministas, los vascos, los ciegos, los árabes, las gordas... Qué miseria, si seguimos así, sólo se van a poder contar chistes protagonizados por champiñones.

En cuanto llegué a estribor, a ese bar improvisado que ponen las compañías aéreas, por las noches, en los viajes trasatlánticos, mi amiga azafata me miró hecha un basilisco. Arrugado por el disgusto de verme, su rostro me recordó al del actor Walter Matthau, ese del que se decía que su cara era como una cama sin hacer. Estaba sentada en uno de los asientos plegables que usa la tripulación de los aviones, comiendo con cara de avaricia un plato de no sé qué amarillo. Al masticar, sus dientes hacían el mismo ruido que una partida de bolos. Obviamente, la acababa de interrumpir.

—Buenas noches —dije.

—Hola de nuevo, señor. ¿Puedo ayudarle?

—Sí —dije—, discúlpeme. Quería un vodka con zumo de naranja.

—Quítese de ahí. Póngase al otro lado —dijo la arpía, con voz aséptica.

—¿Qué?

—Ahí interrumpe el paso, señor.

—¿Interrumpir? ¿A quién? Pero ¡si no hay nadie! Todo el mundo duerme y, además...

—Al otro lado, señor, si es tan amable.

—Pero...

—¡Al otro lado!

Me moví cincuenta centímetros. ¡Maldita bruja! ¿Qué es lo que desayunaba: huevos revueltos con Hitler?

—Vale, vale. Está bien. Y ahora, si no tiene inconveniente, ¿me pone, por favor, mi bebida?

—Son cuatro euros.

Se los di. Qué encanto. Si alguna vez necesitaba un trasplante de corazón, le podían poner el de una hiena, y eso la haría mejor persona. Siguiendo mi costumbre la situé, también a ella, en la guerra civil, y no quiero ni contarles en qué se convirtió. ¿Por qué esa mujer era así, tan agresiva, tan infame? ¿Es verdad que hay algo en el carácter de los españoles que nos tiene siempre a un paso de la discusión, el insulto y la pelea, dispuestos a sacar las pistolas y hacer prevalecer la mediocridad frente al genio, a cambiar a Antonio Machado por Eugenio d'Ors, a García Lorca por Ramiro de Maeztu o a Juan Ramón Jiménez por Pemán? De eso nada: *ellos* son de esa condición, no el país, y ellos son los que han creado ese mito de la raza cainita que les sirve de pretexto y lava sus conciencias. Por lo demás, los asesinos no tienen nacionalidad, sus únicas patrias son la injusticia, el robo y el crimen. Gente de orden: y un cuerno.

Volví a mi plaza, donde mi vecino seguía haciendo puf, puf, puf con la boca. ¿Qué se había tomado, el muy miserable? ¿Anestesia para hipopótamos? Sin perder un segundo, me acabé el vodka y volví a Dolores Serma y a *Óxido*.

Ya han pasado cinco años y Gloria continúa su amarga aventura, aunque con una diferencia sustancial: ahora ya no está sola. Parece que en algún momento empezó a escribir en su piel, en lugar de los nombres de las calles, algunas palabras reivindicativas, y que con ellas en las manos, en la frente, en piernas y brazos, recorría la ciudad, se apostaba frente a colegios, iglesias y, alguna vez, las Cortes. Pero las autoridades la vuelven a apresar, la llevan a un cuartel, le rapan el pelo al cero y le hacen beber aceite de ricino, la duchan con una manguera y la desinfectan con azufre. Gloria no puede olvidar el agua helada, dañina, el olor a jabón y a sulfato, las manos sórdidas sobre ella, frotando, hiriendo. «Y después, todo lo demás», dice Dolores Serma, sin entrar en detalles, en un rasgo muy propio de su escritura, que es justo lo opuesto a la prosa florida y llena de grumos de muchos de sus contemporáneos.

Sabemos, por la forma en que lo cuenta Serma, que los episodios de la detención y la ducha han sido hace tiempo, en la época en que Gloria habitaba las zanjas. Ahora su vida se ha regularizado hasta cierto punto, ha comprendido que necesita cuidarse para proseguir sus averiguaciones y, sobre todo, como he anticipado, ya no actúa sola: en una de las escenas para mí más impactantes del libro, la que transcurre a la salida del cuartel donde la han lavado «y todo lo demás» —expresión que asocié de forma inmediata con los célebres discursos que el general Queipo de Llano daba desde Sevilla, a través de la radio, y en los que se jactaba, entre otras monstruosidades, del modo en que sus tropas violaban a las mujeres de los republicanos delante de sus maridos, antes de fusilarlos frente a ellas—, Gloria, que ha sido arrojada sobre la acera por sus captores, levanta los ojos y ve a cuatro mujeres vestidas de negro, que la miran desde el otro lado de la calle. «Es que busco a mi hijo», les dice, con el mismo tono neutral, impactante por inadecuado, que usa en toda la narración, cuando ellas se acercan a levantarla. «Salió a jugar enfrente de casa y no lo encuentro.» Pero una de las mujeres le hace un gesto de que no continúe: aquí no, calla, no te fatigues, no es necesario; y mientras la incorpora, añade: «Nosotras somos igual que tú».

Se puede suponer que Gloria actúa desde entonces coordinada con sus nuevas amigas, pero lo que hace Serma, sorprendentemente, es desdoblarla, de modo que ahora está al mismo tiempo en varios lugares y sus pesquisas se multiplican: «Gloria entró en una confitería del centro», escribe, «y a la vez en una fábrica de calzado de los suburbios. Mientras tanto, salía de un cuchitril del

156

arrabal en compañía de un conocido juez y de un callejón cercano al Registro Civil, justo en el otro extremo de la ciudad, donde un joven notario le acababa de vender unos papeles. Al alejarse de allí con los documentos, todas ellas se echaron a llorar, jubilosas».

La verdad es que *Óxido* era una novela magnífica, pero sobre todo inexplicable. ¿O es que esa historia que aquí les resumo a grandes rasgos es la que uno puede esperar de una abanderada de la Sección Femenina, en cuyo ideario «la verdadera misión de las mujeres», además de ser «muy buenas, muy obedientes, muy aplicadas y muy limpias», era «crear hombres valerosos» que construyeran «un Imperio» y no olvidar nunca, según el dictado de Pilar Primo de Rivera, «que la Patria, el Pan y la Justicia, y nuestros gritos de "¡España, Una, Grande y Libre!", no son palabras sin sentido, sino metas a alcanzar por nuestra Falange para que la Patria se justifique como nación en el concierto del mundo». No hacía falta ser un lince para ver que Dolores Serma no comulgaba, ni mucho menos, con esa visión triunfal del país. Más bien, *Óxido* era otra estampa del mismo páramo que retrató Carmen Laforet en *Nada*, y volverían a reflejar Cela en *La colmena* y Luis Martín-Santos en *Tiempo de silencio*, aunque aquélla, si cabe, más extrema, quizá más perniciosa por llegar desde el propio bando de los propagadores del optimismo y, sobre todo, más temprana: no olvidemos que las novelas de Cela y Martín-Santos son del 51 y el 61, respectivamente, y que *Óxido* está escrita en 1944, al menos en su primer impulso, porque detalles como la mención encubierta a Benet y Martín-Santos en el club Tarzán demostraban que debió de retocar el manuscrito y añadirle cosas hasta los años cincuenta, como mínimo.

Por lo demás, también es cierto que otros militantes de las filas conservadoras, como Dámaso Alonso o el propio Cela, dieron interpretaciones muy poco positivas de la posguerra en sus libros; pero en *Óxido* había algo más ácido: la imagen de una sociedad perversa e irredimible, en la que a algunos se les podía culpar de sus actos y a otros de su silencio o de su cobardía. Gente como el gran Baroja, que cuando en la inauguración del Instituto de España, en Salamanca, fue preguntado si juraba o prometía su cargo, sólo tuvo el valor de responder: «Lo que sea costumbre»; y gente como el propio maestro de ceremonias de aquel día, Eugenio d'Ors, que en su *Nuevo glosario* afirmaba que «hay que salvar a los pueblos contra sí mismos» y que no debía permitirse «ni un día sin propaganda, ni un año sin deliberación, ni un siglo sin dictadura».

La noche antes, en casa, había estado hablando de todos esos temas, una vez más, con mi madre, mientras cenábamos. Más allá de las convicciones de cada uno, ¿cómo podían haber admitido que los sometiesen de aquel modo? ¿Cómo fueron capaces de encontrarle argumentos a la sinrazón? ¿Cómo puede alguien sentarse a descansar, sin remordimientos, a la sombra de los verdugos?

—Mira, hijo —decía, aferrada a su eterna tesis—, es que la República lo hizo muy mal, provocó a los terratenientes, a la Iglesia y a los militares. Y entonces, pues pasó lo que tenía que pasar, que se armó la de San Quintín.

—¿Qué es lo que tenía que pasar? ¿Un millón de muertos?

—No desvaríes. Yo lo que te digo es que quien siembra vientos recoge tempestades.

—Claro, y después de la tempestad vino la calma, ¿no es eso? Llegaron los salvadores y esto fue una balsa de aceite.

—Para empezar, lo del millón de muertos no os lo creéis ni vosotros. Pero fueran los que fueran, eso es horrible, quién que esté en su sano juicio no lo va a reprobar. Y, naturalmente, yo no niego que se cometiesen tropelías, en los dos bandos, que canallas los hay en todas partes. ¿O no? A río revuelto, ganancia de pescadores.

—Sí, pero una cosa es el abuso aislado, que por repulsivo que sea es casi incontrolable, y otra muy distinta es el crimen institucional. Y ahí, no hay comparación: mientras Queipo de Llano alentaba el crimen y la tortura en una radio de la zona nacional, en otra de la zona republicana Indalecio Prieto le pedía a los milicianos «pechos acerados para el combate y piedad para la retaguardia».

—Muy bonito suena, para no ser un camelo.

—... Y mientras, Queipo de Llano anima a los ciudadanos a que cuando se crucen con un seguidor de Azaña «lo callen de un tiro o me lo traigan a mí, que yo se lo pegaré».

—Pero... claro, es que atrocidades se cometieron sin duda en los dos bandos, eso no lo niego.

—Ya, pero es que mientras Prieto escribe en *El Socialista* que «por muy fidedignas que sean las terribles y trágicas versiones de lo que está ocurriendo en tierras dominadas por nuestros enemigos, no imitéis esa conducta, os lo ruego, os lo suplico», la teoría de Mola era que «hay que sembrar el terror, hay que dejar sensación de dominio eliminando sin escrúpulos a todos los que no piensen como nosotros».

—Mira —dijo mi madre tras beber un poco de té—, en realidad, no me extraña del todo lo de Prieto. A tu abuelo, cuando lo fueron a detener los rojos, le acusaron de leer los discursos de Gil Robles, y él les contestó: «Pues sí, los leo. Y los de Indalecio Prieto, también. Los que no leo ni leeré nunca, porque me asquean, son los de Largo Caballero».

Me volvió a contar la historia de cuando se llevaron a su padre para darle el paseo y lo salvó en el último suspiro, junto a las tapias del cementerio donde lo iban a fusilar, un jefe del Partido Socialista, viejo amigo suyo. ¿Es que acaso mi abuelo le había hecho daño a alguien? ¿Es que merecía que lo mataran? No había manera de sacarla de ahí, como a tantos millones de españoles, ni de hacer que saltase de lo personal a lo general: es difícil ser analítico desde el miedo, razonable desde la pasión.

La República había provocado a la Iglesia, decía mi madre, y vaya si ésta se vengó. De hecho, el inspirador del Sistema de Redención de Penas por el Trabajo fue el jesuita José Antonio Pérez del Pulgar, que abrió el camino a esa extorsión inhumana de los reclusos en su texto de 1939 *La solución que da España al problema de sus presos políticos*, donde el piadoso sacerdote asegura que «no puede exigirse a la justicia social que haga tabla rasa de cuanto ha ocurrido, y es muy justo que los presos contribuyan con su trabajo a la reparación de los daños a los que contribuyeron con su cooperación a la rebelión marxista». Para demostrar, de forma directa, lo en serio que hablaba aquel cura de la Cruzada, los esclavos reconstruyeron la catedral de Vic; los conventos de las madres adoratrices de Cartagena, Alcalá de Henares y Valladolid; la basílica del Carmen, también en la ciudad natal de Dolores Serma; el seminario de Ervedelos, en Orense, y, entre otros edificios religiosos, el Colegio de los Escolapios de San Antón, en Madrid. Pura piedad cristiana.

Al final de *Óxido*, esa mujer llamada Gloria, cuyo tesón discute la última línea que escribió Cervantes, nada más recibir la extremaunción, al frente de *Los trabajos de Persiles y Segismunda:* «... el tiempo es breve, las ansias crecen, las esperanzas menguan», baja a su calle, que está cubierta de nieve y en la que es de noche, y llevando en una mano los papeles que le ha dado el joven notario y en la otra una linterna «contra los argumentos de la sombras», sigue unas huellas que empezaron frente a su casa y, tras un largo trayecto, terminan en una ostentosa mansión de las afueras, en la zona residencial, justo donde las zanjas dejan de verse y empiezan los jardines, las pérgolas, los cenadores y las piscinas. Gloria, a quien le ha costado tanto encontrar esa casa que apenas puede creer que esté allí, nota por primera vez que está a punto de derrumbarse; «es como si los músculos se vaciaran», escribe Serma, «y fuese a caer en el temblor, el vértigo». Pero a pesar de todo, sube los peldaños de una escalera blanca, pulsa el timbre de la puerta y se queda ahí, oyendo la voz de un niño que parece jugar con alguien, en el interior de la vivienda. «En ese instante, al sentir los pasos que se acercaban —escribe Dolores Serma—, se llevó una mano nerviosa al pelo, y la otra al estómago, y hundió las uñas en su piel, como si intentara arrancarse la flor negra de la angustia, una flor de raíces ávidas, que crece lentamente en la oscuridad y exhala el espeso perfume de la desesperación».

Así terminaba *Óxido*. No, sin duda Dolores Serma no era una escritora vulgar.

Capítulo ocho

—¡Vuelvan a sus asientos, por favor! Se va a servir el desayuno. ¡Regresen a sus asientos!

La que había llegado dando esos gritos a la parte de atrás del avión, donde yo intentaba conseguir un café, no podía ser otra que mi azafata predilecta. Su voz desabrida me atravesó los oídos como un barco rompehielos. Me retiré, con tal de no verla.

Para cuando llegué a mi sitio, después de avanzar a duras penas por un pasillo lleno de pasajeros aletargados que se sacudían, como zombis recién emergidos de sus tumbas, la arena del sopor, mi bandeja de rancho ya estaba sobre la mesa y el señor puf, puf, puf había amanecido. Quizás alguien le hubiese echado un cubo de agua por la cabeza, o algo así. Le vi añadirle un trozo de mantequilla a su café, que se llenó de círculos amarillos, y masticar una ensaimada con verdadero deleite. Qué asco. ¿No detestan a los que se lo comen todo en los aviones, les pongan lo que les pongan, igual que si acumulasen reservas para sobrevivir a un holocausto nuclear?

—¡*Homfre*, *gamadada*, muy *güefo*s días! —me dijo el miserable, escupiendo bollo como un cortacésped.

—Qué tal.

—*Fues dada* —contestó, tragando lo que tenía en la boca, con una especie de gorgoteo—: Aquí, poniéndole un poco de combustible a la maquinita.

Eso último lo dijo dándose unos afectuosos golpes en el estómago. Por alguna razón, me lo imaginé en la playa, con pantalones bermudas, chancletas de lona, una camisa de flores y un sombrero de mimbre. Estaba en un chiringuito en el que ponían rumbas y donde él mojaba pan en el aceite rojo de la chistorra y, de vez en cuando, animado por la sangría, tarareaba las canciones con la boca llena, lerele, lele, lerelelé.

—Enhorabuena —dije—, eso está muy bien.

—Por cierto, le he pedido a la azafata que le dejase ahí su bandeja, para que pueda tomar un piscolabis.

¿Han oído lo mismo que yo? Piscolabis... ¿Qué me dicen? ¿No es para matarlo?

—Muchas gracias —contesté.

Por supuesto, no se me ocurrió ni tocar aquella cosa, formada por una serie de cajitas plateadas que me hicieron pensar, de inmediato, en un cortejo fúnebre. Sólo bebí de mala gana el café, que era tan aromático como el agua de una pecera y estaba dos veces más frío.

—Mire, le voy a dar mi tarjeta —dijo el zampabollos, cuando ya estábamos a punto de aterrizar—, por si se le ofrece algo cuando regrese a Madrid. Aquí tiene. La de abajo es mi dirección particular.

Me pareció un gesto inútil, pero sin duda amable, por mucho que viniera de él. En fin, como dice un refrán hebreo: incluso el reloj roto acierta la hora dos veces al día.

—Muchas gracias —respondí—. Y que tenga una feliz estancia en los Estados Unidos.

Me moría de ganas de llegar al hotel bucólico que me había anunciado Gordon McNeer, para poner en orden mis ideas. Quién lo hubiera dicho. Pero es que, para entonces, ya nada era igual, la orientación de mi trabajo había variado como sucede siempre que a las estrellas les roban el protagonismo los personajes secundarios —es decir, justo lo que había hecho Dolores Serma con Carmen Laforet—, y me iba a venir muy bien un lugar aburrido y sin tentaciones en el que centrarme y optar por una alternativa para mi conferencia y, desde luego, para mi futura *Historia de un tiempo que nunca existió*. De entrada, tomé la decisión de ir a lo cómodo en Dahlonega y Athens, y dejar el plato fuerte, en todo caso, para Atlanta. Daría las dos primeras charlas sobre Carmen Laforet usando material trillado pero que ya estaba hecho, y en la última asomaría el nombre de Dolores Serma frente a mis colegas del congreso de la South Atlantic Modern Language Association (SAMLA), a ver qué efecto causaba. Estaba contento con el cambio de planes al que me obligaba el descubrimiento de *Óxido*, porque me gustan las sorpresas y porque, al fin y al cabo, siempre es agradable descubrir que perderse es inventar otro camino.

Salí a la terminal y me puse en una de esas imponentes filas que se forman en las aduanas de Estados Unidos. ¿Y si llamaba a Natalia Escartín? Estaba deseando contarle mis impresiones. Aunque antes debería estar seguro de cuáles eran. Sabía que *Óxido* no era una obra maestra comparable a *Nada* o *La colmena*, pero tampoco se trataba de un mal libro, ni mucho menos de una novela merecedora del silencio absoluto que cayó sobre ella. ¿Qué había pasado?

Que *Óxido* apareciese en una remota imprenta de Valladolid debió de ser un golpe muy duro para Dolores, pero más aún que tardara en hacerlo dieciocho años: piensen que su novela tendría que haber competido en las librerías de 1945 con las primeras obras de Carmen Laforet o Cela, pero en 1962 se volvió coetánea de *La ciudad y los perros*, de Mario Vargas Llosa; casi de *Tiempo de silencio*, de Martín-Santos; de *Tormenta de verano*, de García Hortelano o *Dos días de septiembre*, de Caballero Bonald. Y Dolores Serma, que por su originalidad y su condición de pionera merecía un puesto de honor entre los maestros del género, tuvo que conformarse con debutar a la vez que sus posibles discípulos y, probablemente, hasta con parecer una imitadora suya. Qué desdicha.

La verdad es que empezaba a valorar algo que nunca había tenido en cuenta a la hora de pensar en la literatura, posiblemente por haber echado el ancla en la idea radical de que las injusticias y los genios ocultos son una lacra decimonónica: la suerte. Porque después de leer *Óxido* no pude dudar que Dolores Serma había tenido mala fortuna. No sabía por qué, ni quizá lo descubriera nunca, puesto que esas cosas son difíciles de demostrar. ¿Qué es la mala suerte? ¿Dónde comienza y dónde acaba? ¿Qué tantos por ciento de aptitud, diplomacia, estrategia y oportunismo son necesarios para poner de tu parte al porvenir y al azar? ¿Qué hace falta para detener el infortunio: grandes reflejos, buena colocación, dotes de adivino? Vivir es irse haciendo con la vida, dice Ridruejo en sus memorias, y tengo que confesar que me gusta mucho esa definición.

Fíjense, por ejemplo, en Natalia Escartín y en Virginia. Por lo que vislumbraba y podía intuir de la primera, sin duda la doctora era una mujer con el santo de cara. Hija de médico, esposa de abogado, fruto del árbol de la abundancia y, aquí y ahora, una persona completa, madurada al sol de la prosperidad, dueña de un pasado confortable y un futuro desahogado. Al mirarla veías casas espaciosas, buenos colegios, manjares escogidos y veranos junto al mar. Así se las ponían a Fernando VII, que diría mi madre.

En el otro extremo, Virginia llegaba de un hogar proletario, había sido educada en la humilde enseñanza pública de los años sesenta y setenta, aquella en que aún repartían leche en polvo en los patios de las escuelas y en la que la EGB y el BUP terminarían por sustituir al Grado Elemental, el Preparatorio y el Bachillerato de la dictadura, cuyos dos empeños esenciales eran demostrar que la religión es cierta y la Historia es mentira. Déjenme recordarles que en 1970 la educación seguía gobernada por los Principios del Movimiento Nacional y por la Iglesia, y que transcurridas tres décadas de ese tutelaje, el índice de analfabetismo del país se aproximaba al veinte por ciento de la población.

Y sin embargo Virginia había conseguido llegar a igualarse a Natalia cuando las dos, que debían de ser más o menos de la misma edad, llegaron, poco después de la muerte de Franco, a la Universidad. Ahí el marcador entre ellas estaba por primera vez a cero. Una en la facultad de Medicina y otra en la de Periodismo, tan frente a frente que puede que en muchas ocasiones fueran hacia el campus en el mismo autobús, o tomaran algo espalda contra espalda en el bar de uno u otro edificio, o se cruzasen en una fiesta de fin de curso. Pero después, Natalia se entregó en cuerpo y alma a la carrera y a su futuro, y supo elegir el camino más recto hacia sus ambiciones. Virginia se fue dispersando y terminó por parecerse, en opinión de mi madre, al famoso asno de Buridán, que murió junto a un cubo de agua y un montón de avena sin lograr decidir si tenía hambre o sed.

Y sin embargo, Virginia era fascinante justo por su mezcla de pasión e inconstancia, por su cabeza llena de pájaros de todos los colores. A la semana de conocernos, por raro que parezca, yo necesitaba su inestabilidad para poder guardar el equilibrio: qué fantástica era, con su culto a lo exótico y su desprecio de lo establecido; con esa especie de distancia mística que ponía entre ella y el resto de las cosas del mundo. «Qué difícil / volver de vos a lo que éramos», le hubiese recitado la noche de La Vía Láctea si el poeta Juan Gelman ya hubiera escrito esos versos por entonces.

¿Y la suerte? ¿Es que la buena suerte también es católica y de derechas, como todo lo que produce dividendos? ¿Por qué le volvió la espalda a Virginia, que una vez la tuvo a raudales, en su época del ikebana y los masajes shiatsu? Ya sé que si ahora mismo se abriese una puerta en esta página y entrase uno de sus estúpidos hermanos, nos largaría un sermón sobre el precio del placer y las facturas de la irresponsabilidad. Que se vayan con la música a otra parte, nunca voy a estar de acuerdo en nada ni con ellos ni con cualquiera que se les parezca, asquerosos reaccionarios, buitres, inquisidores por vocación. Antes muerto que con vosotros.

Simplemente, hubo un momento en que Virginia eligió un camino demasiado oscuro y no supo regresar; se internó hasta un punto en el que ya no hacía pie y, de pronto, se vio rodeada de medusas venenosas y peces marinos. Les hablo de drogas, como ya saben, y de un fantasma con el que muchos nos debimos enfrentar en los años ochenta: la heroína. Porque hasta entonces lo habíamos pasado bien con algunos narcóticos, medio en serio y medio en broma, pero de pronto había que atreverse, o no, a abrir las famosas Puertas de la Percepción, que ya habían sido para tantos las de la entrada al cementerio. Muchos, entre ellos yo, que siempre fui precavido —es decir, cobarde por adelantado—, llegamos hasta ese punto y ahí nos detuvimos, pese al halo heroico que aún tenía en aquellos años la autodestrucción, llena de cadáveres prestigiosos y aprendices de poeta maldito. Otros, entre ellos Virginia, dieron un paso más. Eso es todo.

¿Y si no lo hubiese dado? Aparte, desde luego, de ahorrarse muchas horas de hospital, ¿habría llegado a presidenta del Banco de España, o algo por el estilo? Yo no lo di y tampoco soy el emperador del Japón. En fin, es todo tan relativo que las personas que lo explican mediante verdades absolutas no pueden ser nada más que un montón de cretinos.

El día del hotel Suecia, como recordarán, recibí un SMS de Virginia mientras hablaba con Natalia. Fue un mensaje que me alegró de todo corazón: «Lo he matado. Estoy curada». Se refería al virus de la hepatitis C, contra el que ya les conté que luchaba desde hacía tiempo, sometiéndose al martirio del interferón. La segunda noche que cenamos en el Café Star, cuando le di el cheque de primeros auxilios, mi ex mujer me confesó algo que me dejó perplejo:

—Odio la heroína, ¿sabes? Me ha dejado dos secuelas catastróficas: mi hepatitis C y nuestro divorcio.

«A buenas horas, mangas verdes», le hubiera contestado mi madre.

La cola de inmigración había avanzado considerablemente mientras yo estaba distraído con mis recuerdos, que en ese instante consistían en repasar la llamada de felicitación que le hice a Virginia al volver del hotel Suecia. Le di un vistazo a los impresos que debía sellarme el oficial de aduanas, preparé el pasaporte y me volví a centrar en Dolores Serma, que era lo que más me importaba.

Seguía dándole vueltas al hecho de que una militante de la Sección Femenina y el Auxilio Social hubiese escrito esa novela sobre el ignominioso tema de los robos de niños a las presas republicanas. Porque ¿cómo era posible que una misma persona publicara *Óxido* y, a la vez, perteneciera a aquellas organizaciones que consideraban, de manera programática, que una de sus principales tareas en los comedores y colonias infantiles era «no desaprovechar momento propicio para inculcarles a los niños ideas patrióticas, a fin de convertirlos en verdaderos ciudadanos de la nueva España» y que, en sintonía con esa labor de apostolado, a los hijos de los republicanos se les podía separar de sus familias «en base a las condiciones morales de sus padres»? Porque eso es lo que se hacía en los Juzgados de Menores y en los Tribunales Tutelares, y con tanta ligereza que hasta el sucesor de Sanz Bachiller al frente del Auxilio Social, Manuel Martínez de Tena, tuvo que recordarles a sus camaradas, en una circular de 1947 que recoge la historiadora Ángela Cenarro en su libro *La sonrisa de Falange*, que era necesario ser más riguroso en el tema de las adopciones, para no seguir entregándoles los pequeños a matrimonios que «en la inmensa mayoría de los casos sólo desean encontrar un criado en condiciones ultra-económicas». Imagínense el resto.

Que Dolores Serma conocía aquel drama no podía dudarse después de leer su novela, por lo que las dos preguntas que quedaban por responder eran hasta qué punto y desde cuándo. «No sé qué pudo pasar con posterioridad a 1940 —declaró Mercedes Sanz Bachiller en una entrevista, sesenta años más tarde—. Sólo respondo de mi periodo de mando en el Auxilio Social, que fue hasta el fin de la guerra y del que puedo afirmar que no hubo absolutamente ninguna irregularidad en el terreno de las adopciones.» Sin duda son palabras que tienen el aire de una acusación, porque si con respecto a un tema tan turbio sólo responde de la inocencia del Auxilio Social hasta esa fecha, es que después supone su culpabilidad. Así de claro.

Las insinuaciones de Sanz Bachiller eran, por otra parte, un disparo al corazón de su rival histórica, Pilar Primo de Rivera, que se había puesto en guardia en cuanto supo de la existencia del Auxilio de Invierno en Valladolid y luchó desde entonces para anexionarlo a la Sección Femenina. Por otra parte, en los sistemas despóticos las personas y acciones concretas no tienen relevancia en sí mismas, sino sólo como síntoma. En el caso del Auxilio Social, lo que se jugaba en el tablero de la dictadura era la preeminencia de la Falange de Primo de

Rivera frente a las JONS de Onésimo Redondo y, por extensión, de su viuda y su segundo marido, Javier Martínez de Bedoya.

A finales de 1936, Franco se inclinó por conceder una independencia casi absoluta al Auxilio Social y su mando a Sanz Bachiller, en gran parte para agraviar a Pilar Primo de Rivera, con quien había discutido a causa de la bandera y el himno nacional, que ella intentó que fuesen la negra y roja de la Falange y el *Cara al sol* —escrito, entre otros, por Ridruejo—, y a quien no perdonaba que se hubiera opuesto ferozmente a su decreto de abril de 1937, con el que logró restar poder a sus aliados mediante su suma, al unificar a falangistas, carlistas y monárquicos en el partido único FET y de las JONS, del que él era la máxima autoridad. Ese proceso sí lo apoyaron Sanz Bachiller y Martínez de Bedoya, y pronto obtuvieron su recompensa: el poderoso cuñado de Franco, Ramón Serrano Súñer, la hizo llamar a Salamanca y se la nombró delegada nacional de Auxilio Social. Y, ya lanzada en su carrera política, en septiembre convenció al propio Franco de que crease y pusiera bajo su mando el Servicio Social, un equivalente al Servicio Militar de los hombres que en cuanto contase con la ayuda y protección del Estado Mayor rebelde iba a poner un auténtico ejército en sus manos.

Pilar Primo de Rivera tuvo que sentirse tan mortificada por la ascensión a la gloria de su enemiga como por la de Martínez de Bedoya, un acérrimo militante de las JONS que se había enfrentado violenta y públicamente a José Antonio Primo de Rivera al abandonar la Falange en 1935, con un artículo en el que lo llamaba presuntuoso y vago. La hermana del Gran Ausente lo debía de detestar. Y seguro que empezó a ver en él un duro adversario poco más tarde, ya en 1938, cuando Serrano Súñer le dio la Jefatura de Servicios de Beneficencia, lo que significaba que podría financiar el Auxilio Social con fondos públicos decididos por su propia mano. Franco les daba carta blanca.

Sin embargo, las administraciones basadas en el terror son veleidosas, y la suerte vertical de Mercedes Sanz Bachiller y Javier Martínez de Bedoya se detuvo en cuanto decidieron casarse, a finales del 39. La boda de aquella viuda simbólica «sentó como un tiro en la Falange de Madrid», según afirma Martínez de Bedoya en su autobiografía, *Memorias desde mi aldea*, y algunos la consideraron, en palabras de Ridruejo, «la violación de un mito».

De cualquier modo, Mercedes y Javier aún creían conservar el apoyo de los jerarcas, con Serrano Súñer y el propio Franco a la cabeza, de forma que para qué alarmarse. Además, la guerra acababa de terminar y el Auxilio Social, recién instalado en Madrid, tenía una labor titánica que hacer en aquella ciudad devastada por tres años de asedio a la que también estaba a punto de llegar Dolores Serma, según me había dicho la doctora Escartín.

Pero entonces ocurrió algo inesperado: Martínez de Bedoya, quizá sobrevalorando sus fuerzas y sin pensar que su reciente matrimonio podía haber debilitado su figura, se enfrentó a cara descubierta con Serrano Súñer, que lo había defraudado al ofrecerle una simple subsecretaría en el Gobierno inminente, en lugar de la cartera de ministro de Trabajo que le habían prometido, y dimitió de todos sus cargos, como director general de Beneficencia y como miembro del Consejo Nacional de FET y de las JONS: su renuncia fue fríamente aceptada, y además se le destituyó como secretario del Auxilio Social. A lo lejos, oculta en las sombras, Pilar Primo de Rivera volvió a sonreír.

Y su risa se volvió carcajadas en diciembre de 1939, tras escuchar los discursos del entonces asesor jurídico del Auxilio Social, Manuel Martínez de Tena, en la clausura del III Congreso Nacional de la institución benéfica, y del propio Serrano Súñer en el mitin que se celebró en el Teatro Español con motivo de la llegada a Madrid del ataúd que contenía los restos de José Antonio Primo de Rivera, que iban a ser enterrados en El Escorial. Uno y otro lanzaron fuertes ataques al Auxilio Social, lo acusaron de propagar entre los españoles el «espíritu mendicante», en lugar de fomentar el «espíritu trabajador» y, sobre todo, dejaron caer algunas insinuaciones de irregularidades contables contra Sanz Bachiller, que de inmediato sería acusada por la prensa falangista de malversación de fondos. Desprestigiada su fundadora, Serrano Súñer convenció a Franco de que entregase el Servicio Social a la Sección Femenina y Sanz Bachiller fue destituida en la dirección del Auxilio Social, donde la sucedieron el mencionado Martínez de Tena y, como segunda de a bordo, Carmen de Icaza, la autora de *Cristina Guzmán, profesora de idiomas*, que estaba a punto de publicar una nueva novela, *¡Quién sabe...!*, oportunamente dedicada «A mis camaradas, las mujeres de la Falange». Seguro que ese nombramiento debió de levantar astillas en más de un despacho y una alcoba, porque hacía tiempo que corría por las tertulias políticas el rumor de que el cuñado de Franco tenía una amante, María Sonsoles de Icaza, que era la esposa del teniente coronel Francisco Díez de Rivera, marqués de Llanzol, y la hermana pequeña de la propia Carmen de Icaza. Se dice, incluso, que la cercana caída en desgracia de Serrano Súñer le iba a ser exigida al dictador por su señora, Carmen Polo, cuando se enteró de que cometía adulterio contra su hermana Zita. Pero eso ocurriría, en cualquier caso, un poco más adelante. De momento, lo que se había consumado era la venganza contra la fundadora del Auxilio Social; aunque, por lo visto, eso no llegó a agotar el rencor que acumulaba Serrano Súñer por el desaire de Martínez y Sanz Bachiller, a los que ni siquiera se dignó citar, casi cuarenta años después, en sus extensas memorias, *Entre el silencio y la propaganda, la historia como fue*.

Si Dolores Serma vino a Madrid nada más acabar la guerra y lo había hecho para trabajar junto a Mercedes Sanz Bachiller en el Auxilio Social, tenía que haber sido entre primeros de abril de 1939, fecha en que acabó la guerra, y mayo de 1940, cuando la fundadora de la organización dejó su puesto. Después, ¿seguiría veinte años con la familia Bedoya-Sanz Bachiller por convicción, por lealtad, por gratitud? ¿Qué porcentaje de esa gratitud estaba destinado a amortizar la mediación que había hecho la viuda de Onésimo Redondo, tal y como me dijo a regañadientes Natalia Escartín, «cuando su hermana Julia tuvo ciertos problemas con la Justicia»? Y, por otra parte, ¿qué problemas habían sido ésos?

También era posible que *Óxido* fuese la expresión literaria de la denuncia implícita de Sanz Bachiller contra el Auxilio Social de Pilar Primo de Rivera y Carmen de

Icaza. Y no era raro que Serma pudiese estar en contra de la hermana de José Antonio y siguiera militando en la Sección Femenina por miedo o disimulo, porque en aquellos tiempos vengativos los desplantes, los retos y la desobediencia al poder eran causa inmediata de depuración, purga y condena al ostracismo. Todo eso, sin embargo, no explicaba la deprimente visión de la España de posguerra que daba en su libro la que era, al fin y al cabo, una correligionaria de los ganadores.

Y otra cosa: ¿no me había dicho Natalia Escartín que su suegra tuvo una estrecha relación con la propia Carmen de Icaza, a quien, por algún motivo, le estaba muy agradecida y con quien colaboró en una Escuela de Hogar? Sin duda, eso también era insólito. ¿Cómo era posible que Dolores Serma fuese, al mismo tiempo, devota colaboradora de Mercedes Sanz Bachiller y amiga de la mujer que la había traicionado, alguien que la jefa del Auxilio Social siempre creyó de su confianza y que, en realidad, estaba conspirando con Pilar Primo de Rivera para que, una vez que fuese destituida, le diesen a ella el puesto de secretaria nacional en la organización?

Intentaba coser mentalmente toda esa información cuando un hombre que estaba haciendo cola en otra de las filas de la aduana me descubrió entre la multitud y fue hacia mí con los brazos abiertos.

—¡Hombre! Pero ¿cómo estás? ¿Y qué haces aquí? Aunque, claro, qué pregunta. Presumo que vas al congreso SAMLA, ¿no?

Era un hispanista francés de cuyo nombre no quiero acordarme, famoso en los ambientes profesionales por tres razones: sus estudios de la obra de Rafael Alberti, su tacañería y su avaricia. Con lo que respecta a las dos últimas, se contaba de él una historia alucinante: en una ocasión lo habían invitado a dar una conferencia en Salamanca que él, uno de esos tipos que por cobrar seiscientos euros se irían de Zaragoza a Manila para hablarle de Rabindranath Tagore a dos sordomudos, naturalmente aceptó. La fecha de su disertación sería, digamos, el 20 de abril, de modo que tenía que salir de la ciudad donde vive el 19. Pero resulta que el día 18 se le presenta un pequeño contratiempo: se muere su madre, que debía de ser muy anciana. Y en lo primero que piensa él es en su conferencia, en el dinero que va a perder si se suspende el acto. De manera que hace lo siguiente: manda que metan a su madre en una nevera del depósito de cadáveres, se va a España, da y cobra su charla y al regresar, cuatro días más tarde, la saca del frigorífico y la entierra. Y me juego algo a que no sólo derramaría amargas lágrimas sobre su tumba, sino que además salió del cementerio lleno de orgullo, con la satisfacción del deber cumplido.

¿Qué me dicen? Bueno, pues ése es el elemento que se había acercado a saludarme, de lo cual ahora me alegro, porque así se harán cargo del tipo de gente que hay infiltrada en el mundo académico para desgracia de los que amamos nuestra profesión y creemos que merece la pena dedicar una parte irreemplazable de tu vida a buscar un verso extraviado de Góngora o a sacar a alguien como Dolores Serma del olvido.

—Hola —contesté—, encantado de volver a verte. Y sí, claro, vengo a Atlanta para el congreso.

—¿Qué día intervienes?

—El sábado.

—¿A qué hora?

—Creo que a las seis y media.

—¿De qué vas a hablar?

Conté hasta diez y respiré hondo un par de veces, antes de exasperarme.

—Sobre Carmen Laforet —dije.

—Muy interesante. Pues nada, allí estaré. Yo hablo mañana por la mañana, de la influencia de los autos sacramentales de Calderón de la Barca en el teatro surrealista de Rafael Alberti.

—Qué bueno —dije, pensando que al salir de su ponencia los espectadores tendrían que ir a comprar otro cerebro a un desguace.

Hubo un silencio embarazoso, hasta que él lo quiso romper.

—¿Te alojas en el Marriott?

—Sí.

—¿Te vienen a recoger al aeropuerto? A mí me han pedido que coja un taxi. Si quieres, lo compartimos y pagamos a medias.

—Gracias, pero sí, me vienen a buscar.

—¿Y vas al hotel?

Sus ojos lanzaron destellos de máquina recreativa, ante la posibilidad de ahorrarse unos cuantos dólares.

—No, lo lamento. Ni siquiera voy a Atlanta.

—¿Y eso?

—Es que mañana tengo dos conferencias, una en Dahlonega, que es donde me llevan esta tarde y donde dormiré hoy, y la otra en Athens. Es un programa algo apretado, pero también es un buen negocio —dije, queriéndole dar donde más iba a dolerle—: Por un solo viaje me pagan tres veces.

—Ah, pues... qué experiencia tan... enriquecedora —dijo, tragando una saliva amarga y de color verde lagarto. Incluso me pareció detectar un cierto fogonazo de admiración malsana en sus ojos: es que, a veces, la envidia no es más que la admiración de los mezquinos.

Al fin, nos llamaron para hacer los trámites de frontera. Mientras el oficial de inmigración comprobaba mi pasaporte, me fijé con más atención en el congelamadres, al que atendían un par de mostradores más allá. Había que ver su cabeza levantada, queriendo ser solemne pero resultando patética; los ojos arteros, la mandíbula mustia y los labios melifluos que te hacían pensar que, antes que a él, preferirías besarle el culo a un dromedario. Tenía un aspecto sórdido y una estampa sucia, con su cara un poco simiesca, en la que los rasgos humanos parecían estar en minoría repecto a los animales; con su piel como de cera mojada, su pelo aceitoso y sus dientes del color de la comida para gatos; con sus manos eclesiásticas, sus dedos mórbidos de usurero, sus uñas largas y llenas de rencor. Cuando el funcionario que lo atendía le hizo las tres o cuatro preguntas rutinarias que le hacen a todo el mundo, lo vi rebajarse ante él, vi que se llenaba de ademanes serviles y que al obtener su visado daba las gracias tan ceremoniosamente como si acabasen de ponerle su nombre a una calle. Eso sí, en cuanto acabó el trámite, volvió a levantar la cabeza, se le llenó el mentón de orgullo y se fue por el pasillo dando pasos soberanos, todo él pompa y magnificencia, hecho un Napoleón Bonaparte. Pero ¿cómo puede haber gente así? Y, sobre todo, ¿por qué? Vamos a dejarlo, no vale la pena perder el tiempo. Una de mis máximas es: no busques respuestas donde las respuestas no merecen ser encontradas.

Salimos al recibidor, donde me esperaba Gordon Mc-Neer, y formamos todos los lados de esa figura geométrica que producen los saludos entre varias personas, Gordon dándole la mano al hispanista, éste a mí y yo a Gordon.

—Entonces, hasta el sábado —le dije al meapiscinas cuando nos despedimos—. Y, una cosa: siento lo de tu madre. Te doy mi más sentido pésame.

—Oh, gracias, gracias. Aunque, bueno, ya sabes, es ley de vida.

—Sí, naturalmente; pero qué desventura, ¿no? Es que esas cosas le dejan a uno helado... Absolutamente helado.

Me miró con ojos de cobra y se fue echando humo. Si es que ya lo dijo Cervantes: «Cada uno es según Dios le hizo, y aún peor muchas veces». Pues eso.

Por el camino a Dahlonega le fui contando al profesor McNeer, que era de confianza, mi descubrimiento de *Óxido* y cuánto me habían sorprendido tanto la calidad de la novela como lo incoherentes que resultaban sus denuncias del franquismo si las enfrentamos a los detalles biográficos que conocía de su autora. Le interesó mucho el misterio. Por su parte, me habló de un proyecto en el que trabajaba junto a una colega de la Universidad de Oxford, un libro sobre los intelectuales ingleses en la guerra civil española y su relación con los autores españoles de la Generación del 27. En aquel instante, Gordon estudiaba el noviazgo de Luis Cernuda y el poeta Stanley Richardson, que moriría combatiendo contra los nazis en Londres, en 1941. Yo aún no sabía, ni por asomo, lo útiles que me iban a resultar sus investigaciones para resolver algunas de las incógnitas que estaba a punto de plantearme la reconstrucción de la extraña vida de Dolores Serma. Esperen y verán.

—¿Te apetece ir a comer algo a un restaurante hindú? —me ofreció Gordon—. Hay uno estupendo, aquí cerca.

—Mejor no. En esos lugares las tortillas son rojas y los filetes amarillos.

—¿Prefieres probar la cocina iraní?

—Ya lo hice y estuve tres semanas con fiebre y hablando de atrás hacia delante.

—¿Chino?

—¿A hartarnos de cerdo agridulce y chop-suey? Estarás de broma, supongo.

—¿Mexicano?

—No, pero el chile que no voy a tomarme se lo pueden llevar a Cabo Cañaveral y usarlo de combustible para los cohetes.

Las últimas dos opciones fueron un autoservicio macrobiótico que estaba ya cerca de Dahlonega y un pequeño bar japonés de Gainsville al que, por lo visto, solía ir muy a menudo el actor Paul Newman, que vivía en los alrededores. Elegí el macrobiótico, en honor de Virginia.

Y, desde luego, me acordé bastante de ella y de su Deméter, un poco de Natalia Escartín y muchísimo de Dolores Serma. Para entonces, Carmen Laforet ya había pasado, como les dije, a un segundo plano. Al menos en cierto sentido.

Qué singular me parecía la autora de *Óxido* si la enmarcaba en aquel Madrid de la década de los cuarenta, los llamados años del hambre. ¿Desde cuándo y, sobre todo, hasta qué punto había comulgado con los dogmas de la Sección Femenina? Quizá ya fuese falangista en Valladolid, la ciudad, junto a Sevilla, donde antes que en ninguna otra había calado la filosofía de Onésimo Redondo y José Antonio Primo de Rivera, y en la que se fundó el Auxilio de Invierno. Además, si las familias de Serma y Sanz Bachiller, como me había contado Natalia, «se conocían de siempre», no es muy aventurado pensar en una relación muy temprana con las JONS de Redondo.

Pero quedaba la otra parte de la interrogación: ¿hasta qué punto fue Dolores Serma una seguidora de las doctrinas que propagaba Pilar Primo de Rivera con una fe tan contagiosa que, a menudo, ella misma les tenía que recordar a sus discípulas que cada noche, al irse a la cama, debían rezar «*por* José Antonio, y no *a* José Antonio»?

Para empezar, sus labores al servicio de Mercedes Sanz Bachiller y Carmen de Icaza, en la sede madrileña del Auxilio Social y en una Escuela de Hogar, podrían haber sido trabajos altruistas o no, eso depende del puesto que ocupase, porque la Obra sí retribuía con un salario a sus delegadas provinciales, sus secretarias técnicas, sus jefes de sección y al personal fijo de plantilla, con lo que muchas mujeres veían en la institución un alivio a sus necesidades económicas, y tal vez pudo ser ése el motivo de Serma, como el de tantas otras que, al menos en eso, contravenían una de las directrices de la Sección Femenina: las mujeres no debían tener un empleo, ni grandes estudios, sino ocuparse de las tareas domésticas, que son las más «conformes a su naturaleza y su destino», y bien podrían considerarse «su bachillerato», según dictaban tanto un libro editado en 1939 por el Auxilio Social y que se tituló *La mujer en la familia y en la sociedad*, como una *Enciclopedia elemental* de la propia Sección

Femenina, publicada en 1957, donde podemos leer: «Un arquitecto no puede ser bueno si no dibuja bien; un ingeniero, sin el conocimiento de las matemáticas, sería un fracaso; lo mismo sucede con las mujeres: su base fundamental es la casa; guisar, planchar, zurcir, etcétera, son otros tantos problemas que, en un momento dado, deberá resolver; por tanto, debe capacitarse para ello. Por esto, la Delegación Nacional de la Sección Femenina, comprendiendo la importancia del caso, ha creado las Escuelas de Hogar». Dolores Serma tenía que saber dónde y para quiénes trabajaba.

Todo eso, por otro lado, se ajustaba perfectamente a los principios del nuevo Régimen, que en 1938 ya había promulgado el delirante Fuero del Trabajo que, entre otras cosas, mandaba a la mujer de vuelta a la cocina, limitada a su papel de esposa y madre, y que poco después, en 1941, hasta llegaría a ofrecer créditos avalados por el Gobierno, libres de interés y amortizables en una cuarta parte por cada hijo que tuvieran, a las españolas que dejaran sus empleos para fundar una familia. En ese ambiente, la edulcorada imagen de las caritativas y laboriosas militantes del Auxilio Social era todo un ejemplo de la clase de súbditas que quería el Estado franquista, y también suponía una gran publicidad. No deja de ser significativo que su nueva secretaria general, Carmen de Icaza, hubiera sido antes jefa de la Oficina Central de Propaganda.

Dolores Serma no renunció a su derecho a ganarse la vida ni se quiso sumar, al menos con las páginas de *Óxido*, a la exaltación de aquella España que, según dice el coronel Vallejo Nájera en su *Política racial del nuevo Estado*, había degenerado a causa de las influencias foráneas sembradas «primeramente por los hebreos, luego por los moriscos y, más tarde, por la influencia de enciclopedistas y racionalistas extranjerizados»; pero que se había podido regenerar gracias al triunfo del Alzamiento, porque «la religiosidad y el patriotismo sanean automáticamente el medio ambiente; engendran aspiraciones elevadas, fomentan el cultivo de las virtudes y destruyen el vicio».

Serma no creyó ninguno de esos disparates y siguió su camino, que como pronto van a ver todos ustedes era lúgubre y estaba lleno de fieras, mientras a su alrededor, pero tomando justo la dirección contraria a la que ella había seguido con *Óxido*, Carmen de Icaza estrenaba a un tiempo su nuevo despacho en el Auxilio Social y su novela *¡Quién sabe...!*, protagonizada por cuatro nobles y cultos falangistas —uno de ellos una mujer travestida— que se enfrentan a una peligrosa misión rodeados de una turba roja, asesina y analfabeta, formada por «rostros patibularios de quemadores de iglesias y mujerzuelas provocativas», y que cantan el *Cara al sol*, haciendo el saludo fascista, al paso de los barcos del Tercer Reich por el Mediterráneo. Y en el libro *Frente de Madrid*, un personaje del cineasta y escritor Edgar Neville decía: «Franco es el sentido común. Franco modera el desenfreno. Tiene la virtud rara de enterarse de las cosas y de tener en cuenta en cada caso la opinión adversa; pulsa, mide y hace o deja de hacer lo que sea de razón». Y el escultor Emilio Aladrén, que había sido uno de los más grandes amores de Federico García Lorca, tallaba para la Sección Femenina un busto de José Antonio Primo de Rivera que iba a presidir desde entonces todas las concentraciones y actividades de la organización falangista en el castillo de la

Mota. Y el teórico falangista Ernesto Giménez Caballero, antiguo compinche de los poetas de la Generación del 27, arengaba a los lectores de su obra *Madrid nuestro*: «Frente a las épocas enfermizas, feminuchas, románticas y asquerosas de España, ¡tened la energía moral, el macho agradecimiento de afirmar que hemos triunfado y nos sentimos sanos, clásicos, en plenitud! ¿Quién lloriquea por ahí? ¿Alguna mujer? ¿Algún cobarde? ¿Algún indecente? ¿Algún mariquita? ¡Fuera! Porque si ya logramos —siendo pocos— arrancar a España de las garras del diablo, ahora —que somos falange innumerable y victoriosa— sabremos conquistar frente a todos los diablos del infierno: ¡un nuevo reino de Dios!». Y el coronel Vallejo Nájera presumía de que gracias a su programa de reeducación «miles y miles de niños han sido arrancados de su miseria material y moral». Fíjense: miles y miles.

«Mala gente que camina / y va apestando la tierra», había dejado escrito Antonio Machado en uno de sus poemas.

Capítulo nueve

Gordon McNeer me fue a buscar temprano al hotel, para llevarme a desayunar a un sitio un poco más decente que el comedor del Holiday Inn. Sólo un poco, la verdad, porque como sabrán aquellos de ustedes que hayan visitado Estados Unidos, existen muy pocas diferencias entre lo que sale por las cafeteras norteamericanas y lo que sale por los desagües de nuestras lavadoras. Después me llevó a la Universidad.

De camino, recibí un SMS de Virginia que decía «Hola otra vez. Gracias otra vez. Te quiero otra vez» y que me cayó en la cabeza exactamente igual que me había caído en el estómago el brebaje que acababa de tomarme. Qué me dicen. Mi ex mujer se comportaba como quien se baja de un tren dos estaciones antes de su destino y piensa que el sitio al que se dirigía va a quedarse inmóvil y esperándolo hasta que él decida reanudar el viaje. Pero las cosas no funcionan de esa manera, porque en este mundo todo cambia tan deprisa que el siguiente paso de quien se ha detenido siempre va en una dirección nueva y conduce a un lugar diferente. En mi opinión, las cosas nunca se acaban de forma parcial, sino definitiva, y está bien que así sea. No me digan que a ustedes no les hubiera dado un poco de miedo Virginia con sus *otra vez, otra vez, otra vez*, tan parecidos a los *nunca más, nunca más, nunca más* del cuervo de Poe, sólo que al contrario.

De cualquier modo, estaba muy lejos de ella como para preocuparme por aquel asunto. Ya me ocuparía de huir de Virginia en cuanto volviese a España. Por el momento, sólo me interesaban mi conferencia en Dahlonega y mi *Historia de un tiempo que nunca existió*.

El tratamiento que le daba Dolores Serma a Carmen de Icaza no era un simple apodo: la autora de *Cristina Guzmán, profesora de idiomas* ostentaba, efectivamente, el título de baronesa de Claret, e incluso llegó a añadirlo, a partir de cierto momento, a su firma. La futura secretaria nacional del Auxilio Social, en cuya fundación había participado cuando vivía en Valladolid, era hija del diplomático y escritor mexicano Francisco de Icaza, un hombre de poco talento pero mucha vocación que tuvo en su casa de Madrid una tertulia a la que asistieron con frecuencia, entre otros, Rubén Darío, Juan Ramón Jiménez —que escribió algún poema a la novelista venidera—, Amado Nervo y José Ortega y Gasset.

Después de recibir una educación exquisita, Carmen se convirtió en una mujer culta y segura de sus fuerzas, que hablaba cuatro idiomas y que al morir su padre se puso al frente de la familia, formada por su madre y cuatro hermanos, logró que la contrataran en el diario *El Sol*, y más adelante se hizo notar en otro periódico, el *Ya*, a partir de 1935, con algunos reportajes que tuvieron gran repercusión, como uno que se titulaba, premonitoriamente, «¿Qué hacemos en favor de la infancia abandonada?». Su primera aportación al Auxilio Social fue crear uno de sus lemas más repetidos: «Ni un hogar sin lumbre, ni un español sin pan». Al ser nombrada secretaria nacional de la Obra, dio órdenes de que en los Hogares Infantiles se acogiera a los huérfanos «sin intentar averiguar las razones concretas de su desamparo», lo cual abría la puerta para considerar necesario su ingreso sin necesidad de comprobaciones. Sus novelas recibieron los parabienes de la crítica, que la calificó como la tercera gran narradora española, junto a Emilia Pardo Bazán y Concha Espina, y Camilo José Cela dijo de ella que poseía «un control exacto sobre los resortes del arte de novelar y un idioma fluido y oportuno», y que leerla era «un verdadero placer». Su carrera literaria fue muy exitosa, sus novelas fueron traducidas a casi todas las lenguas de Europa y en 1945, casi al tiempo que Carmen Laforet aparecía con *Nada* en el mercado editorial, el Gremio de Libreros la homenajeó como a la autora más leída de España. La publicidad de la época afirmaba, por ejemplo, que su novela *Vestida de tul* había vendido diez mil ejemplares en quince días. Su labor al frente del Auxilio Social hizo que fuese condecorada con la Gran Cruz de Beneficencia.

Ésa es, a vista de pájaro, la biografía de la segunda dirigente falangista con la cual Dolores Serma había tenido, según me contó Natalia Escartín, una estrecha relación.

—Hombre, claro que sí, Carmen de Icaza. Todo el mundo la conocía. ¿Y tú no sabes que *Cristina Guzmán, profesora de idiomas* se convirtió en obra de teatro?

Quien me preguntaba eso, al otro lado de la línea telefónica, era, naturalmente, mi madre, a la que había llamado desde Dahlonega, aprovechando que la Universidad me dejaba un teléfono y la conversación me salía gratis.

La mujer había perdido a su marido y a sus dos hijas durante la guerra, y lo único que le quedaba eran otros dos hijos soldados, que ella suponía detenidos. Pilar Millán Astray le dijo que quería darle personalmente una noticia: sus hijos acababan de ser fusilados. La mujer fue al paredón deshecha, sin saber que aquello era mentira: los dos muchachos estaban vivos, aunque internos en la cárcel de las Comendadoras, en Salamanca. Qué gran acto de piedad cristiana, ¿no te parece?

—¿Y cómo sabes que eso ocurrió?

—Lo cuenta una de las supervivientes de la cárcel de Ventas, Tomasa Cuevas, que escribió varios libros con cientos de testimonios de las antiguas reclusas.

—Quién sabe. ¡Se dicen tantas cosas! Pero, en fin, yo lo que te recomiendo es que te leas *Gente que pasa*, de Agustín de Foxá, o *Ni pobre ni rico, sino todo lo contrario*, de Mihura, para que veas que algunas de las cosas de aquellos años no están mal, por mucho que las escribiesen los que no son de tu cuerda. Quizás eso te ayude a no ser simplista y dividir el mundo en ángeles y demonios.

—Yo no hago eso, pero las personas como Pilar Millán Astray sí que lo hacían. Mientras estuvo en la cárcel de Ventas escribió un libro de poemas en el que hay uno, precisamente, contra la funcionaria de la que te he hablado, que empieza: «Si es roja no hay que decir / que es mala de arriba abajo / y nos guarda sin trabajo / sólo por vernos sufrir». Ya ves qué ecuánime.

—Sí, pero no vayas tú a caer en lo mismo. Que el que siembra vientos recoge tempestades.

—Bueno, mamá, pero ahora tengo que colgar, ¿vale? No quiero abusar de esta gente.

—Cuídate mucho.

Hablar con ella de esas cuestiones me ayudaba a situarme: así debieron de ser la mayoría de las personas en la posguerra, mujeres y hombres que intentaban pasar página, omitir el desierto a base de creer en los espejismos. Qué tiempos sin escapatoria en los que, como dice el poeta Ángel González, «quien no pudo morir / continuó andando».

Había trabajado toda la tarde del jueves, y las primeras horas de la noche, en mi hotel, y me había cundido el tiempo como nunca, sin que me distrajese de mi tarea nada ni nadie y mientras disfrutaba con esa sensación fantástica de los viajes transoceánicos de ida, en los que con el cambio de horario puedes vivir una parte del mismo día dos veces.

La verdad era que estaba encantado en Dahlonega, una de esas pequeñas ciudades americanas en las que la vida resulta tan sosegada, está tan llena de días pacíficos, tardes melodiosas y noches apacibles, que yo me volvería loco si tuviese que vivir allí un mes, pero que para meditar y escribir un par de días son un auténtico paraíso.

El profesor McNeer, como les dije, me había llevado allí, directamente, desde el aeropuerto de Atlanta, y el viaje a través de las carreteras solitarias y los pueblos vacíos del Estado de Georgia fue fantástico, tanto por fuera como por dentro de su coche. En el exterior, el paisaje era interminablemente hermoso, con sus grandes bosques de color naranja, a orillas del río Chestertee, y sus cielos superlativos. En el interior, Gordon era una compañía inmejorable, una de esas raras personas que, teniendo mucho que decir, saben escuchar y darte siempre un punto de vista inteligente sobre lo que les cuentas. Algunas opiniones suyas sobre el comportamiento, durante y después de la guerra civil, de los autores de la Generación del 98, a los que enseñaba en su Universidad desde hacía veinticinco años, me fueron muy útiles.

Mi hotel de Dahlonega, donde me dejó McNeer muy temprano, era un Holiday Inn en el que todos los huéspedes tenían pinta de fugitivos y la dueña una de esas caras que te hacen dar por hecho que esconde media docena de cadáveres en el sótano. Sus ojos eran de color amarillo, y su mirada era el equivalente perfecto al picotazo de una escolopendra. Por las mañanas, se sentaba en un ángulo del comedor, en silencio y rígida como una momia, y observaba desayunar a los clientes. El menú consistía en café americano, huevos duros y galletas de dos centímetros de altura rellenas de chocolate y mermelada. Para compensar, mi habitación era grande, bonita y silenciosa. Descansé en ella como un príncipe, sin rastros de mi insomnio habitual.

El viernes me levanté muy pronto y seguí trabajando hasta que llegó McNeer para llevarme a desayunar y luego a la Universidad, donde di mi primera charla y comimos con algunos profesores, todos ellos gente estupenda. Les hablé de mi proyecto, *Historia de un tiempo que nunca existió (La novela de la primera posguerra española)*, les conté, aunque no lo tenía previsto, algún pequeño detalle acerca de *Óxido* y Dolores Serma y pareció interesarles hasta tal punto que formalizamos algunos planes para el año siguiente, en que me iban a invitar a varias Universidades, en sitios como Bloomington, Urbana y Springfield. Acepté encantado. «Seguro que para entonces ya he conseguido librarme del instituto», me dije, en otro de mis clásicos arranques de amor propio, que tal vez sea un sentimiento en el que siempre hay más sentido de la propiedad que amor, pero que, en cualquier caso, es mejor que nada. ¿No creen?

Después del almuerzo regresé al hotel y, tras descansar un rato, volví a encontrarme con Gordon McNeer, fuimos a Athens, di mi segunda conferencia del día y, antes de regresar a Dahlonega, hicimos algo de turismo, huyendo siempre de las ciudades en las que había sido declarada la Ley Seca, que está en vigor en medio Estado de Georgia, de modo que acabamos en parajes tan surrealistas como Augusta, Macon o Hannah, ya casi en Carolina del Norte y al pie de los Apalaches, que es algo así como un esqueje de Austria en pleno sur de los Estados Unidos, un conjunto de casas pintadas de colores suaves, todas de madera, con porches alpinos, tejados puntiagudos y detalles de marquetería por aquí y por allá. No pienso añadir ni una línea sobre el tema, porque mi opinión sobre Hannah y su vecindario es tan tajante que ni me atrevo a dársela; sólo les diré que incluye palabras como *pólvora* y *motosierra*.

Volvimos a Dahlonega de madrugada y, quizás envalentonado por el alcohol que había bebido, llamé a Natalia Escartín. Qué demonios, con el dinero que acababa de ganar, bien podía pagarme una llamada, que además hice con una de esas tarjetas de crédito telefónico que tanto se usan en Norteamérica. Le conté dónde estaba, lo que había visto, que *Óxido* me había gustado mucho y que al año siguiente vendría a Estados Unidos para hablar en varias universidades, básicamente, de Laforet y Dolores Serma.

—Vaya, pero eso es estupendo. Gracias por llamar para contármelo —dijo, y no vi en su tono nada que indicase que le disgustaba hablar conmigo.

—Bueno, me encantaría poder contártelo con más detenimiento, y necesito hacerte algunas preguntas. Pero son mil cosas y... ahora no te voy a entretener, porque estarás en la consulta, ¿no?

—Efectivamente.

—Puede que cuando regrese a Madrid... Si tú pudieras... No sé, igual el viernes, que tú no trabajas y yo salgo pronto.

Pensé que iba a producirse uno de esos silencios en los que uno oye girar lentamente las aspas de la palabra *estúpido, estúpido, estúpido, estúpido...* Pero no.

—Oye —dijo, riéndose al tiempo que bajaba la voz—, ¿es que tú...? Perdona un segundo...

Me quedé con las ganas de saber lo que iba a decir y ya no diría nunca, porque alguien la había interrumpido, alguien a quien oí decir no sé qué de la selegilina y los aminoácidos y que se la llevó hacia sus obligaciones como un león que arrastrara una gacela bajo la sombra de los árboles. Cuando volvió a hablar, para disculparse, ya no era también Natalia, sino sólo la doctora Escartín.

—No te preocupes —dije—, es culpa mía, por haberte molestado.

—En absoluto. Es que tengo varios pacientes en la sala de espera. En fin...

—Sólo dime una cosa antes de colgar, Natalia: ¿tienes idea de si tu suegra escribió algo más, aparte de *Óxido*? Ya sabes, aunque no lo publicara. Otra novela, algún relato...

—Que yo sepa, no.

—Vaya, qué lástima. Yo voy a buscar las colaboraciones que pudiera haber hecho para el periódico que dirigía Miguel Delibes. Pero, claro, sería muy interesante cualquier inédito.

—Hombre, no sé, en su cuarto hay algunas cosas, naturalmente, dos o tres cuadernos, alguna carpeta... Y están los papeles que le guardaba Sanz Bachiller. Pero no sé qué es, ni si sería muy correcto mirarlos, la verdad. Déjame que lo consulte con mi marido, ¿te parece?

—Muy bien.

—Igual no son más que facturas, o vete tú a saber qué.

—Gracias por intentarlo, de cualquier modo.

—No hay de qué.

—Otra cosa. ¿Tendrás algunas fotos de Dolores en los años cuarenta? Podría escanearlas y te las devuelvo al día siguiente. No sé, igual está en alguna con Carmen Laforet, con Delibes o con Cela.

—Te lo miro también, ¿vale?

—La verdad es que si pudiera echarle una ojeada a esos documentos que fuisteis a pedirle a Mercedes Sanz Bachiller... Ahí habrá detalles sobre sus años en la Sección Femenina. Y eso me interesa muchísimo. Porque, vamos a ver; tú me dijiste que había militado en la Falange.

—Así es.

—Y que había sido colaboradora de Sanz Bachiller y Carmen de Icaza.

—La oí hablar de ellas dos veces, sí.

—El caso es que esas dos mujeres, que habían sido compañeras en el Auxilio Social, eran rivales enfrentadas a muerte, ya te contaré por qué motivos, justo cuando

Dolores estuvo a la vez en contacto con ambas, trabajando para una y para la otra, y eso es uno de los asuntos que me intrigan.

—¿Hay más?

Noté en su tono que había logrado captar otra vez su atención.

—Sí. ¿Tú has leído *Óxido*?

—Hace mil años, pero, la verdad... Me avergüenza tener que decirte que no la pude acabar. Me pareció una novela extraña, si te soy sincera. Bastante oscura y un poco como de Kafka, ¿no?

—Sin duda. Pero yo la he interpretado, sobre todo, como una crítica desgarrada al franquismo, lo que no casa muy bien con su condición de afiliada a la Sección Femenina.

—¿De verdad?

—Así es. Y estoy seguro de que también es una denuncia de uno de los temas más horribles de aquellos años y que está, por cierto, muy en relación con el libro de Antonio Vallejo Nájera que me contaste que tenía ella en su biblioteca. Natalia, tengo un millón de detalles que preguntarte sobre tu suegra, pero ¿me dejas hacerte ya tres preguntas rápidas? Si puedes, me las contestas, y si no, no pasa nada.

—¿Me las puedes hacer en diez segundos?

—Claro.

—A ver: número uno.

—¿Me contarás cuáles son los problemas con la Justicia que tuvo la hermana de Dolores?

—Vaya... pues... Sí, supongo que sí... Aunque a ver qué opina también de eso Carlos, ¿vale? A fin de cuentas, es su familia, no la mía.

—Lo comprendo. En segundo lugar: ¿sabes algo de un niño desaparecido? No sé, algo que le ocurriera a cualquier persona que conociese tu suegra, a un pariente o una amiga.

Ahora sí se produjo un silencio en la línea, pero de otra clase. Mientras Natalia se lo pensaba, la voz grabada de una operadora me avisó de que a mi tarjeta sólo le quedaban tres dólares de saldo.

—No sé ni de qué me hablas. ¿Niños robados? ¿Qué quieres decir? ¿Y qué tiene que ver eso con Vallejo Nájera? De lo que él hablaba en aquella locura de la *Eugenesia de la hispanidad*..., según lo recuerdo, era de la pureza de la raza, ¿no? Decía que a las personas con minusvalías físicas o mentales había que meterlas en una especie de colonias para seres inferiores. Un pirado.

—Sí, pero que tuvo mucho poder y al que le dejaron experimentar sus tesis durante y después de la guerra civil. Hay una relación muy grande entre eso y la novela de Dolores.

—Oye, te juro que estoy muy intrigada; pero te voy a tener que dejar: mis enfermeras ya no saben qué hacer para entretener a los *clientes*. Así que...

—No te preocupes. Y muchas gracias por atenderme. Ya hablamos a la vuelta, ¿vale?

—De acuerdo. ¿Y la tercera pregunta?

—Sí, ésa... Bueno, pues... que si me dejarías invitarte a cenar... El viernes... o cuando te sea posible... Para agradecerte lo amable que has sido. Y para hablar, claro... Sola o con tu esposo, desde luego..., si así lo prefieres.

La oí suspirar, pero no supe si eso era una señal de impaciencia, fastidio, agobio, duda, preocupación, enfado, ansia, fatiga, sarcasmo, incredulidad...

—Llámame a la vuelta —respondió, al fin—, ¿te parece?

—Lo haré —dije, y nos despedimos. Durante un rato oí nuestra conversación una y otra vez, como si un herrero la martillease sobre un yunque. No había estado tan mal, ¿verdad?

Me dormí pronto. Por algún motivo, lo último que creo haber pensado esa noche no fue ni en Natalia Escartín, ni en Dolores Serma, ni en mi madre, ni en Virginia, ni siquiera en Mercedes Sanz Bachiller, Carmen de Icaza o Pilar Primo de Rivera, sino en Bárbara Arriaga, en la cara que se le habría puesto a nuestra profesora de Física y Química, al llegar al instituto y ver que le había vuelto a colocar dos guardias en días correlativos para la próxima semana, el lunes y el martes. La verdad es que en el Holiday Inn de Dahlonega, con el océano de por medio y la llave y el cerrojo de la puerta echados, esa cara me hizo mucha gracia.

Debí de soñar con ella, porque me desperté de nuevo al amanecer y con el corazón latiéndome como un conejo acorralado. Me di una ducha, trabajé un rato, bajé a tomar un sucedáneo de café ante la mirada de búho disecado de la recepcionista y un cuarto de hora más tarde estaba de nuevo en mi habitación, observando los bosques junto al Chestertee mientras pulía algunas aristas de mi conferencia.

«*Óxido* se empezó a redactar —escribí— en plena crisis económica del país, en los que se conocen como los años del hambre, y no por casualidad: según las fuentes más optimistas, entre 1940 y 1946 murieron de inanición en España 40.000 personas; según las más pesimistas, fueron 200.000. Era la época de las cartillas de racionamiento, las epidemias de tisis y el temido piojo verde, los cortes de luz, la falta de combustible, los coches con motores de gasógeno y la escasez para casi todos, mientras los principales promotores de la guerra civil se enriquecían, empezando por el propio dictador, que nada más hacerse con el poder se quiso asignar un sueldo tan alto que sus colaboradores de más confianza, y en especial su cuñado Ramón Serrano Súñer, le rogaron que se moderase: había pedido un salario de dos millones de pesetas y residir en el Palacio de Oriente. Se tuvo que conformar, aviniéndose a las razones de sus consejeros, con El Pardo y un jornal de 700.000, que de todas maneras en 1939 significaban una considerable fortuna: un mecanógrafo ganaba trescientas pesetas mensuales y una barra de pan costaba setenta céntimos».

Me dije que le tenía que contar a mi madre ese episodio que cuestionaba la imagen ascética de Franco y, más bien, nos daba la razón a quienes pensamos que «las guerras siempre han servido para que unos cuantos mueran y otros tantos vivan mejor que vivían antes», como dice un personaje de la segunda novela de Miguel Delibes, *Aún es de día*, y continué con un ligero retrato de la partida de la División Azul hacia la Unión Soviética, en julio de 1941 y con Dionisio Ridruejo enrolado en sus filas, para recordar que en ese momento Dolores Serma, aunque ya trabajase como secretaria personal de Mercedes Sanz Bachiller, aún militaba activamente en la Sección Femenina, por lo que tal vez participase en alguna de las iniciativas que tomó la organización para apoyar a los supuestos héroes. La revista *Medina* especifica con todo lujo de detalles el aguinaldo que las abnegadas falangistas iban a enviarle por Navidad a los 19.000 hombres que formaban la tropa española: «Cada paquete individual pesa ocho kilos y consta de un par de guantes de punto, un par de calcetines de lana, un pasamontañas, un jersey sin mangas, un libro titulado *Rezos para el frente*, una foto de José Antonio, otra del Caudillo, una estampa de Nuestra Señora del Carmen, un emblema de Falange, un par de gafas contra la nieve, una medalla, una botella de coñac de marca, otra de anís, otra de vino de marca, medio kilo de turrón, otro medio de mazapán, peladillas de Alcoy y almendras, un bote de conserva de frutas, tres latas de conserva con pescado, una pastilla de jabón de lavabo, un peine y tres cajetillas de tabaco». La verdad es que no se explica cómo pudo resistir el ejército bolchevique un ataque de semejante envergadura.

No sabía si Dolores Serma había hecho alguno de esos paquetes para la División Azul, pero sí que su puesto junto a Sanz Bachiller la convertía en un testigo privilegiado de la vida política del país. Porque la suerte de Mercedes Sanz Bachiller y Javier Martínez de Bedoya empezó a cambiar ese mismo 1941, cuando el integrista José Antonio Girón de Velasco, hasta entonces jefe de la Falange en Valladolid y viejo amigo suyo, fue nombrado ministro de Trabajo. Su ascenso era, en realidad, parte de un reajuste hecho por Franco para arrinconar a la Falange y echar a un lado a Serrano Súñer, cada vez más debilitado a los ojos del dictador y, sobre todo, de su influyente esposa, que lo detestaba por engañar a su hermana con Sonsoles de Icaza. Pero la primera propuesta ministerial de Franco había sido tan hostil a la Falange que algunos jerarcas, con Pilar Primo de Rivera y su hermano Miguel a la cabeza, amenazaron con dimitir de todos sus cargos y, ante ese desafío, se decidió incluir en el Gobierno a Girón. Éste despidió a todos los colaboradores de Serrano Súñer, entre ellos a Ridruejo, de sus puestos en el Servicio de Prensa y Propaganda y nombró a Sanz Bachiller jefa del Instituto Nacional de Previsión. Franco, que siempre había sido partidario de ella, avaló, sin duda, su vuelta a la política activa y dos años más tarde hizo que la nombraran procuradora en Cortes. Todos esos acontecimientos beneficiaban, obviamente, a Dolores Serma.

Por su parte, Javier Martínez de Bedoya obtuvo una rehabilitación modesta, y fue enviado a Lisboa y París, como agregado de Prensa. Su mujer lo acompañó a esas ciudades, pero sólo a tiempo parcial, porque todos los meses venía a Madrid para ocuparse de sus obligaciones al frente del Instituto Nacional de Previsión. Intuí entonces, y he podido comprobar más adelante, que Dolores no sólo siguió a su jefa hasta su nuevo trabajo, sino que iba a ser su persona de confianza en la capital, cuando ella estaba fuera del país.

En 1952, al regresar de un modo definitivo a España, Martínez de Bedoya escribió y publicó, como me había adelantado Natalia, dos novelas: *El torero*, de la que se hizo un serial radiofónico y una película, y con cuyas ganancias puso una gasolinera en la carretera de Málaga, y *Falta una gaviota*, que le ayudó a comprar, como también me dijo la doctora Escartín, un hotel en Torremolinos, al que llamó Los Álamos y donde también desempeñó alguna tarea la autora de *Óxido*.

Puse por escrito esos detalles, establecí todos los puentes que fui capaz entre Serma y Carmen Laforet y, a la hora de la comida, tenía acabada mi ponencia y, dentro de ella, el borrador de lo que sería el primer capítulo de mi *Historia de un tiempo que nunca existió*.

A las tres hice el equipaje, me tomé un par de aquellos cafés con sabor a sopa de alacrán y me dispuse a partir con Gordon McNeer rumbo a Atlanta. Mientras metíamos las maletas en el coche, pude ver a la dueña del Holiday Inn clavarnos sus ojos de color mostaza desde una habitación del primer piso que debía de ser la suya. Me imaginé esa alcoba con un suelo de moqueta morada, un revólver en la mesilla, un acuario lleno de pulpos sobre la cómoda y, en la pared, un árbol genealógico que la emparentaba con Stalin. Las sábanas de la cama eran de raso negro y, en las noches de amor, su marido y ella solían hacer allí especialidades llamadas «el mordisco de la mangosta», o algo similar. No quise ni pensarlo.

«Adiós, miss Danvers», pensé, «siempre os llevaré a ti y a tu Manderley rural en mi corazón. Aunque será en la misma zona en la que llevo las imágenes del asalto al Palacio de la Moneda y a mi dentista».

Un par de horas más tarde nos registrábamos en el indescriptible hotel Marriott, una de esas moles de cemento y cristales basadas en el doble culto a la verticalidad y a la prisa, donde todos corren todo el tiempo, suben y bajan, corren, bajan y suben, corren, suben y bajan... Sin embargo, nunca se sabe y, contra pronóstico, resultó que mi habitación era encantadora, ofrecía una mezcla de buen gusto y pragmatismo, una cama digna de un jeque, con un edredón rojo y cinco almohadas de plumas;

lámparas por todas partes; una ventana enorme desde la que se divisaban los hermosos rascacielos encendidos del centro de Atlanta; un sofá para leer y una buena mesa para trabajar. Perfecto. Me abrí una botella de vodka en miniatura y me tumbé en la cama, dispuesto a quedarme dormido, pero al instante se encendió en mi cabeza el letrero rojo de unas líneas de Hugo von Hofmannsthal que aprendí a los veinte años y desde entonces no consigo olvidar, por más que lo intento: «Presta atención: presiente que se avecinan días / en que suspirarás por los versos que hoy tachas: / ahora suena en tu oído un coro al que no oyes; / pero cuando lo llames, se quedará en silencio». Odio a los profetas.

A las cinco y media, acompañado por Gordon y por tres profesoras muy simpáticas que había conocido en Athens, llamadas Charlotte, Emily y Anne, bajé a tomar un sándwich a una de esas espantosas cafeterías que tienen los hoteles de sesenta plantas, espacios tan confortables como un aserradero, en los que comes en mitad de un recibidor, te sientas en sillas de aluminio, bebes de una lata, usas servilletas de papel y cubiertos, platos y vasos de plástico. O sea, el colmo de la distinción. Dios bendiga América.

A las seis y media di mi charla, que pese a estar aún en veremos, como dice Marconi, gustó al público, interesado por la exposición de las historias cruzadas de Laforet y Serma. Gordon McNeer, que oficiaba de moderador, tuvo que cortar el coloquio, que ya llevaba más de una hora en marcha, con cierta violencia y entre murmullos de desaprobación de quienes aguardaban su turno para hacer preguntas. En la copa de después de la conferencia, en uno de los bares del Marriott, las profesoras Charlotte, Emily y Anne me propusieron repetirla, seis meses más tarde, en un largo circuito de departamentos de español que estaban en lugares llamados Asheville, Worcester, Eugene, Portland, Anaheim, San Luis Obispo, Visalia, Santa Cruz y Antioch, y quizás el año próximo en sendos congresos de Cincinnati y Reno. Les dije a todo que sí.

Por cierto que a la hora de ir a cenar se nos unió el hispanista francés, que también había ido a la charla y que estuvo hecho un príncipe: se dedicó a tocarle la pierna a Emily por debajo de la mesa, se puso de color rojo-centollo tras beber una copa más de lo que puede aguantar un cretino y al terminar la cena, que pagó McNeer, pidió que le prepararan las sobras para llevar. Me sorprendió que, en lugar de indignarla, a Emily parecieran divertirle las pretensiones de conquistador de aquel tipo que, en conjunto, era tan sensual como una dentadura postiza.

Volví a mi habitación del Marriott contento, lleno de energía y sintiéndome feliz por adelantado ante la mañana de domingo, completamente ociosa, que me esperaba. Es que uno a veces se conforma con tan poco, ¿verdad? Por ejemplo, Pilar Primo de Rivera se emocionó hasta las lágrimas al ver el regalo de cumpleaños que le hicieron, al principio de la posguerra, algunas de sus discípulas más cercanas: era el cerrojo de la celda de la cárcel Modelo de Madrid en que estuvo preso su idolatrado José Antonio. Dicen que, a partir de entonces, nunca se separó de ese talismán que, si lo piensan bien, es toda una metáfora de la naturaleza e ideología de esa especie de Santa Teresa de Jesús laica que quiso ser la fundadora de la Sección Femenina.

Eso sí, aunque ella supo de la muerte de su hermano el mismo día de su fusilamiento en la cárcel de Alicante, el 20 de noviembre de 1936, accedió de inmediato a la idea de Dionisio Ridruejo de fingir que seguía vivo, para transformar su poderoso espectro en un arma psicológica contra el enemigo y a favor de la moral de los nacionales. Así nació el mito del Gran Ausente, que es como Pilar empezó a llamar a su hermano en público, a partir de entonces. «Y ahora voy a haceros un ruego —les dijo, por ejemplo, a las asistentes al Consejo Nacional de la Sección Femenina de 1937—: Que os acordéis, camaradas, de pedir al Señor por el que todavía está en la cárcel y nos hace tanta falta, para que se cumpla en él lo que dice la Escritura: "Caerán a tu lado izquierdo mil saetas y diez mil a tu diestra, mas ninguna te tocará. Porque Él mandó a sus ángeles a cuidar de ti, y ellos te guardarán en cuantos pasos dieres".»

La muerte de José Antonio Primo de Rivera no fue reconocida de manera oficial hasta noviembre de 1938, es decir, dos años después de su fusilamiento. Hasta entonces, su hermana no pudo llorarlo a cara descubierta, ni cortar para él las cinco rosas de la Falange. Ya lo ven. La causa ante todo.

Estaba pensando en eso, y ya a punto de apagar el ordenador para irme a la cama, cuando llamaron a la puerta de mi habitación. Era Emily, mi profesora favorita de Athens. Estaba gloriosamente borracha, se había soltado el pelo y sus ojos parecían diez veces más azules que un par de horas antes. Llevaba una camisa blanca desabotonada hasta más abajo de lo que uno pudiese considerar un descuido y una botella de vodka en la mano.

Estuve encantado de recibirlas a ambas. Yo es que no sé negarme a nada, cuando las cosas se me piden con educación. Además, Emily iba a llevarme al año siguiente a esos extraños sitios llamados Anaheim, San Luis Obispo o Visalia, de modo que me pareció interesante conocerla un poco mejor. Incluso, fantaseé un rato con la posibilidad de que volvieran a llamar a la puerta y apareciesen sus dos colegas, Charlotte y Anne, dispuestas a unirse a la fiesta. Pero claro, eso no ocurrió. Otra vez será.

Capítulo diez

—No es algo que pueda demostrar, al menos por ahora. Pero si me preguntas qué es lo que intuyo en el fondo de toda esa miseria, entonces te diré que, en mi opinión, Mercedes Sanz Bachiller nunca hubiera llegado tan lejos, y que ésa es una de las razones por las que la apartaron del Auxilio Social.

—¿Para poder robarle sus hijos a los republicanos? Es monstruoso —dijo Natalia Escartín.

—Es que esa gente era feroz. Y sus operaciones las planeaban siempre a gran escala, porque la idea que les guió fue la del exterminio. Por eso Franco ralentizó su triunfo en la guerra civil, que podía haber logrado mucho antes. En eso coinciden casi todos los historiadores.

—¿Alargó la guerra para matar a más personas?

—Exacto. Quería hacer una limpieza total. Él mismo se lo dijo, en julio del 36, a un periodista norteamericano: «Salvaré a España del marxismo, cueste lo que cueste. No dudaré en matar a media España, si es necesario».

—Qué hijo de...

—Y lo de los niños fue idéntico. Te aseguro que, aunque parezca mentira, Franco tomó al pie de la letra las locuras de Vallejo Nájera. He estado estudiando declaraciones de dirigentes de esos años, testimonios de víctimas y demás, y en resumen, creo que pudieron ser reeducados entre 25.000 y 30.000 niños, y que a muchos se les cambió el nombre y fueron dados en adopción a familias católicas afines al Régimen. Una buena parte de ellos pasaron por los orfanatos del Auxilio Social, donde *casualmente* ejercía de asesor médico un psiquiatra del grupo de Vallejo Nájera, también falangista y llegado de Valladolid, que se llamaba Jesús Ercilla y era el jefe clínico del Sanatorio de Ciempozuelos...

—... El hospital que dirigía el propio Vallejo Nájera.

—Exacto.

—Qué increíble. Parece el argumento de una de esas películas de científicos locos. De cualquier forma, qué extraña manera de ser cristianos, la de esos padres adoptivos.

—Muchas veces, según recuerdan las víctimas, una pareja llegaba al hospicio, se llevaba a uno de los internos, el que más le gustase, y si después, por la razón que fuera, no le gustaba, lo devolvía y se llevaba otro.

—Y todo eso, ¿siempre después de que hubieran echado a Mercedes Sanz Bachiller?

—Claro. La ley que les quitaba la patria potestad a los padres de los que iban al Auxilio Social y autorizaba el cambio de sus apellidos por parte del Estado es de 1940; y la que lo facultaba para variar la identidad de los repatriados, de 1941. Ambas fueron dictadas tras su destitución.

—Pero, ¿y los demás? ¿Y Carmen de Icaza, por ejemplo?

—Fueron cómplices, sin duda. No sé si activos o pasivos, pero es absolutamente imposible que no supieran lo que ocurría. Los niños estaban en sus hospicios y tal vez pudiesen ponerles un hábito de cura o la camisa azul de la Falange pero no hacerlos invisibles, y además eran muchos para eso: en 1943, más de doce mil. A los hijos de los presos políticos los mandaba al Auxilio Social el Patronato de San Pablo, y lo primero que hacían era ponerles un uniforme hecho por la llamada Obra Nacional del Ajuar y celebrar bautizos masivos de lo que ellos llamaban «los vástagos de la Anti-España». En un año, se pasó por la pila bautismal a casi setenta mil.

—¿Y Pilar Primo de Rivera?

—Era una de las alentadoras de la trama. Franco y ella crearon un departamento especial del Servicio Exterior de Falange para la Sección Femenina, que llamaron Delegación Extraordinaria de Repatriación de Menores y que se ocupó de traer de vuelta, a veces quitándoselos a los españoles retenidos en los campos de concentración de Saint-Cyprien, Les Milles o Vernet, a más de veinte mil niños republicanos desde la propia Francia, Bélgica, Gran Bretaña y otros países donde los habían evacuado sus familias. Llamaron a todo eso la Obra Nacionalsindicalista de Protección a la Madre y al Niño.

—¡Qué grandilocuencia! Así, cuanto más frondosa es la nomenclatura, mejor esconde la verdad, ¿no?

—Figúrate. En la prensa del Movimiento se publicaron grandes fotos de trenes abarrotados de niños que hacían el saludo fascista al cruzar la frontera y reportajes en los que se aseguraba que a esas criaturas «que los rojos arrancaron de sus casas, después de pasar privaciones y hambre en tierra extranjera, ahora el Auxilio Social las devuelve a sus hogares». En realidad, un gran número de ellos murió de meningitis, disentería o a causa del tifus en los internados infernales en los que los metían, sitios como el Colegio La Paz, de Madrid, o la colonia Tossa de Mar, en Gerona. A los demás se los repartieron entre la Iglesia y el Estado.

—¿Los de las cárceles también?

—Claro que sí. Según numerosos testimonios, a los curas les gustaba mucho volver a las cárceles, pasados nueve o diez años del rapto, para que los presos republicanos vieran a sus hijos vestidos de seminaristas o monjas.

—¿Y las mujeres?

—Pues mira, a algunas ya no se sabe si les quitaban sus hijos porque las iban a fusilar o si se las ejecutaba para poder quedarse con ellos y sin testigos. Lo peor era cuando se trataba de embarazadas, eso también lo repiten muchas supervivientes, porque las monjas que asistían a los partos se llevaban a los recién nacidos «para que los bautizasen» y ya no se volvía a saber nada más de ellos. Dónde habrán ido a parar.

—Por Dios santo.

—Y con los que eran un poco mayores, tampoco hubo problema: los curas, como ya se ha podido demostrar en algunos casos, ayudaron a falsear partidas de nacimiento y fes de bautismo siempre que hizo falta: así era aún más difícil seguirles el rastro a los niños, porque su edad biológica y su edad legal no coincidían. En fin, qué quieres que te diga sobre Franco y la Iglesia, si los dos primeros telegramas oficiales que recibió el sátrapa en noviembre del 39, para felicitarle por su victoria, fueron los de Hitler y Pío XII.

Era la tarde del viernes y estábamos otra vez en la cafetería del hotel Suecia, que era la única posibilidad que me había dado: nada de cenas íntimas, por el momento.

Y menos, naturalmente, justo ese día que, cuando la llamé desde Dahlonega, ninguno de los dos recordamos que era el de Nochebuena. El tiempo que tenía Natalia para tomarse un café era el que iban a tardar en prepararle los postres del banquete en la confitería donde los había encargado. Según me dijo, todos los años tomaban, siguiendo no sé qué absurda tradición, un *apple-strudel* en el que estaban escritos con nata los nombres de la familia entera. Precioso. ¿Y por qué no se pegaban directamente un mordisco en el antebrazo y se sorbían la sangre?

En los tres cuartos de hora que llevábamos juntos, ella me había dado algunas informaciones básicas sobre Dolores Serma y yo enumeré mis hallazgos en relación con *Óxido* y la realidad histórica de los acontecimientos que denunciaba la novela. Había trabajado mucho durante y después del viaje a Atlanta, sobre todo porque esa semana sólo había ido al instituto el lunes y el martes, y este último sólo por la mañana, ya que al día siguiente empezaban las vacaciones de Navidad. Mi única distracción había sido la cena del lunes con Virginia, en el Café Star, de la que les hablaré en unos instantes. El resto del tiempo, encerrado en casa, leí, tomé apuntes, busqué datos y ramificaciones de esos datos y, en definitiva, pude multiplicar los panes y peces de mi estudio sobre *Óxido*, su tema y su tiempo. Lo único que restaba era reconstruir la biografía de Dolores Serma, para lo que esperaba contar con la ayuda de Natalia Escartín, y entrelazarla con la de Carmen Laforet, que ya tenía hecha. Pan comido.

Pero, para empezar, la doctora había llegado con una mala noticia: su marido no le autorizaba a darme ningún papel de Dolores Serma. No se oponía a que escribiera sobre *Óxido*, ni a proporcionarme los datos que pudiera necesitar sobre la vida de su madre, pero nada de documentación.

Intenté protestar, pero me detuvo con un gesto imperioso.

—Tienes que comprenderlo —dijo—: El estado de salud de Dolores hace que se plantee si sería moralmente aceptable dejarle leer sus papeles a un desconocido. Y tampoco es que Carlos, la verdad sea dicha, entienda muy bien tu interés en el asunto. Ten en cuenta que a él todo eso le queda muy lejos.

Saqué toda la artillería. ¿Es que no se daba cuenta su marido de que estaba ante una oportunidad, seguramente única, de reivindicar el nombre de su madre y el valor de su novela, que yo creía tan injustamente postergada? ¿Le contó que Dolores había luchado casi veinte años para conseguir su publicación? ¿Sabía algo de sus aspiraciones literarias, de su insistente búsqueda de editorial...? ¿Y si hablaba yo con él?

—De todas formas —añadí, cuando ella ya iniciaba un gesto que iba a significar no insistas, no me importunes, se acabó, asunto concluido—, déjame que te cuente, y luego decides.

Y en efecto, le conté pormenorizadamente todo lo que había deducido de la lectura de *Óxido* y las investigaciones que había hecho sobre los acontecimientos reales a los que se refería la novela, hasta llegar al punto en el que ustedes nos han encontrado, al comienzo de este capítulo. Para entonces, Natalia estaba sobrecogida.

—Me dejas de una pieza —dijo—. Siempre creí que Dolores era más bien..., ya me entiendes, con todo aquel asunto de la Falange, la Sección Femenina, el Auxilio Social...

—Quieres decir que siempre pensaste que había sido franquista por los cuatro costados.

—Hombre, no sé si me lo planteé justo en esos términos. Pero sí, lo cierto es que después de ver sus fotos vestida con el uniforme de la Falange y todo eso... pues ya me dirás...

—Claro.

—Aunque te repito que nunca la he oído hablar demasiado de esos asuntos, aparte de alguna mención ocasional por aquí o algún comentario por allá... Era muy reservada, ¿sabes? Y cuando salía algún tema de ese tipo, siempre le quitaba importancia, decía: bueno, bueno, ésas son cosas de otra época.

—Inexplicable, ¿no te parece? Cuando no se podía hablar, escribe una novela como *Óxido* y lucha casi veinte años para publicarla. Y después, en el momento en que podría haber denunciado públicamente los horrores que describe en el libro y quién sabe si revivir su carrera de escritora, no vuelve a hablar de ello.

—Curioso, sin duda, porque de otras cosas, como su trabajo para Mercedes Sanz Bachiller y todo eso, sí que hablaba. No continuamente, pero sí que lo mencionaba.

—¿Y no sabes si mantenían el contacto?

—Ni idea. Sólo sé lo que te dije: trabajó para Sanz Bachiller y su marido hasta finales de los cincuenta, en el hotel Los Álamos, en Torremolinos. Luego, nada más. Pero supongo que sí, dada la familiaridad con que Sanz Bachiller hablaba de ella cuando fuimos a que nos devolviese sus papeles.

—Entonces, ¿nunca hablasteis de esas cosas con ella? ¿Ni tu marido ni tú? Perdóname que insista, pero comprenderás que me extrañe.

—Te repito que Dolores era muy reservada y, además, una persona a quien aburría enormemente hablar del pasado. No, espera, era mucho más que eso: no es que la aburriese, sino que la contrariaba a ojos vistas. Debes comprender que, en esas circunstancias, para Carlos sería una traición darte ahora sus papeles.

—Pues lo lamento, Natalia, porque creo sinceramente que su novela es muy recuperable y que está llena de misterios que valdría la pena descifrar. Y al margen de sus virtudes literarias, también me parece un testimonio valioso y, si me apuras, un acto de desagravio para tantas personas que sufrieron aquella atrocidad.

Volví al ataque. Le hablé de la escritora Francisca Aguirre, ingresada junto a sus hermanas en un orfanato después de que sus padres fueran encarcelados, y a quien las santas del Auxilio Social recordaban continuamente que eran «escoria, hijas de ateos y criminales» que estaban en el hospicio por simple caridad, gracias a la magnificencia de los vencedores. «Mala semilla», les llamaron siempre las monjas de aquel orfanato, incluso el día en que las llevaron a la iglesia a rezar por su padre, que en ese momento, según les hicieron saber, iba camino del paredón en que lo fusilaron. Y ésa no es una historia aislada. En su libro *Los niños perdidos del franquismo*, Ricard Vinyes, Montse Armengou y Ricard Belis recogen el testimonio de una mujer llamada María Villanueva que fue deportada, con su hija de nueve meses, a Málaga. El viaje fue tan duro que la niña no lo soportó y murió en sus brazos. Tuvo que dejar su cadáver en la estación, donde la habían abandonado, para poder huir, pero fue apresada y recluida. Una mañana la llevaron a la oficina del capellán y éste le dio la noticia de la muerte de su padre: «¿Ves la sangre del crucifijo? Pues es la sangre de tu padre, que acaba de ser fusilado».

Le hablé de los niños a los que los escuadrones de Falange daban terribles palizas diarias delante de sus madres, cuando éstas se habían significado políticamente, llegando a matar a golpes a más de uno; y de los que eran ingresados a la fuerza en un convento o un seminario porque «debían redimir los pecados de sus familias»; y de los que secuestraban en el extranjero los comandos del Servicio Exterior de la FET y de las JONS.

—Mira —me interrumpió Natalia, que durante todo el discurso me había mirado con gravedad—, vamos a hacer una cosa: te prometo que volveré a hablar con Carlos, ¿de acuerdo? Le diré lo que acabas de contarme, y a ver qué opina.

—Gracias.

—De nada. Pero no sé qué visión tendrá de todo eso, la verdad, aunque me la imagino. Él no es muy partidario de remover ciertas cosas ni abrir ciertas heridas. No sé si me entiendes.

—No mucho.

—Vamos a ver: mi marido es un hombre de ideas más bien conservadoras. Como comprenderás, no es que sea un reaccionario, ni nada por el estilo. Al revés. Su primer empleo serio fue como letrado de las Cortes Generales y cuando se dedicó a la docencia daba clases de

Derecho Constitucional en la Universidad Complutense. Es un demócrata militante, eso ni lo dudes. Pero nunca ha sido partidario de resucitar lo de la guerra civil y las dos Españas.

«Lo mismo que todos los fachas», pensé. Es comprensible. ¿Para qué iban a desenterrar lo que tan bien enterrado dejó la Ley de Amnistía de 1977, en la que quedaban absueltos «todos los delitos de rebelión y sedición, así como los delitos y faltas cometidos con ocasión o motivo de ellos, tipificados en el Código de Justicia Militar»? Gracias a eso, la historia reciente de España, en lugar de dividirse en *antes* y *después*, se divide en *superficie* y *subsuelo:* ese subsuelo en el que siguen cerradas las fosas comunes de Víznar, en Granada; los Pozos de Caudé, en Teruel; la Sima de Jinámar, en Gran Canaria; los campos de Candeleda, en Ávila, y Medellín, en Badajoz; el Fuerte de San Cristóbal, en Pamplona; el Barranco del Toro, en Castellón, o los camposantos de Lérida, Cartagena, San Salvador, en Oviedo, Colmenar Viejo, en Madrid, o Ciriego, en Santander. Ya oigo que algunos dicen: ¿y la matanza que llevaron a cabo los comunistas en Paracuellos del Jarama? Pues otra atrocidad injustificable, de esas que los agredidos cometen cuando intentan responder con sus mismas armas a los agresores. Como si una bala pudiera ser lo contrario de otra bala.

Natalia acabó en un par de minutos un retrato veloz pero conciso de Carlos Lisvano Serma, quien a mediados de los ochenta, después de pasar unos años en la Universidad, se había afiliado a un partido de derechas en el que ocupó varios cargos de segunda fila, fundamentalmente en diversas comisiones del Parlamento Europeo, y actualmente compaginaba su labor profesional como socio de uno de los despachos más prestigiosos del país con alguna esporádica colaboración política, por lo general como asesor legal. Desde luego que me pareció otra ironía del destino que el hijo de Dolores Serma, si es que ella había sido realmente quien yo creía, acabara en ese bando, pero no quise hacer ningún comentario que pudiera resultar hiriente: no me convenía.

—Creo recordar que me contaste —dije, cambiando de tercio— que tu suegra lo había mandado a un internado. ¿Fue por alguna razón concreta?

—¿Te refieres a si fue un castigo, o algo así? No, ni por asomo. Fue porque ella tenía muchas ocupaciones, entre una cosa y otra, y también porque lo consideró la mejor manera de darle una buena educación. Dolores siempre tuvo un interés casi obsesivo, por ejemplo, en que estudiase idiomas; de manera que Carlos cursó el Preparatorio en un colegio inglés y el Bachillerato en uno alemán. Y cuando fue a la Universidad, insistió en que estudiara Filología Francesa, además de Derecho.

—¿Lo hizo?

—Sí, y debo añadir que sin ningún problema: Carlos tiene las dos licenciaturas, habla cuatro idiomas y cuando hizo las oposiciones a letrado de las Cortes, salió con el número uno. Siempre fue un estudiante de matrícula de honor. Por cierto, ¿te he dicho ya que Carlos nació en Berlín? Es que su padre era alemán y ésa es la razón por la que mi suegra quería que hablase idiomas.

—Pero su apellido no parece alemán... Lisvano... Ya me llamó la atención cuando leí el nombre completo de su hijo.

—Su familia provenía del sur de Italia. Creo que de Nápoles.

—Disculpa si te parezco entrometido, pero hace un momento, cuando me contabas cosas sobre Dolores, me dijiste que tu esposo nació en 1946, ¿verdad?

—Correcto.

—Entonces... En fin, no es que tenga importancia, pero me llama la atención...

—¿Nuestra diferencia de edad?

—Un poco.

Algo pasó de líquido a sólido en los ojos de Natalia Escartín. «Cuidado», me dije, «estás pisando sobre hielo».

—Carlos fue profesor de mi hermana Maite en la facultad de Derecho. Lo conocí por ella. Ya ves, casi la típica historia del maestro y la alumna. Él tenía treinta y cinco años y yo veintidós. Qué cabeza la mía: siempre olvido pedirle el DNI a los hombres con los que voy a casarme.

—Discúlpame, te he molestado.

—No tiene importancia.

Hablamos de un par de temas intrascendentes, para aliviar la tensión. En cualquier caso, iba a marcharse en diez minutos, de modo que me pareció buena idea darle un respiro.

—Así que sois ni más ni menos que veintinueve para cenar —dije—. Qué gentío. Debéis de tener una mesa en la que podría aterrizar un Boeing 747.

—Menos mal que mañana los niños se quedan con mis padres y salimos por ahí con otros matrimonios, amigos de toda la vida. Cada Navidad probamos un sitio exótico, y es muy divertido. Por cierto, que este año nos toca elegir, y aún no he reservado en ninguna parte. Si se te ocurre algo especial, con lo que pueda sorprenderles... Hasta ahora ya hemos estado en restaurantes vietnamitas, persas, brasileños y rusos, hemos probado la cocina afrodisiaca, la erótica y la creativa.

—Pues nada, si quieres os mando al restaurante de mi ex mujer. Ella hace una comida macrobiótica basada en el Zen y... —me interrumpí. ¿Qué creía que estaba haciendo? ¿Virginia sirviéndole la cena a Natalia? ¿Es que me había vuelto loco? Pero ya era tarde y lo supe en cuanto vi cómo me miraba Natalia. Al diablo.

—Así que Zen, ¿eh? ¿Y es un lugar bonito?

—Sí —dije a regañadientes—, está decorado según el arte japonés del ikebana, que consiste en lograr la armonía a través de los colores y los aromas.

—¿Y cómo es el menú?

—Pues ya sabes, se basa en el yin y el yang, el equilibrio energético, las vibraciones ki y todo eso. Puedes comer arroz con amapola, ensalada de akusai, nituke de verduras verdes, pastel de mijo y tofu, seitán con batatas, chop-suey con trigo, fruta con crema de cebada...

—¿Qué son las vibraciones ki?

—Son la fuerza electromagnética que hay en cada alimento.

—¿Y el yin y el yang de la comida?

—El yin es la energía ascendente que emana de la tierra, hace que las plantas crezcan y produce la diástole del corazón. El yang baja del cielo y gobierna la sístole y las raíces. Se supone que consumir cereales, legumbres, pescados y algas, que son los alimentos equidistantes del yin y el yang, proporciona la armonía.

—¡Perfecto! Es, sencillamente, perfecto. ¿Me das la dirección? ¿Tienes a mano el teléfono? Supongo que no habrá mesa, pero por probar no pierdo nada. ¿Te importa si lo hago ahora mismo? ¿Cómo se llama ella? ¿Dónde está el lugar?

Todo eso lo dijo mientras sacaba una libreta del bolso, buscaba un bolígrafo y el móvil y llamaba con un gesto al camarero. Tuve ganas de poner cualquier disculpa: no sabía de memoria el número o el Deméter estaba cerrado en estas fechas. Pero ¿cómo iba a hacerle eso a Virginia? Desde luego, si había una cosa que ella necesitara en esos momentos, era cazar unos cuantos clientes. Le di a Natalia toda la información que me pedía.

—Si quieres, la llamo yo —dije—. Tal vez de ese modo sea más fácil que os haga un hueco.

—¿Lo harías?

—Cuántos sois para cenar.

—Déjame que piense: Carlos y yo. Margarita y Fernando, mi hermana y su marido, Carmen y Alberto... Eso hacen ocho. Y luego están Elvira e Ismael, María Antonia y Marcial, los Aramburu y los Villalobos... Ya van dieciséis. Y este año se apuntan Susana y Ángel, y Conchita y Chus... O sea, veinte. ¡No, espera! Se me olvidaban Jimena y Joaquín. Así que veintidós. Somos veintidós. Demasiados, tal vez.

Llamé a Virginia mientras Natalia aprovechaba para pagar los cafés y ponerse el abrigo. Arreglé la cita para la noche de Navidad en el Deméter, fingiendo que la cosa era difícil y que le hacía un gran favor a la doctora Escartín, aunque al otro lado de la línea Virginia creyó, al principio, que le gastaba una broma. No hay mal que por bien no venga, hubiese sentenciado mi madre.

—Oye —le dije a Natalia, mientras la acompañaba a la salida y le daba la dirección del Deméter—, si quieres que te acompañe a la pastelería, para ayudarte a meter los paquetes en un taxi, o algo así, no tienes más que decirlo.

—No, no te preocupes, me van a venir a recoger de casa. En fin, muchas gracias por la recomendación y ya te diré lo que me ha parecido tu ex mujer. Me refiero como cocinera, naturalmente.

—Ya lo supongo.

—Y haré lo que pueda con lo de los papeles de Dolores. La verdad es que no estoy muy segura de qué me ha impresionado más, si la historia de los niños robados o que mi suegra escribiera sobre ello. Quién lo iba a decir. Y ahora me tienes que disculpar: tengo que irme. Que pases una feliz Nochebuena.

—Claro. Pero antes déjame que te haga una pregunta más.

—A ver...

—Es sobre la hermana de Dolores. Me ibas a contar qué problemas tuvo con la ley.

Natalia miró a derecha e izquierda, como si fuese a cruzar una calle.

—¿De verdad es eso tan necesario para escribir sobre su libro?

—No lo sé. Puede que sí y puede que no. Tú me dijiste que ella fue el motivo por el que Dolores quiso estudiar Derecho, y que a partir de ahí pudo ayudar a otras personas. Tengo que decirte que tampoco es el único caso: la escritora Mercedes Fórmica, que también era de la Falange, hizo exactamente lo mismo.

—¿Intentar sacar a su hermana de la cárcel?

Natalia dijo eso como quien pone un as encima de la mesa, y se me quedó mirando retadoramente. Decidí dar un rodeo.

—No, ella era hija de divorciados y luchó por conseguir leyes más equitativas para las mujeres separadas. Su primera novela, *Bodoque*, trata de una ruptura matrimonial, y otra que se titula *A instancias de parte* es una denuncia de la ley según la cual el adulterio femenino era un delito y el masculino no. Te cuento todo eso —añadí para contrarrestar su visible impaciencia— para que veas que es importante conocer la vida de los escritores: a menudo, en ella están muchas de las respuestas que plantean sus libros. Y con respecto a Julia, la hermana de tu suegra, ya imaginaba algo por el estilo. Pero ¿no puedes ser un poco más explícita?

—De acuerdo —dijo Natalia, mirando el reloj con intranquilidad—. Mira, lo que yo sé del tema se puede resumir en un minuto. Julia era maestra de escuela y era algo así como la revolucionaria de la familia. Se casó en un juzgado de Valladolid muy poco antes de la guerra, con un comunista. A él lo mataron en la Casa de Campo y a ella la metieron presa. Estuvo seis años en la cárcel y Dolores nunca dejó de luchar para sacarla. Hasta que lo consiguió. Por desgracia, Julia no duró mucho: su salud mental se deterioró con todo aquel asunto y falleció dos años más tarde, en la clínica de López Ibor. Fin de la historia.

—¿López Ibor? No me dijiste nada, cuando hablamos de él.

—Te lo digo ahora, que es cuando viene a cuento, ¿no?

—Claro, claro. Y dime, ¿para eso le pidió auxilio a Mercedes Sanz Bachiller? ¿Para interceder por su hermana ante las autoridades?

—Exacto. Y ella, por lo que yo sé, la ayudó en todo lo que pudo.

—¿En qué cárcel estuvo Julia?

—En la de Ventas.

—¿En qué año la detuvieron?

—Me parece que fue en el 40. No estoy segura.

—¿Tenía hijos?

—No. Y oye —dijo, riéndose de la vehemencia de mi interrogatorio, mientras se subía al taxi que acababa de parar—, ya hablamos, ¿de acuerdo?

Nos despedimos con los dos besos reglamentarios, aunque en el segundo yo le busqué disimuladamente las cercanías de la boca. Natalia me miró con cierta ironía y me hizo un gesto de adiós con la mano.

Me quedé viéndola alejarse. Había sido una reunión rara, quizás porque ella misma lo era, con su carácter lleno de altibajos, unas veces tan cercana y otras tan inaccesible. En general, su actitud me daba mala espina, porque o mucho me equivocaba o era una de esas mujeres que te están diciendo: «Vale, voy a coquetear un poco, pero no lo voy a hacer por ti sino por mí, para demostrarme que aún puedo; jugaré al gato y al ratón con tus malas intenciones y no lograrás nada. De hecho, preferiría ir a la Plaza Roja y acostarme con la momia de Lenin antes que contigo». Eso sí, me había dado la impresión de que al hablar de su marido lo hacía con respeto, pero sin entusiasmo. ¿Era verdad o eran imaginaciones mías? Ya lo descubriría, si me daba la oportunidad. Ser sabio no es saberlo todo siempre, sino cada cosa a su tiempo.

Anduve hasta la parada del autobús, unos veinte minutos. Había subido algo la temperatura y era agradable caminar con aquel frío ligero, a la caída del atardecer. Por otro lado, tampoco quería darme mucha prisa en llegar a casa de mi madre, donde se celebraba la cena que iba a reunir a toda la familia. Aunque la cosa tampoco era tan terrible: sencillamente, se trataba de estar cinco horas con mis cuñados, dos de ellas oyéndoles hablar de política y del Real Madrid, otras dos viéndoles comer una carne tan cruda que si se le posase una mosca se la espantaría con el rabo y la última, que sin discusión es la peor de todas, abriendo nuestros respectivos regalos de Navidad, de los que, como ya les dije, uno podía esperar cualquier cosa, desde un DVD con los mejores momentos de los Coros y Danzas Rusos hasta una botella de aguardiente de guindas. Un gran plan. Eso sí, me apetecía darle a mi madre lo que le había comprado, que era un abrigo muy elegante y, como siempre, varias primeras ediciones de libros de teatro que encontré, muy baratas, en un par de buenas librerías de viejo. Seguro que le gustaban.

De cualquier manera, estaba deseando que pasase aquella noche y poder ponerme a trabajar con los datos que me había dado Natalia Escartín: escribiría con ellos el primer esbozo biográfico de la autora de *Óxido*, le añadiría todo lo que yo había encontrado aquí y allá y la suma de ambas cosas me proporcionaría nuevas evidencias. Era emocionante picar en aquella especie de mina abandonada que era la vida de Dolores Serma y ver cómo iban apareciendo los personajes e historias de su época, uniéndose unos a otros como las piezas de una estatua rota: Carmen Laforet, López Ibor, Cela, Delibes, Mercedes Sanz Bachiller, Carmen de Icaza, Benet, Martín-Santos... El padre de este último, por cierto, había sido compañero del coronel Vallejo Nájera en el Cuerpo de Sanidad Militar, según recordaba haber leído en el libro *Otoño en Madrid hacia 1950*, donde Juan Benet cuenta que dirigió, entre otras cosas, la atención sanitaria al ejército franquista en la batalla del Ebro. Naturalmente, me había resultado llamativo que Julia Serma acabara ingresada en la clínica de López Ibor e intuí, desde el instante en que Natalia me lo dijo, que de algún modo eso estaba relacionado con aquel libro de Vallejo Nájera que tenía Dolores Serma y había leído Natalia Escartín. ¿Quizás había tenido algún contacto Dolores Serma con él a partir de la enfermedad de Julia, y de ahí surgieron su interés por el asunto de los niños robados y el argumento de *Óxido*?

Mientras estaba en el autobús, camino de Las Rozas, me llamó Virginia para darme las gracias de nuevo. Estaba ilusionada con la cena de Navidad que le había preparado. ¡Veintidós comensales en el Deméter! Además, esa mañana le habían dado el préstamo en el banco, con mi aval, y tenía dinero para ir a comprar los ingredientes.

—Hombre, supongo que esto no me va a sacar de la ruina —dijo—, pero es la primera vez en años que tengo suerte. Imagínate: si ni siquiera pensaba abrir el día de Navidad.

—Y también es un principio, ¿no? Un modo de cambiarle el paso a la fortuna.

—Ojalá.

—Y ahora que, además, te has curado la hepatitis, todo irá a mejor. Puedes estar segura.

El lunes, como ya saben, nos habíamos reunido en el Café Star. El encuentro no fue gran cosa, porque yo estaba agotado tras el largo viaje desde Atlanta y la mañana en el instituto, que había sido dura. Por cierto que, contra todo pronóstico, Bárbara Arriaga no me dijo ni una sola palabra sobre las guardias que le había colocado, lo cual me alarmó más de lo que lo habría hecho una pelea: sin duda planeaba alguna venganza; tal vez me denunciase en el Ministerio de Educación, o algo por el estilo, aunque tampoco sé cuáles podían ser los cargos que presentara contra mí. En una breve reunión que habíamos tenido todos los profesores en la sala de juntas, para tomar un aperitivo y desearnos mutuamente, como cada año, unas felices Pascuas, ella sólo había abierto la boca para brindar enigmáticamente «por un futuro muy próximo y muy distinto». En fin, ya veríamos.

El caso es que después de acabar mi última clase del año, que dediqué a *Los hijos muertos* de Ana María Matute, y de recomendarle a mis alumnos que leyeran durante sus vacaciones *La insolación* de Carmen Laforet, le di un buen aguinaldo a Julián —que me contó no sé qué disputa que había tenido con Miguel Iraola, a quien tuvo que exigir que no se metiera en la conserjería, porque aquello eran sus «aguas jurisprudentes»— y comí en el Montevideo unos *cappelletti* de verdura que me supieron a gloria. Luego fui a casa, le conté a mi madre, muy por encima, el viaje a Estados Unidos y me dormí una siesta de la que desperté como de una operación quirúrgica, medio anestesiado y sin saber qué hora era ni dónde estaba. En esas condiciones, volví a subirme al autobús de Las Rozas, cogí un taxi en Moncloa hasta el Café Star y después de escuchar a Virginia, le dije que no se preocupara. La cosa era fácil: quería pedir uno de esos microcréditos que ofrecen ahora los bancos y que consisten en prestarte, a bajo interés y en cuarenta y ocho horas, una cantidad pequeña que sirva para montar un negocio y que se puede amortizar sin demasiado esfuerzo. Le di mi aval, naturalmente, firmando unos papeles que me había llevado. Como en la sucursal nos conocían a los dos, porque siempre habíamos tenido en ella nuestra cuenta, no era necesario ni que pasara por allí, sólo que hiciese una llamada a la mañana siguiente y que enviara una fotocopia del carnet de identidad. Asunto resuelto.

Me fijé en lo demacrada que estaba. El tratamiento contra la hepatitis a base de interferón, que es casi una quimioterapia, ya debía de haber sido infernal por sí solo, pero si lo sumabas a su situación económica y a la angustia que todo eso le habría producido, lo raro era que aún se mantuviera en pie. No sé si algo tendría que ver en su aguante la filosofía Zen, con sus métodos de control mental, su autocuración y sus flores de Bach, porque al fin y al cabo ella la traicionó con las drogas. Pero había algo emocionante en su lucha, por las mismas razones que hay algo puro en el barro que cubre a un atleta desfallecido, y tengo que decir que me gustaba ayudarla, tal vez porque era una oportunidad de hacer en esa ocasión lo que no pude, no quise o no supe cuando Virginia se hundió en la ciénaga de la heroína.

Aunque en realidad tampoco se me ocurre qué podría haber hecho entonces, porque ni yo estaba preparado para afrontar algo de esa magnitud ni es fácil tomar grandes decisiones mientras caes por una escalera, que es más o menos lo que a nosotros nos pasaba: una caída larga y demoledora. Al llegar al fondo, después de mil noches de drogas y rosas en lo que ahora se llaman solemnemente «los Templos de la Movida», el Rock Ola, El Jardín, El Sol, el Pentagrama, el Ras o La Vía Láctea, y mil madrugadas frías en el bar La Bobia y algunos sitios peores, Virginia ya lo había perdido casi todo. Sus negocios y su salud se degradaron a la vez. Los masajes shiatsu pasaron de moda y su clientela se evaporó. Su sala de exposiciones se quedó vacía y el local, después de transformarse sucesivamente en herbolario, librería especializada en temas orientales y tienda de alimentos macrobióticos, terminó por convertirse en el Deméter. Y en el restaurante, pues ya saben cómo estaban las cosas.

Mientras cenábamos en el Café Star, Virginia me explicó, dejándose llevar por uno de esos arrebatos propios de las personas acorraladas, que a veces compaginan el optimismo y la desesperación, algunas ideas que tenía para invertir en publicidad parte del dinero que le iba a prestar el banco; me dijo que mandaría miles de mensajes por internet y abriría una página web para reservas y encargos; que iba a poner un anuncio en las *Páginas Amarillas* y en la *Guía del Ocio;* que pensaba ofrecer un menú diario, precios especiales para reuniones de empresa y un servicio de entrega a domicilio; y hasta iba a imprimir octavillas con propaganda.

—Son cosas pequeñas, ya lo sé —terminó por admitir—, pero ésta es mi última oportunidad. Si fracaso, no volveré a levantarme.

Esa noche regresé a casa pronto y, como siempre que veía a Virginia, me costó concentrarme y volver a mi trabajo. Pero a base de releer y pasar al ordenador los fragmentos que había marcado en algunos libros, pude avanzar unas páginas, hasta que me venció el sueño. Poca cosa, en realidad. Eso sí, había dejado más o menos resuelto un minúsculo retrato de la novelista Mercedes Fórmica que me serviría para apuntalar el ejemplo de Dolores Serma, con quien tenía ciertas afinidades: no sólo eran las dos abogadas, escritoras y militantes falangistas, sino que Fórmica también se comportó con cierta ambigüedad: por un lado, y como le había contado en el hotel Suecia a Natalia Escartín, luchó audazmente por que se reconocieran los derechos de las mujeres separadas, que en la España de la posguerra eran vistas como desechos sociales; por otro, estuvo integrada a fondo en la Sección Femenina —cuyas jefas, decentes como mulas disecadas, pregonaban todo lo contrario—, ocupó cargos de importancia en el Sindicato Español Universitario (SEU) y fue directora de la revista *Medina*. ¿No sería que ella y Dolores Serma decidieron meterse en la boca del lobo para luchar desde ahí contra él? Algo de eso sugiere Fórmica en el tercer tomo de sus memorias, *Escucho el silencio*. Como casi todos los falangistas, por otra parte.

El martes, después de estar apenas medio día en el instituto, me encerré en la biblioteca hasta la hora de cenar, y mientras tomábamos una de mis especialidades, un plato italiano hecho con hojas de espinaca cruda, queso de cabra y piñones, y aderezado con una gota de miel y aceite de oliva, le conté a mi madre, con más detenimiento, mi viaje a Estados Unidos. Le alegró enterarse de la buena recepción que había tenido mi conferencia en Atlanta y le divirtió mucho la historia del hispanista francés.

El miércoles pasé toda la mañana en la hemeroteca, buscando las colaboraciones de Dolores Serma en *El Norte de Castilla*, que eran breves reseñas de libros de Ana María Matute, Carmen Martín Gaite, Dolores Medio o Juan Marsé y que se publicaron, efectivamente, a partir de 1959, un año después del nombramiento de Miguel Delibes como director del periódico.

El jueves fui en tren a Alcalá de Henares y estuve buscando alguna huella de la autora de *Óxido* en los archivos de la Sección Femenina, por ejemplo alguna colaboración suya en publicaciones como *Teresa*, *Medina* o la revista *Y*. No encontré nada; ahí estaban las firmas de Ridruejo, Eugenio d'Ors, Carmen de Icaza o Mercedes Fórmica, pero no la suya. Eso sí, volví a quedarme de piedra con la mojigatería de aquel partido que enseñaba a sus afiliadas «a ser perfectas amas de casa, madres de sus hijos y compañeras de su esposo» y, sobre todo, a ser las campeonas de la castidad: «Bien está que bebamos el vino dulce de la gaita, pero sin entregarle nuestro secreto. Todo lo sensual dura poco». ¿Lo del vino dulce de la gaita se lo escribiría, como tantos otros discursos, Dionisio Ridruejo? O fue otra de sus colaboradoras, Enriqueta Calvo Sotelo, autora de ripios sonoros como los que dedicaba a la memoria de su padre en una *Antología poética del Alzamiento* publicada ese mismo año: «Y la sangre que entonces derramaste / obró un nuevo prodigio. ¿Sabes cuál? / Llegose a la bandera amoratada, / y en el último impulso de su afán, / tiñendo con su sangre lo morado... / ¡La gloriosa bandera suplantada / tornó a ser la bandera nacional!». Olé.

Eso sí, que Franco tuviese tanta debilidad por la Sección Femenina y se fiara de aquellas enajenadas hasta el punto de que, según su jefe de seguridad, los comedores del castillo de la Mota y de las Escuelas de Hogar que inauguraba con frecuencia eran los únicos sitios en donde no le exigían probar la comida del dictador, por si estaba envenenada, explica mucho de su personalidad.

Mientras volvía de Alcalá de Henares, alternando campos y polígonos con la oscuridad intestinal de los túneles, me pareció doloroso que, entre tanta mediocridad y tanto dislate, una escritora de interés como Dolores Serma fuese ninguneada sin remedio. Por alguna razón, su infortunio me llevó de vuelta a Virginia, tal vez porque las personas con mala suerte son intercambiables, y la llamé desde el tren para decirle que no se preocupara y que contase conmigo siempre. No sé por qué lo hice. La nostalgia es un monstruo de tres sílabas que devora la razón.

En cuanto a mi cena de Nochebuena, qué quieren que les diga. El menú, cocinado por mis hermanas, consistía en un salpicón de mariscos con tanta salsa rosa que debían de haberla mezclado en una hormigonera y no sé qué bicho al horno, rodeado de puré y con aceite bastante como para engrasar la caja de cambios de un camión-cisterna. Menos mal que mi madre había preparado un plato especial para mí: pastel de mijo y tofu, ensalada de rúcula con damascos y un exquisito savarín de atún con manzanas. Estaba delicioso, bendita sea. Y con respecto a la conversación, se la resumiré con una frase de Larra: qué suerte la de los animales que, como no hablan, se entienden. Se hacen cargo, ¿verdad?

232

Aunque, en el fondo, todo eso me daba igual. Lo único en lo que yo pensaba era que al día siguiente empezaría a dibujar, con mis datos y los que me había dado su hijo Carlos a través de Natalia Escartín, el primer boceto de la vida de Dolores Serma.

Capítulo once

María de los Dolores Juana de la Santísima Trinidad Serma Lozano nació el 3 de octubre de 1920 en Valladolid, en la casa que sus padres, el maestro nacional Buenaventura Serma y la modista Ascensión Lozano, habían comprado pocos meses antes en el número 13 de la calle Colmenares, muy próxima, por cierto, a la Acera de Recoletos, donde un par de semanas más tarde vendría al mundo otro escritor ilustre de la ciudad, el novelista Miguel Delibes, con quien la autora de *Óxido* iba a mantener una estrecha relación.

El nuevo hogar de los Serma significaba también, y en sentido literal, el inicio de una nueva vida, pues había sido posible gracias a la sustanciosa herencia que don Buenaventura acababa de recibir de su padre, un terrateniente que poseía granjas, cultivos y haciendas en los alrededores de Montemayor, el pueblo donde también se encontraban las principales propiedades de otra de las familias potentadas del lugar: la de la madre de Mercedes Sanz Bachiller.

Parece que las relaciones entre el padre y el abuelo de Dolores siempre habían sido difíciles, debido al carácter independiente del primero y a la personalidad autoritaria del segundo, y que su decisión de estudiar Magisterio y rechazar el destino de latifundista que le aguardaba fue, sobre todo, un acto de rebeldía contra aquel hombre despótico que, eso sí, al final no cumplió la reiterada amenaza de desheredar a su hijo mayor y dejarle todos sus bienes a su hermano Marcial, que siempre había compaginado sus estudios de Medicina con la supervisión de los negocios familiares, aunque el padre de Dolores nunca supo si no fue ilegitimado por sentido de la justicia o porque la muerte lo sorprendió antes de que pudiera cambiar su testamento. El dinero siempre es un alivio, pero sobre todo en aquel preciso instante, porque 1920 estaba siendo un año de escasez en Valladolid, donde acababa de estallar una revuelta ciudadana que protestaba por el precio del pan y que acabó con violentos saqueos en el mercado del Val.

En cuanto tomaron posesión de su nuevo patrimonio, Buenaventura y Ascensión, con la que se había casado también contra la voluntad de su padre, que esperaba una boda más ventajosa, se olvidaron de la escuela y la sastrería para administrar sus tierras y llevar sus negocios, entre los que se encontraban una bodega, una tienda de ultramarinos que se abastecía con los productos de sus granjas y huertos y una mercería, todas ellas colindantes y situadas en el centro de la ciudad, en la calle Miguel Iscar, justo frente a los jardines del Campo Grande.

Antes de todo eso, Buenaventura y Ascensión vivían cerca del colegio donde él daba clases, en una modesta casa alquilada en los alrededores del Puente Mayor, a orillas del río Pisuerga, y allí es donde nacieron sus dos primeros hijos, Julia en 1916 y Antonio un año más tarde.

Este último moriría en plena infancia, a causa de un accidente que sufrió en una de las plantaciones de sus padres, en 1923. Ascensión, según se decía, nunca pudo superar la pérdida y lo sobrevivió apenas un año y medio. Julia fue, a partir de ese instante, la encargada de educar y proteger a Dolores, y esa tutela se hizo aún más acusada cuando su padre, al que la desgracia había vuelto un hombre duro y amargado que oscilaba entre el alcoholismo y la depresión, decidió enviarlas al mismo internado de Valladolid en que estaba, desde 1920, Mercedes Sanz Bachiller: el Colegio Francés que regentaban las monjas dominicas en la calle Santiago. Allí coincidieron cuatro años las tres mujeres, entre 1927 y 1930, porque aunque la fundadora del Auxilio Social, cuya madre había muerto en 1925, dejó la institución unos meses del año 29 para acabar sus estudios en París, al volver a la ciudad sus antiguas profesoras le dieron permiso para vivir en el colegio, donde estuvo hasta que conoció a su marido, el fundador de las JONS, Onésimo Redondo.

En cuanto a las hermanas Serma, estuvieron en el Colegio Francés hasta dos años antes del inicio de la guerra civil. Parece que Julia, que con dieciocho años ya acababa sus estudios, convenció a su padre para que Dolores saliese también del internado. Acceder a esa petición fue una de las últimas cosas que hizo, porque fallecería dos meses más tarde, en agosto del 34, víctima de una dolencia hepática. Nada más regresar de su entierro, sus hijas supieron, de labios de su administrador, que don Buenaventura estaba prácticamente arruinado: su mala gestión, su desidia, la naturaleza despilfarradora que se fue acentuando en él a medida que se agudizaban sus problemas con la bebida y, finalmente, su incapacidad para adecuarse a los cambios que habían supuesto las nuevas leyes dictadas por la República en favor de los agricultores, lo habían conducido a la bancarrota.

Pese a su juventud e inexperiencia, la audaz Julia supo reaccionar rápido y vendió una parte de los terrenos que les quedaban, la tienda de ultramarinos y la bodega, logró sanear en lo posible las cuentas familiares y se colocó como secretaria en la misma escuela en que había ejercido su padre. La nueva cabeza de familia se tuvo que entregar, por tanto, al pluriempleo, porque las tardes las dedicaba a atender la mercería de la calle Miguel Iscar; pero gracias a su tesón, Dolores pudo acabar sus estudios de bachillerato en otro de los centros docentes más distinguidos de la capital castellana, el Colegio de La Salle, donde tuvo entre sus compañeros al novelista Miguel Delibes. Ambos obtuvieron su título y su diploma, con muy buenas calificaciones, en junio de 1936.

A primeros del mes siguiente Julia se casó, por lo civil, con un muchacho inglés que estudiaba Filosofía y Letras en Salamanca y que había ido a Valladolid a visitar la casa donde Miguel de Cervantes escribió *El coloquio de los perros* y *El licenciado vidriera*. Mientras observaba con veneración aquel santuario, el joven cruzó alguna palabra ocasional con Julia, que en ese instante daba un paseo con unas amigas por la Plaza de España, y tras los saludos y las presentaciones de rigor, el grupo decidió acompañarle a ver la estatua de José Zorrilla, en la entrada del Campo Grande, y la tumba del dramaturgo en el Panteón de Hombres Ilustres del cementerio municipal, por las que les había preguntado el muchacho. Así empezó todo.

Julia y Wystan, que así se llamaba su futuro marido, congeniaron inmediatamente. Él era un gran aficionado al arte y tenía mucho interés en ver las principales obras de la imaginería castellana de los siglos XVI y XVII; y ella, que como amante de la materia, de la que pronto sería profesora, conocía al milímetro los tesoros culturales de la ciudad, sin duda se los enseñó y describió con minuciosidad: es fácil imaginarlos en la iglesia de la Magdalena, con el retablo manierista de Esteban Jordán y su sepulcro del obispo Pedro Lagasca; en la iglesia de San Martín y la de las Angustias, donde está la célebre *Virgen de los Cuchillos*, de Juan de Juni; verlos admirar unas horas más tarde el portal mudéjar del convento de las Huelgas Reales y sus sobrecogedoras estatuas de Gregorio Fernández o el retablo que este mismo maestro del barroco hizo para la iglesia de San Miguel. Debieron de pasear por la Cuesta de la Marquesa, el Cerro de San Cristóbal y el Alto de San Isidro, sentarse en la Fuente de la Salud y dar una vuelta por la ermita de la Virgen de la Victoria. Y también es sencillo suponer que todos esos pasos que daban los iban llevando no ya de una iglesia a otra, sino Julia adentro, Wystan adentro.

Efectivamente, al final de esos dos días, mientras admiraban en el Museo Municipal el *Bautismo de Cristo* de Fernández, el *Santo Entierro* de Juni o el retablo de la iglesia de San Benito, tallado por Alonso Berruguete, Wystan le cogió una mano a Julia y le dijo que debía hacerle una pregunta trascendental: ¿qué eran para ella todas aquellas esculturas y los templos que habían visitado juntos: religión o sólo arte? Julia contestó que había recibido una educación católica pero su fe era muy débil, y Wystan le confesó que simpatizaba con el comunismo y le pidió que, si eso no era para ella un impedimento, se casase con él. Lo hicieron en un juzgado de Valladolid y se fueron a pasar una humilde luna de miel a Salamanca.

Cuando, apenas dos semanas más tarde, se produjo la sublevación y dio comienzo la guerra civil, Julia ya había vuelto a Valladolid con Dolores, pero Wystan estaba aún en Salamanca, empaquetando sus cosas para mudarse a la casa de su mujer. No pudo salir de la ciudad, que estaba llena de patrullas y controles, hasta finales de octubre y, por tanto, no es descabellado suponer que conoció y hasta pudo fácilmente presenciar el célebre enfrentamiento del 12 de octubre de 1936, día de la llamada Fiesta de la Raza, entre el rector de la Universidad, Miguel de Unamuno, y el general Millán Astray, que acababa de lanzar su famoso grito «¡Viva la muerte! ¡Muera la inteligencia!». El autor de *Niebla*, que en principio había simpatizado abiertamente con la causa de los fascistas, dio esta no menos célebre respuesta al fundador de la Legión: «Éste es el templo de la inteligencia. Y yo soy su sumo sacerdote. Vosotros estáis profanando su sagrado recinto. Venceréis, pero no convenceréis, porque convencer significa persuadir y para persuadir necesitáis algo que os falta: razón y derecho en la lucha. Me parece inútil el pediros que penséis en España». Por cierto que la proclama de Millán Astray contra Unamuno se produjo en presencia de la mujer de Franco, Carmen Polo, y después de que acabara el discurso que había dado en la tribuna, vestido rigurosamente de falangista, el dramaturgo José María Pemán.

Al final, Wystan pudo salir de la ciudad y pasar a Madrid, donde se incorporó a la lucha en defensa de la República y, a finales de noviembre, pudo alistarse en las Brigadas Internacionales. Pero esos tres meses debieron de ser duros en un lugar como Salamanca que, lo mismo que Valladolid, se adhirió a los sublevados desde el primer instante, hasta el punto de que Franco fue nombrado alcalde honorífico, se le atribuyó el título de Señor de Salamanca que había ostentado el hijo de los Reyes Católicos, el Príncipe Juan, y el 1 de octubre de 1937, declarado Día del Caudillo para conmemorar el primer aniversario de su proclamación como Jefe del Estado, se colocó un medallón con su busto en el llamado Pabellón Real de la Plaza Mayor, donde están esculpidas las imágenes de los reyes.

Las ofrendas a Franco en Salamanca fueron interminables y llegaron al extremo de que se le dedicara un *vítor*, que como se sabe es una loa académica que se hace a los doctores y consiste en la colocación de una placa en la fachada de la Universidad. En su caso, excepcionalmente, se puso en uno de los paramentos de la catedral «como medio de perpetuar de este modo el movimiento salvador iniciado por el Caudillo». Pero no fue el único en recibir homenajes, porque rápidamente la ciudad se llenó, como tarde o temprano iba a ocurrir en todas las ciudades del país, de calles, plazas y avenidas dedicadas a José Antonio Primo de Rivera, Calvo Sotelo, al general Mola y, cómo no, a un viejo conocido de la familia Serma: Onésimo Redondo.

Mientras Wystan luchaba en Madrid, Julia y Dolores se refugiaron en la casa familiar de la calle Colmenares, adonde, por cierto, se había trasladado también Miguel Delibes, que se instaló casi frente a ellas, en una buhardilla del número diez y con quien, sin duda, debieron encontrarse a menudo. Debían de estar muy asustadas, dado que habían vivido de cerca los pasos previos a la insurrección armada y, en consecuencia, sabían del fanatismo y la crueldad de los rebeldes.

El clima político de la ciudad había sido muy violento en los últimos años, gracias a las actividades terroristas de Onésimo Redondo y sus seguidores, que habían sembrado el pánico durante cinco años, con continuas algaradas callejeras, lanzamientos de explosivos y diversos sabotajes, para desestabilizar al Gobierno de la República. La propia Julia fue testigo directo, el 3 de mayo de 1932, de la batalla campal que libraron ese día los falangistas y los obreros de izquierdas en la Plaza Mayor de Valladolid y que se saldó con medio centenar de heridos graves y la detención y condena, entre otros, del marido de Sanz Bachiller, ideólogo y alentador de la revuelta desde las páginas de *Libertad*, de la que era colaborador Javier Martínez de Bedoya. En su número 28, por ejemplo, aparecido en diciembre de 1931, Redondo publicaba un panfleto titulado «Justificación de la violencia», en el que, tras culpar a «la lucha de clases» de la situación del país, afirma: «Si el Poder es incapaz o tardo para machacar la uña de los agresores, deben encargarse de ello milicias ciudadanas que con el agrado o desagrado del Gobierno cumplan la misión abandonada por éste»; y concluye: «Toda organización de las llamadas de derechas puede y debe aceptar la urgencia de preparar una posible actuación física de los militantes, que coadyuve y ampare la actividad espiritual de la propaganda; todo movimiento derechista que repudie el inmediato ejercicio de la violencia necesaria merece nuestro amable desprecio. ¿Es que estamos todavía en la hora de los sueños mesiánicos, confiando nuestra salvación a un militar o a un orador de circo? ¿O es que nos resignamos a dejar nuestras familias, dignidad y libertades a los pies de la bestia socialcomunista?».

En ese tiempo de provocaciones, atentados y proclamas involucionistas, Julia desarrolló una gran animadversión por los agitadores y empezó a simpatizar con el socialismo, algo que, sin duda, facilitaría más adelante su relación con Wystan, pero que también iba a enfrentarla a su familia, empezando por su tío Marcial, que era militante de la ACNP de Herrera Oria, y siguiendo por la mayoría de sus amistades, que habían visto con indignación, entre otras muchas cosas, la Reforma Agraria que anunciaba el Gobierno y que por entonces participaban de forma activa, junto a otros muchos terratenientes de la zona, en una campaña orquestada para manipular el mercado del trigo, subiendo los precios, desabasteciendo a la población hasta crear un ambiente irrespirable y saturándolo luego para ahogarlo, justo en el momento en que llegaban a España casi 200.000 toneladas del producto traídas de Latinoamérica para paliar la escasez.

En realidad, lo que había pretendido la República no era sólo hacer justicia a cientos de miles de labradores que vivían en un mundo regido por códigos medievales y que aún arrastraba las catastróficas consecuencias de la célebre desamortización de Mendizábal, promulgada en tiempos de la reina María Cristina, y de las leyes caciquiles de Cánovas del Castillo durante la Restauración, sino también adaptar el paso de España al de las principales naciones de Europa, que en los años veinte habían emprendido unas profundas reformas en el sector, cosa que aquí no había ocurrido. En consecuencia, el país seguía estando en muy pocas manos: en 1930, solamente los duques de Alba, Medinaceli, Fernán Núñez, Peñaranda, Vistahermosa, Anón y el Infantado; el conde de Romanones y los marqueses de Comillas y la Romana poseían setecientas mil hectáreas de cultivo y muchas más a las que no daban ningún uso, que eran tierras yermas. La ley, que iba a aprobarse en septiembre de 1932, preveía la regulación de los arrendamientos y obligaba a contratar de forma prioritaria a los agricultores de la zona que estuviesen en paro, pero también ordenaba la expropiación, aunque de forma muy restringida, de una parte de los campos baldíos de la nobleza.

En la provincia de Valladolid, donde el comercio del trigo era una de las principales fuentes de ingresos de los privilegiados, éstos se pusieron en pie de guerra contra la República. Hay dos hechos muy significativos que lo demuestran: el primero de ellos es que en cuanto se hizo público el plan de la Reforma Agraria del Gobierno, el número de afiliaciones a las JONS de Onésimo Redondo se incrementó de forma espectacular; el segundo lo constituye la presencia obsesiva del tema en *Libertad*: entre junio de 1931 y enero de 1932, aparecieron en sucesivas entregas del boletín falangista los textos titulados «Sobre la Reforma Agraria», «Agresión socialista a la agricultura», «La Reforma agraria», «¡¡¡Labradores!!!», «La Reforma Agraria y nuestro ideario», «Ideas de Reforma Agraria: ¿Tierra para los campesinos?» y «Ante la Reforma Agraria».

En esos artículos, después de recordar que su ideología se basa en «la afirmación de la pura nacionalidad hispana y de las posibilidades imperiales de la raza» y que su fin básico es la «eliminación de las mentiras parlamentario-democráticas y del materialismo judío-marxista», empieza por reconocer los «inhumanos desniveles sociales» que asolan el país y por declararse partidario de la entrega de tierras a los campesinos y de una Reforma Agraria que acabe de una vez con «el liberalismo histórico» y con «los privilegios feudales» y logre «arrojar de la nación el esquilmo marxista». En uno de los textos proclama, en aparente sintonía con las tesis republicanas, que «no puede admitirse que millares y aun millones de campesinos vivan una existencia servil, pasen hambre y desconozcan hasta la ambición de redimirse, mientras haya grandes extensiones de propiedad estática». Pero luego, llevándose la contraria a sí mismo, define los planes del Gobierno como «legislación persecutoria para el patrono agrícola»; afirma que desde las Casas del Pueblo la «jauría izquierdista» fomentaba una «amenazadora intromisión en la propiedad de las tierras»; califica los argumentos jurídicos preparados por Fernando de los Ríos para defender la ley como un «engendro» y concluye que las «disposiciones dictatoriales» de la República, además de fomentar «la vagancia y el absentismo», suponían «un verdadero expolio de las clases burguesas, de las clases conservadoras» y, en resumen, «la mayor agresión conocida de tantas como los gobiernos han infligido» al ámbito rural. «El socialismo será la muerte de la Agricultura», sentencia.

La Reforma Agraria tuvo una vigencia de poco más de un año, pues fue abolida en sus principales puntos por el Gobierno de la CEDA surgido en las elecciones de 1933 y que daría lugar al llamado bienio negro. La República había perdido su batalla contra sus enemigos tradicionales, la oligarquía, los partidos de la derecha y las agrupaciones anarquistas, que se dedicaron a romper ante la prensa los folletos explicativos que editaba el Instituto de Reforma Agraria, argumentando que si el Gobierno daba tierras a los campesinos, éstos perderían su fervor revolucionario.

En cualquier caso, las peroratas de Redondo en este asunto son un magnífico ejemplo de la ambigua retórica obrerista de la Falange; pero también es muy delatadora de su talante y del clima bélico que empezaba a fomentar la ultraderecha ya en 1931, su llamada a la acción violenta contra un diario de Valladolid de nombre casi homónimo, *La Libertad*, cuya línea editorial era opuesta a la del líder de las JONS: «¡Labradores! Un periódico vendido a la política, *La Libertad*, se ha permitido injuriar con bajos insultos a los diputados agrarios: guardad este dato y guardad ese nombre. Antes de que Madrid y sus políticos y periodistas hayan terminado de arruinar a la Agricultura, tendréis que ir a purificar por el fuego aquella charca de inmoralidad: ya sabéis una dirección para poner la primera tea». La verdad es que no queda muy claro si el atentado debe dirigirse contra el rotativo, contra el Parlamento o quizá contra ambos. Todo es posible cuando los actos terroristas sustituyen a los argumentos.

No es de extrañar que las hermanas Serma, que habían respirado en Valladolid esa atmósfera de crispación fomentada por los instigadores de la guerra civil, se sintiesen asustadas cuando se produjo el Alzamiento y los sublevados dieron inicio a una represión sangrienta en toda la comarca. Si Julia había tenido ideas socialistas y éstas eran del dominio público, estaba en peligro. Más aún si la ideología de Wystan, su flamante marido, era conocida por los sediciosos.

Fui a la cocina para prepararme un café y, de vuelta a la biblioteca, releí lo que había estado escribiendo y le añadí al texto un breve relato de la masacre llevada a cabo por los golpistas en Valladolid, que ustedes ya conocen, y al concluir ese apartado, como no sabía mucho más sobre la vida y milagros de las hermanas Serma durante la guerra civil, tuve que saltar directamente a 1940.

«No se sabe a ciencia cierta cuándo empezó a escribir la autora de *Óxido*, ni si intentó algún otro escarceo literario antes de emprender la redacción de esa novela. Tampoco sería tan extraño que no hubiese sido así: por poner un ejemplo muy próximo a ella, su amiga Carmen Laforet no había escrito nada más que un par de cuentos —los dos, por cierto, ambientados en la guerra civil— antes de comenzar el manuscrito de *Nada*: uno que publicó en la revista santanderina *Mujer*, y otro titulado "La última noche" que luego incluyó en sus *Obras completas*. Tal vez Serma no hizo ni siquiera eso antes de ponerse a trabajar en su única novela conocida.»

En 1939, Dolores Serma y Miguel Delibes emprendieron juntos la carrera de Derecho, aunque ninguno de los dos tenía vocación de abogado, así que ambos iban a abandonar las aulas pronto, ella con la intención de estudiar Filosofía y Letras y él para incorporarse, en calidad de caricaturista, a la redacción del diario local *El Norte de Castilla*, en el que pronto pasaría a desempeñar también funciones de redactor. Eso sí, Delibes consiguió licenciarse en apenas dos años, y no sólo en Derecho, sino también en Comercio, a base de cursos intensivos. Por esas fechas, la autora de *Óxido* y Delibes, que de niños habían jugado cientos de veces juntos en el llamado Campo Grande, un parque que estaba frente a sus casas, solían reunirse en el Café Royalty de la calle Santiago, para hablar de libros y literatura.

En cuanto a Julia, parece que corrían graves rumores sobre ella por la ciudad, murmuraciones que ya la marcaban, echando mano del lenguaje acusador de los vencedores, como desafecta. De momento, sin embargo, las cosas no fueron más allá y a mediados del año 40 empezó a dar clases en el colegio donde, como recordará el lector, ya trabajaba de secretaria, tras acogerse al llamado Plan de Bachilleres Maestros, un curso de habilitación muy simple que consistía en adquirir algunas nociones de pedagogía y acreditar unos conocimientos básicos de la asignatura que iba a impartirse, que en su caso era Historia del Arte. La razón de todo ello era que se necesitaban urgentemente educadores en el país, para reemplazar a los miles que habían sido ejecutados o purgados y a los muchos que estaban en el exilio: no se olvide que los profesores, tanto los universitarios como los de Primaria y Bachillerato, estuvieron entre las víctimas predilectas de la brutal represión de los sublevados, que los consideraban propagadores de la doctrina republicana. Y recuérdese también que la educación había sido, junto a la agricultura, uno de los campos de batalla donde se había librado la lucha de izquierdas y derechas entre 1931 y 1936, sobre todo a partir del instante en que la República promulgó un decreto de libertad de conciencia, que eximía a alumnos, padres y profesores del deber incontestable de enseñar y aprender religión. La Iglesia montó en cólera, y buen ejemplo de ello es la pastoral que ese mismo año hizo pública el cardenal Segura, arzobispo de Toledo y primado de la Iglesia Católica española, en la que, en un tono bastante acorde al de las soflamas de Onésimo Redondo, llamaba a sus fieles «a perder la pasividad y a actuar firmemente contra aquellos que intentan destruir la religión, aunque haya que sucumbir gloriosamente».

A modo de respuesta, la República aprobó en mayo de 1933 la Ley de Confesiones y Congregaciones Religiosas, por la que se prohibía a éstas dedicarse a la enseñanza y se ordenaba sustituir sus escuelas por centros laicos al final de ese mismo curso; pero el plan nunca llegó a ponerse en práctica, primero por el resultado de las elecciones de ese mismo año, de las que salió un Gobierno de coalición formado por el Partido Radical y los católicos de la CEDA; y más adelante, cuando iba a retomarse el proyecto, tras el triunfo del Frente Popular en los comicios de 1936, porque lo impidió la guerra civil. Poco antes, el jesuita Enrique Herrera Oria había hecho público este mensaje electoral: «Votad a quien se compromete a defender las escuelas de vuestros hijos. Votad a quien se compromete a traer de nuevo a las escuelas el Catecismo y el crucifijo, que es el Maestro por excelencia».

Con esos prolegómenos, la persecución de los docentes durante y después de la guerra civil no podía sino ser cruel, y más de 60.000 fueron represaliados o tuvieron que pasar a la clandestinidad. La cacería comenzó nada más declararse la guerra y, a modo de ejemplo, podemos recordar que al propio Federico García Lorca lo sacaron del Gobierno Civil de Granada, el 18 de agosto de 1936, esposado al maestro nacional Dióscoro Galindo González, con quien lo iban a matar y lo enterraron en una fosa común de Víznar. Julia Serma, dadas sus circunstancias laborales y personales, tenía que sentirse muy amenazada, y su hermana Dolores, pese a su juventud, también debía de ser consciente del peligro en que se encontraban.

Desde Burgos, entonces la capital de los sediciosos, los boletines de la Comisión de Cultura y Enseñanza, que presidía el autor del *Poema de la bestia y el ángel*, José María Pemán, arengaban de este modo a los Comités Depuradores de Instrucción Pública: «Es necesario garantizar a los españoles, que con las armas en la mano y sin regateos de sacrificios y sangre salvan la causa de la civilización, que no se volverá a tolerar, y menos a proteger y subvencionar, a los envenenadores del alma popular. Los individuos que integran esas hordas revolucionarias cuyos desmanes tanto espanto causan, son sencillamente los hijos espirituales de catedráticos y profesores que, a través de instituciones como la llamada Libre de Enseñanza, forjaron generaciones incrédulas y anárquicas».

Poco después, pero aún en plena guerra civil, los sediciosos crearon unas Comisiones Provinciales que exigían a todos los docentes una depuración que probara sus tendencias políticas para poder seguir trabajando: se les pedía que delatasen a sus compañeros y detallaran «qué hacían antes del 18 de julio, cómo recibieron el Alzamiento, cuál era su filiación política y sindical y en qué consistían sus actividades diarias». Su declaración debía adjuntar informes del alcalde, el cura y la Guardia Civil. Julia Serma no había desarrollado ninguna acción política, no estaba afiliada a partido o sindicato alguno y, además, era heredera de un apellido muy respetado en Valladolid, de modo que no pudo tener, en principio, demasiados problemas. Éstos, sin embargo, llegarían más tarde y, muy probablemente, a causa de alguna denuncia. ¿Cuándo ocurrió eso y quién iba a delatarla?

La verdad es que esa pregunta no iba a ser fácil de responder, porque el fin de la guerra supuso el inicio de una multitudinaria persecución de los derrotados y las denuncias eran el pan nuestro de cada día. Los motivos podían ir del odio ideológico o el rencor personal hasta la avaricia, puesto que muchos denunciaban a sus vecinos de pasado republicano para quedarse con sus propiedades, que por lo general les eran confiscadas por la Comisión Nacional de Incautaciones. A veces los delatores eran los propios compañeros de trabajo de la víctima, como le sucedió al filósofo Julián Marías, acusado por dos colegas de la Universidad que, en compensación, fueron pronto ascendidos a catedráticos. En otras ocasiones el soplo lo daba un familiar, y así le ocurrió a la escritora y periodista madrileña Carlota O'Neill, que cuenta en sus memorias, *Una mujer en la guerra de España*, cómo tras ser fusilado su marido, que era capitán de la aviación republicana, y condenada ella a cinco años de cárcel, supo que quien había testificado en su contra fue su propio suegro, el coronel del ejército franquista Carlos Leret, que la culpaba de las ideas liberales de su hijo y que tras conseguir que fuese encerrada en un infecto calabozo de la prisión de Melilla, entregó la custodia de sus dos nietas al Tribunal Tutelar de Menores e hizo que las ingresaran en un remoto hospicio militar de

Aranjuez. A otra de sus compañeras de presidio, una niña de diecisiete años llamada Maruja, la había denunciado «por roja» su propia madre, en un cuartel de la Falange.

O'Neill —cuyo libro había leído, al igual que otros de las militantes comunistas Tomasa Cuevas y Juana Doña o una biografía de su camarada Matilde Landa, para informarme de cuáles eran las condiciones de vida de las presas republicanas, puesto que eso es lo que había sido Julia Serma, en las cárceles franquistas— relata los primeros momentos del golpe de Estado y la brutal represión llevada a cabo por las escuadras falangistas en la ciudad colonial, a través de los testimonios de las personas con que se encuentra mientras busca noticias sobre su esposo, poco antes de ser ella misma encarcelada: «Matan y torturan a los hombres; sacan a las mujeres de sus casas y, después de violarlas, las asesinan en las carreteras». «¡Las losas del cementerio aparecen, por la mañana, llenas de cuerpos sangrantes! ¡Yo los vi! Fui a acompañar a una vecina anciana porque su hijo no aparecía por casa en tres días. Y allí estaba, con el cuerpo torturado y acribillado a balazos; acababa de cumplir diecisiete años.» «En esa casa de enfrente vive un doctor en medicina. [...] Tiene una hija que se muere poco a poco. [...] La purgaron los falangistas, no con aceite de ricino: con gas-oil. Sus padres estaban delante y veían cómo a la muchacha se le abrían mucho los ojos, como si fueran a saltársele; varios hombres la agarraban, ella vomitaba, no podía tragar, le metían en la boca lo que había vomitado. La madre se volvió loca, y ahí la tienen, en la casa, sin saber qué hacer con ella.»

Ya presa, las historias que conoce por sus compañeras de cautiverio siguen ofreciendo un panorama espantoso:

«Las madres de familia, las abuelas, iban a dar con sus huesos a los calabozos de la policía; de allí, a la cárcel. Las jóvenes que atrapaban eran otra cosa: pertenecían, en su mayoría, a las juventudes sindicales obreras; sabían leer y entendían de reivindicaciones. Los falangistas iban a buscarlas por las noches; sollozos y protestas de padres las hacían más excitantes. Y se las llevaban; las violaban en el campo; caían sobre ellas, uno después de otro, como perros. Unas morían en la brega; a otras las mataban; algunas iban a la cárcel. En la policía les querían sacar las declaraciones a fuerza de correazos y golpes. Les cortaban el pelo al rape, dejándoles plumeritos como cuernos; los barberos improvisados formaban coro de risas; luego rasgaban pechos y vientres antes de enterrarlas».

En ese ambiente, no es de extrañar que Julia Serma también fuera denunciada, quién sabe por quién, a causa de sus convicciones socialistas y su matrimonio con un voluntario de las Brigadas Internacionales; ni que perdiera el juicio tras estar encerrada seis años en la prisión de Ventas. Aunque eso último suscita un par de cuestiones. La primera es por qué la trasladaron a la capital, cuando lo lógico hubiera sido recluirla en cualquiera de las cárceles que había en Valladolid. ¿Tan peligrosa la consideraban? La segunda es ésta: ¿cómo es posible que pasara ni más ni menos que seis años en la cárcel y, por lo que se ve, tan duros que llegaron a minar irreparablemente su salud? ¿Cómo es que ni su posición, aunque fuera la de terrateniente venida a menos, ni sus apellidos, ni la influencia sucesiva de Mercedes Sanz Bachiller y Carmen de Icaza pudieran rescatarla?

Sea como sea, en cuanto supo su paradero, su hermana Dolores se trasladó también a Madrid, para estar cerca de ella e intentar liberarla. Una vez allí, imploró la ayuda de su antigua vecina y condiscípula del Colegio Francés de Valladolid, la influyente directora del Auxilio Social, Mercedes Sanz Bachiller, se afilió a la Falange y unos meses más tarde retomó sus estudios de Derecho, con la convicción de que de esa forma podría ayudar mucho mejor a Julia, a quien habían aplicado la temible Ley de Responsabilidades Políticas. En la facultad, coincidió con Carmen Laforet y las dos jóvenes se hicieron muy amigas. Serma acabó su carrera como lo había hecho Delibes en Valladolid, a base de cursos dobles e intensivos.

Me detuve ahí, porque estaba agotado. Era ya tarde, no había comido nada en todo el día y mi estómago llevaba media hora haciendo un ruido más que indecoroso, algo así como una mezcla de tractor ruso y señuelo para patos. Además, los ojos me escocían, empezaba a ver doble y las letras se me hacían borrosas, hasta el punto de que mis notas iban perdiendo poco a poco sentido y parecían insectos a punto de volarse. Cuando me levanté, mis músculos crujieron igual que gomas secas. Había que parar, sin duda.

Apagué el ordenador y me bebí el café que quedaba en el termo que me había preparado después de desayunar, creyendo que eso me reconfortaría, pero no fue así: estaba amargo, con un sabor como a metal o tinta, y pareció cortarme el estómago con ese filo que les sale, de repente, a las cosas que se quedan frías. Un desastre.

Salí de la biblioteca satisfecho de cómo iba la semblanza de Dolores Serma y orgulloso por la forma en que había podido trabajar casi doce horas seguidas, sin distracciones, con eficacia y manteniéndome tan atareado que, si me permiten la broma, creo que sólo había podido respirar los minutos impares. Qué triunfo.

Al cruzar el jardín me gustó el golpe del aire helado en la piel: era algo tonificante, higiénico, una especie de combustible que te reponía, te oxigenaba. Me quedé ahí un instante, bajo aquel pequeño bosque incongruente de membrillos, olmos y almendros que había plantado mi padre hacía más de cincuenta años, sintiéndome en paz con el mundo y dándome cuenta de que eso no me pasaba desde hacía mucho, muchísimo tiempo. Qué raros somos, ¿no?

Entré al edificio principal, hice una llamada a Virginia para que me contase cómo marchaba la cena de Natalia Escartín en el Deméter y, nada más colgar, le propuse a mi madre salir a cenar, nosotros también, a algún buen restaurante. ¿Qué le parecía el plan: ella y yo, rodeados de velas encendidas, disfrutando de un buen vino y con tiempo para charlar?

Aceptó de mil amores.

Capítulo doce

Pasaron las Navidades y llegó enero, con su niebla al amanecer, sus días fríos y sus productos rebajados. La gente fue a los grandes almacenes en tromba, y corrió entre los expositores y las mesas en busca de un saldo, una ganga. «Gaste su dinero y lo ahorrará», vienen a decir los anuncios que los llevan allí, año tras año, y siguiendo esa recomendación los consumidores revuelven, atisban, discuten, pagan; sus ojos saltan de una etiqueta a otra igual que un loro cambiando de columpio y hay quien se llevaría a casa a Jack el Destripador, si se lo dejasen a buen precio. Lo que hay que ver.

El final de las vacaciones y la vuelta al instituto no trajeron, en principio, grandes noticias, sólo su traqueteo maquinal, su vida a granel y sus horas sin perfume, tan asépticas e iguales entre sí como un par de guantes de látex. Regresé a las citas de nueve a doce, las clases inocuas y las comidas en el Montevideo, aunque, a decir verdad, todas esas cosas se habían convertido en un simple paréntesis: mientras estaba abierto, procuraba no implicarme en lo que hacía, cumplir honradamente con mis obligaciones y, a partir de ahí, atenerme a la recomendación del moralista Jules Renard: hay que saber nadar lo justo para abstenerse de salvar a otros; en cuanto el paréntesis se cerraba, me sumergía en mi *Historia de un tiempo que nunca existió*, cuyo primer capítulo pronto iba a poder acabar gracias a una ayuda de Natalia Escartín, que llegó de la forma más extraña y, en mi opinión, por motivos que poco o nada tenían que ver con la literatura. Se lo contaré en un momento.

Las aguas se agitaron una mañana de finales del mes, justo al acabar una reunión del claustro de profesores en la que Miguel Iraola nos había vuelto a alertar, con gran lujo de detalles y su clásica gesticulación de marqués de vodevil, sobre el ínfimo nivel de sus alumnos, había entonado su característico canto a las Matemáticas y, finalmente, tras sacar un pañuelo del bolsillo de su americana con el mismo ademán con que un don Juan Tenorio cualquiera habría sacado su espada, se enjugó la frente y remató su monólogo de Segismundo de las aulas diciendo: «... porque cada vez que veo en clase a gamberros como Ríus y Martínez, sé que el problema no es que tengamos un mal curso de bachillerato, sino que vivimos en una sociedad degradada». La verdad es que ese hombre debía de tener una vida muy vacía.

La reunión terminó y acababa de entrar a mi despacho cuando recibí la llamada de un inspector de la Consejería de Educación de la Comunidad de Madrid para informarme de que Bárbara Arriaga había interpuesto una demanda contra mí, acusándome de «trato discriminatorio y abuso de autoridad». Me lo esperaba, como ya saben, porque en gran medida yo mismo había provocado el conflicto, y me alegré de que al fin empezase la batalla, porque si sabía manejar la situación, le sacaría provecho al problema.

Supongo que les extrañará lo que acabo de escribir, pero tiene una explicación: se me había ocurrido que, con un poco de suerte y otro tanto de habilidad, podría dimitir de mi puesto de jefe de estudios usando como disculpa el altercado con la profesora de Física y Química. Me libraría de esa responsabilidad estúpida y agotadora, de las reuniones, las visitas y los asuntos de intendencia, y tendría más tiempo para mí y menos trabajo. Si espantaba a los vampiros mi sangre volvería a ser sólo mía. No saben lo que deseaba que eso ocurriese, ahora que tenía una misión, si me permiten que lo llame de ese modo.

Tengo que explicarles que dimitir del cargo de jefe de estudios en un Instituto de Enseñanza Secundaria no es tarea sencilla. Tengan en cuenta que uno llega a ese puesto después de haberse presentado voluntariamente y como parte de un equipo de dirección, por lo que no resulta fácil saltar del barco en medio de la travesía, y aún lo es menos encontrar a otro que se ocupe de la responsabilidad que tú abandonas. Porque, obviamente, todos los profesores saben de qué va esto y a casi nadie le interesa encerrarse en una jaula en la que yo, como ya les conté en su momento, me metí solo y por razones tan mezquinas que la verdad es que merezco cada uno de los quebraderos de cabeza que tuve. No saben lo que me hubiera gustado en aquellos días poderme desdoblar para que uno de mis dos yoes señalara al otro con el dedo y le dijera: te está bien empleado, por idiota. Pero, en fin, qué le vamos a hacer.

El caso es que si sabía jugar mis cartas e interpretaba convincentemente mi papel, Bárbara Arriaga, bendita víbora, iba a hacerme un gran favor con su denuncia. ¿Y cuál era ese papel? ¿El de un defensor de la disciplina y la obediencia, con alma de capataz y modales de sargento de la Legión? Ni hablar. ¿El de un jefe ofendido por la insolencia de una subordinada? Tampoco. Lo más oportuno, me dije, sería representar a un hombre sin recursos, alguien desbordado por el caudal de sus obligaciones y a punto del colapso total; un Juan Lanas, que diría mi madre; un pusilánime sin respuestas y sin templanza, incapaz de soportar el peso de sus responsabilidades y, por todo ello, peligroso para el sistema educativo en general y, más en concreto, para el propio inspector que me telefoneó esa mañana y que después de hablar media hora con el depresivo agudo que yo fingí ser, debió de empezar a oír voces que lo acusaban desde el futuro: «Pero, ¡señor mío, en qué estaba pensando usted!», «¿Por qué no se ocupó del problema a tiempo?», «¿Para qué cree que se le paga?». Quizás el único sitio en que existían esas voces era en mi cabeza, pero hubiese jurado que aquel chupatintas, un tipo de voz pastosa que hacía que sus palabras pareciesen mojadas y que, entre frase y frase, emitía justo el ruido, una especie de cloqueo, que harían las gallinas acuáticas si existieran, sí que se quedaba preocupado. Pronto saldría de dudas.

Aparte de ese suceso, mi vida no sufrió aquel mes grandes alteraciones.

No puede decirse lo mismo de la de Virginia, que gracias a aquel giro de las ruedas del azar que se produjo la tarde en que se me ocurrió sugerirle a Natalia, más en broma que en serio, que ella y sus amigos celebraran la cena de Navidad en el Deméter, empezó a mejorar. Resulta que a casi todos los comensales de aquella noche, a quienes no resulta difícil imaginar como personas ocupadas y tensas, del mismo estilo de la propia doctora Escartín, les gustó su comida y, por añadidura, se fueron encantados del ambiente que se respiraba en el restaurante, de la paz que les proporcionaba la mezcla de colores y aromas en que, como ya les he comentado, consiste la técnica decorativa del ikebana, y seducidos por las explicaciones que les dio Virginia acerca de las ventajas de la macrobiótica. Sin duda, volvieron a sus casas seguros de haber descubierto un lugar original y bueno para su salud, porque muchos de ellos no sólo regresaron inmediatamente con sus amigos y familiares, sino que un grupo, formado por los cuatro o cinco que trabajaban por la zona, empezó a dejarse caer por allí a diario; y muy pronto esos mismos y otros colegas a los que habían avisado de su hallazgo convirtieron el Deméter en una sede fija donde celebrar sus almuerzos de negocios. Entre unas cosas y otras, en un par de meses mi ex mujer pudo cicatrizar algunas deudas y, aunque no salió enteramente de su crisis económica, sí que empezó a ver entre tanta oscuridad algún destello de la fortuna. Como mínimo, las cosas volvían a tener cara y cruz, no como hasta entonces, que tiraba un puñado de monedas al aire y le salía un cementerio. Pronto, hasta pudo contratar a una cocinera japonesa, llamada Nayaku, para que la ayudase a llevar el negocio.

Una mañana, al salir del instituto, me llevé la sorpresa de que Virginia me estaba esperando en los escalones de la entrada. Era lunes, aunque eso daba igual porque el Deméter, por aquel entonces, aún abría la semana completa, y lo cierto es que me temí que llegara con malas noticias y hasta, lo reconozco, cometí la ruindad de preguntarme si habría ido a pedirme otra vez dinero. Pero resultó que era justo lo contrario: estaba allí para devolverme el préstamo que le hice la primera noche que cenamos en el Café Star. Avergonzado, casi le supliqué que me hiciera el favor de no dármelo todavía, que se lo quedara hasta que el horizonte se despejase del todo. Fue inútil.

—No te creas —dijo—, si en realidad lo hago tanto por ti como por mí. Porque, ¿sabes?, saldar mis deudas me hace sentir bien, es..., ¿cómo te lo explicaría?..., es igual que si cosiera poco a poco una tela rota. ¿Me comprendes?

—Sí. Creo que sí. Pero, de todos modos, te aseguro que en estos momentos...

—... no lo necesitas. Vale, pero da igual —me interrumpió—, porque es tuyo y porque es mi manera de decirte..., bueno..., que en esta época en que he estado tan sola...

Se detuvo ahí, y durante unos segundos la vi luchar desesperadamente contra las lágrimas, morderse los labios y, tras un gran esfuerzo, tragarse quién sabe qué, si un pensamiento o un demonio líquido, cómo saber lo que son esos grumos que se le hacen a la emoción y de dónde adónde van, tal vez de la boca al hígado, tal vez desde los ojos al estómago o de la cabeza hasta el corazón. De cualquier forma, fuese lo que fuese, se le vio en la cara que su sabor era amargo, muy amargo, eso seguro.

Le pregunté si quería tomar un café en el Montevideo, pero no le era posible: debía regresar al Deméter, para prepararlo todo con Nayaku. Por cierto, que la llegada de la cocinera japonesa había atraído nuevos clientes al local, compatriotas suyos aficionados a la cocina Zen. Virginia me contó que su nueva empleada había trabajado en los restaurantes de algunos hoteles de lujo de su país, de Vietnam y Corea del Norte, y que algunos de los ejecutivos que ahora iban a comer a su restaurante la conocían de esos lugares. Casi como en ese cuento maravilloso de Isak Dinesen, *El festín de Babette*.

La vi alejarse, y sentí el desconcierto que era habitual cuando estaba con ella. Es tan raro cuando reencuentras a alguien con quien lo compartiste todo pero a quien ya no te une nada; es, cuando menos, una extraña manera de ser dos desconocidos, ¿no creen?

En el Montevideo, tomé arroz saborizado y un par de copas de Château Cantemerle, y hablé con Marconi del negocio y de sus impresiones acerca de los últimos sucesos políticos en Uruguay, donde el nuevo presidente de izquierdas acababa de anunciar que se juzgaría a los causantes de la represión y se investigaría a fondo el paradero de las personas desaparecidas en la época de la dictadura, y en especial el de los niños robados a sus familias por los sediciosos con los mismos fines con que otros muy similares a ellos lo habían sido, cuatro décadas antes, en la lóbrega España de Franco. Ya ven, los apellidos de los déspotas cambian, pero su enfermedad moral es siempre la misma. Y también lo son, me parece, los semilleros de los que surge la planta venenosa de las dictaduras: no existirían los tiranos si no existiesen quienes los desean, están dispuestos a transigir con ellos o los justifican intelectualmente. Piensen en Ridruejo, pero también en Ramiro de Maeztu, según el cual a las masas sólo se las podía educar blandiendo «la palmeta del dómine y el látigo de domador». O en el supuesto liberal Gregorio Marañón, que en su libro *Amor, conveniencia y eugenesia* sostenía ideas muy similares a las de Vallejo Nájera, como que el fin último del matrimonio es la mejora de la raza, ya que «no hay pecado comparable al de crear seres física y espiritualmente inferiores», y que en lo que debe pensar toda pareja es «en el supremo interés de la especie», de modo que «en los reconocimientos de quintas, los jóvenes desechados para la vida del cuartel por enfermos, por defectuosos o por débiles, debían ser también eliminados de la paternidad».

—No sé a ti qué te parecerá todo esto —le dije a mi madre aquella noche, mientras cenábamos arroz con damascos y unos bollos de mijo con manzana que me había enseñado a preparar Virginia—, pero a mí me resulta mucho más sencillo relacionar estas teorías de Gregorio Marañón con las del coronel Vallejo Nájera que con las ideas liberales.

—Bueno —contestó, feliz con el debate que se avecinaba—, pero la idea de la eugenesia no se la inventó Marañón. Alguna gente de izquierdas también la tenía. Si no recuerdo mal, de eso es de lo que trata, más o menos, *Camino de perfección*, de Baroja.

—Ah, pero ¿es que tú sigues considerando a Pío Baroja un hombre de izquierdas? ¿A alguien que opinaba que las únicas personas decentes de este mundo son los ricos?

—No me vengas con martingalas. ¿Dónde dice eso?

—En un artículo titulado «El disimulo y la hipocresía». Te lo dejo leer cuando quieras.

—Hombre, pues eso sí que es un poco hablar por boca de ganso, la verdad.

—Mamá... Es algo más que eso, ¿no crees?

—No te digo que no, pero en fin... La obra de Baroja es muy extensa y, claro, siempre vas a encontrar algún desliz, entre tanta tinta.

—Mira, entre un desliz y eso hay la misma diferencia que entre encontrarse un pelo en la sopa o encontrarse el bigote de Nietzsche.

—Bueno, bueno...

—¿Y lo que dice de las mujeres liberales, a las que llama «unos ballenatos tristes, unas pobres gordas neurasténicas que parecían salidas del mostrador de una mondonguería»? ¿Qué te parece? ¿No vuelves a ver en esas líneas una buena inspiración para el coronel Vallejo Nájera y su concepto del marxismo como enfermedad mental?

—¿Y no estarás tú cayendo, te lo repito una y mil veces, en el mismo error de considerar monstruos a todos tus contrarios?

—No, por desgracia es justo al revés. Lo más terrible es que muchos de ellos no fueran monstruos, sino personas refinadas cuyo refinamiento no pudo borrar su mentalidad retrógrada. ¿Cómo va a ser un monstruo o un mentecato Marañón, un endocrino respetado internacionalmente, doctor *honoris causa* por algunas de las principales universidades del mundo y miembro de las Academias de Ciencias, Medicina, Historia, de la Lengua y Bellas Artes? ¿Cómo va a ser un monstruo Carmen de Icaza? Es algo más raro y más complejo, como si el odio de clase neutralizara la razón.

—O sea, que, según tú, son habas contadas: ser de derechas es volverse loco.

—Ser fascista, no de derechas, es no creer en la justicia, la razón, la democracia y la libertad. De derechas, conservadores o como quieras llamarlos, eran Azorín o Jorge Guillén, y aunque fuesen cobardes o cínicos, no llegaron a ser indecentes. No te confundas, porque entre ellos habría payasos como D'Ors que se hacían armar caballeros de la Cruzada y estupideces de ese tipo, pero también personas como Ridruejo, Marañón o Pío Baroja que no tienen siquiera el atenuante de la estupidez.

—Te olvidas de lo que sueles olvidarte siempre, y es que aquí lo que hubo que hacer fue elegir entre Franco y el comunismo. Ya sabes de lo que hablo: los treinta millones de personas que asesinó Stalin, los cincuenta que asesinó Mao Tse-tung, el Muro de Berlín, el Archipiélago Gulag...

—No es verdad. Os han engañado. No es verdad que la única opción fuera Franco o Stalin. El resto de los países de Europa no tuvieron que elegir entre dos asesinos. ¿Hubo Franco o Stalin en Inglaterra o en Francia o en Suecia? ¿Lo hubo incluso, al acabar la guerra, en Alemania o Italia?

—¿Y en Polonia, en Checoslovaquia, en Yugoslavia o en Hungría? ¿No hubo ahí Stalin? ¿Y en la otra mitad de Alemania? Hijo, cuidado con lo que dices, que por la boca muere el pez.

—De modo que podemos justificar los crímenes de Franco porque si no los hubiera cometido él, lo habría hecho Stalin. ¿No? Aunque entonces, siguiendo esa lógica, habrá quienes justifiquen los crímenes de Stalin porque, si no, los habría cometido Hitler. Y así hasta el infinito. Un gran argumento, sin duda.

—No digas disparates, ni me quieras hacer comulgar con ruedas de molino. Y sé más piadoso con los demás.

—¿Porque eso me hará más justo? Bonito sermón.

—No, no te hará más justo, sino más preciso. Porque si lo reduces todo a una cuestión de ángeles y demonios, no comprenderás nada. Las cosas no son tan sencillas.

—Pues, si quieres que te diga la verdad, después de leer cientos de libros y de trabajar en el tema todos estos años, yo he llegado justo a la conclusión contraria, y me parece que las cosas son sencillísimas: aquí hubo fascistas y demócratas. Nada más.

—Hombre, pues los falangistas, con José Antonio Primo de Rivera a la cabeza, también se presentaban a las elecciones...

—Desde luego. Se presentaron a las del 36 y no sacaron ni un solo escaño. De hecho, les votaron cuarenta mil personas en toda España. Pero y qué les importaba, si ya lo había avisado el propio José Antonio: «La Falange no acatará el resultado electoral. Si el resultado de los escrutinios es contrario, peligrosamente contrario a los destinos de España, la Falange relegará con sus esfuerzos las actas del escrutinio al último lugar del menosprecio». Ya lo ves: gente que creía en las urnas y gente que creía en las pistolas.

—Ya, pero los había de las dos clases en ambos bandos, y eso es lo que tú no quieres aceptar.

—¿Aceptas tú que la República la habían elegido los ciudadanos y a Franco lo eligieron los tanques?

La discusión siguió por esos callejones sin salida durante un buen rato, hasta que mi madre, siempre hábil, intentó sacarnos del lodazal llevándome a su terreno. A mí me emocionaba verla recurrir a sus mañas de siempre.

—No cometas el error de pensar que aquí y en la posguerra éramos todos iguales —dijo—, ni que nos creímos a pie juntillas todo lo que nos contaban. Ni los hombres ni las mujeres. Claro que algunas se metieron en la Sección Femenina a coser delantales y en los comedores del Auxilio Social a servirles sopa a los huérfanos; y otras se quedaban en casa oyendo en la radio *Antoñita la fantástica*, de Borita Casas, o *La hora de la mujer*, de Julita Calleja. Yo prefería ir al teatro, leer y cultivarme un poco. Y como yo muchas personas.

—Sí, viendo obras de Pemán o Calvo Sotelo, el inmortal creador de *Una muchachita de Valladolid* y *Plaza de Oriente*.

—Y de Casona, Buero Vallejo, Mihura, Jardiel Poncela...

—Bueno, no me niegues que Pemán estrenaba sin parar y que vivió a cuerpo de rey gracias al teatro. Ya ves tú, con bodrios como *La viudita naviera*.

—Pero no me salgas otra vez con Pemán, que ya te he dicho que siempre me importó un bledo. Vi esas obras que dices —y, por cierto, no se me olvida el jolgorio que se montaba en el Reina Victoria con *La viudita naviera*, cuando salía al escenario una murga gaditana— y también vi otras que tú ni sabes que existen: *La coqueta y don Simón*, *Yo no he venido a traer la paz*, *Hay siete pecados*... Siempre me parecieron sensibleras, facilonas y mal escritas. Sin embargo, recuerdo haber visto en el Español muy buenas adaptaciones suyas de *Antígona*, de *Edipo* y de *Hamlet*.

—Vaya, ¿en serio? ¿Y cómo eran su Antígona y su príncipe Hamlet? ¿Ella de la Sección Femenina y él del Opus?

—Lo que de verdad me gustaría —continuó, pasando por alto mi comentario— es que leyeras, por ejemplo, alguna cosa de Agustín de Foxá; no sé, *El beso de la bella durmiente*, *Baile en capitanía* y, sobre todo, *Gente que pasa*, y pudieras aceptar que son muy buenas, aunque el que las escribió no sea de los tuyos. ¿Y Mihura? ¿No son acaso buenas obras *Maribel y la extraña familia* o *La bella Dorotea*, aquella que trataba de una mujer que no se quiere quitar el traje nupcial? O *Mi adorado Juan*, que vi con tu padre en la Comedia, protagonizada por Alberto Closas, y a los dos nos gustó a rabiar.

—Yo puedo leer una obra de Foxá y darme cuenta de que es un buen escritor. Lo mismo me ocurre con Edgar Neville y, por descontado, con Baroja, que es uno de mis novelistas favoritos. Pero eso no tiene nada que ver con que fueran una pandilla de miserables. Otra cosa es que después casi todos maquillaran sus biografías y sus bibliografías. Aunque, por descontado, les dio igual: en cuanto les levantas las alfombras a sus embustes, vuelve a aparecer toda la basura.

—No me agrada que seas tan radical, hijo. Ni me gustaría que escribieses un libro lleno de rencor.

—No es rencor, es afán de verdad. Es asco hacia los criminales y sentido de la justicia —rematé, sin duda envalentonado por el vino que había tomado durante la cena y el vodka que bebía en aquel instante.

—Pero ese asco te puede cegar. Recuerda aquella frase de Robert Kennedy: «Lo malo de los extremistas no es lo que dicen de su causa, sino lo que dicen de sus oponentes».

—La verdad, mamá: cuando se escribe, de lo único que se trata es de decir la verdad.

—Pero hay cosas que no deben removerse.

—¿Por qué?

—Para no desenterrar viejos odios.

—Fíjate —proseguí, siendo yo, en esa ocasión, quien ignoraba sus palabras— en cómo defendían Dionisio Ridruejo o Torrente Ballester a Hitler en el año 44; o en el mismo Eugenio d'Ors, a quien calificaron como «el Sócrates de la España nueva», pese a ser un filósofo de tercera fila, y en el modo en que admiraba abiertamente a Mussolini.

—Hombre, también a Valle-Inclán le hacía gracia el Duce.

—Lo de Valle-Inclán fue una locura transitoria. Pero D'Ors prologó un libro suyo; habla de él, en su *Nuevo glosario*, como de un gran estadista que «piensa en la estructuración de Italia y de Europa»; lo llama «artesano de la nueva Roma» y lo considera, literalmente, el creador de «una especie de Santa Alianza». Como premio, lo nombraron director general de Bellas Artes y se inventaron una cátedra de Ciencia de la Cultura, especial para él, en la Universidad de Madrid. ¿Qué me dices? Qué bien se repartieron el pastel que habían robado, ¿no?

—Pues podría preguntarte, por ejemplo, de qué te va a servir sacar esas cosas a la luz, tantos años después.

—La verdad, mamá. Ya te lo he dicho: se trata de restablecer la verdad, y eso sólo se consigue haciendo antes el inventario de las mentiras.

Le comenté algunas de las notas que había tomado sobre el libro de Pemán *Mis encuentros con Franco*, que se publicó casualmente, lo mismo que el *Descargo de conciencia* de Laín Entralgo, nada más morir el dictador, y en el que llega a afirmar que Franco no quería la guerra: «Yo —le hace decir al tirano su poeta de cámara— me he resistido hasta última hora. Los que menos sentimos la guerra como un entusiasmo lírico somos los militares porque somos los que sabemos lo que es». Pero, claro, el carnicero no tuvo otro remedio que sacar su hacha, ya que el alzamiento militar, según pondera el autor de *El divino impaciente*, fue «una inevitable solución frente al estado de anarquía del país». Qué coincidencia, porque las palabras de Pemán vienen a decir lo mismo que seguía pensando Dionisio Ridruejo en 1975, pues lo dejó escrito en su autobiografía, *Casi unas memorias*: «Cuando a veces se escribe sobre la decisión militar —nada unánime, por otra parte— del 18 de julio, se suele desestimar el tremendo acoso que las fuerzas armadas sufrían por parte de un sector de la población que había perdido, por de pronto, tanto el valor civil como la imaginación y la paciencia para capear el temporal con recursos más racionales».

Pero, aun en mitad de la guerra, José María Pemán, el mismo hombre que acababa de dedicar al propio Franco su repulsivo *Poema de la bestia y el ángel* y que al caer Madrid gritó desde los micrófonos de Unión Radio que lo que había entrado en la ciudad era «por encima de todo el Caudillo Franco, el caudillo del corazón grande, la justicia y la misericordia», se dibuja al reescribir su historia, cincuenta años después, como un auténtico paladín de la justicia que, en el colmo del valor, más de una vez está a punto, según afirma, de citar ante el militar sedicioso ciertos textos de Manuel Azaña e Indalecio Prieto. «Yo había incluso pensado en la posibilidad de leerle, que lo llevaba en la cartera, ese texto de Azaña donde habla de su "dolor de España" que le impedía siempre sentirse victorioso del todo sobre enemigos españoles. Era demasiado intelectual para una charla inoficial con un guerrero. Porque es evidente que el texto de ese "dolor de España" le venía al solitario y meditabundo ateneísta "vía Unamuno". Y Franco tendría obturada, como buen militar, esa trompa de Eustaquio que comunica a los guerreros con los filósofos.» Un poco más adelante, repite la jugada con el famoso alegato pacificador de Indalecio Prieto: «Yo llevaba en el bolsillo preparado un recorte de periódico —escribe Pemán—. Se lo hubiera leído diciéndole, como es verdad, que era de un discurso de los primeros días de la guerra. El orador decía: "Con mi autoridad, poca o mucha, quiero decirles esto: por muy fidedignas que sean las terribles y trágicas versiones de lo que haya ocurrido y está ocurriendo en tierras dominadas por nuestros enemigos, aunque día a día nos lleguen agrupados, en montón, los nombres de camaradas, de amigos queridos, en quienes la adscripción a un ideal bastó como condena para sufrir una muerte alevosa, no imitéis esa conducta; os lo ruego, os lo suplico. Ante la crueldad ajena, la piedad vuestra; ante todos los excesos del enemigo, vuestra benevolencia generosa. Quienes constituimos esta generación que declina no nos podemos ir de la vida con la angustia de dejar una España endurecida de corazón, insensible a la solidaridad humana". A mí me hubiera gustado que fueran palabras de usted, le hubiera dicho a Franco. Él me hubiera, supongo, preguntado de quién eran las palabras. Entonces le hubiera aclarado que se trataba de Indalecio Prieto en un discurso pronunciado ante las masas en Madrid en los primeros días de la guerra. Pero no me atreví: parecía cosa demasiado preparada». ¿Será por todas esas cosas que iba a hacer pero no hizo, por lo que, al llegar la democracia, Pemán fue condecorado por el Rey? Claro que toda esa gente tenía de guía a Ridruejo, que en sus memorias también afirma, situándose en los días en que él y sus compinches preparaban el golpe de Estado: «A mí Azaña —contra corriente— me era simpático».

—Bueno, no niegues que son gente que tuvo una evolución política.

—A la fuerza ahorcan. Se apartaron del franquismo cuando Franco le quitó el poder a la Falange, a la que Ridruejo aún definía, en los setenta, como «un ilusorio partido ni de derecha ni de izquierda, sino todo lo contrario».

La conversación con mi madre continuó por esos cauces, y cuando nos retiramos a nuestras habitaciones ambos lo hicimos con una mezcla de amargura y resentimiento, atrapados una vez más en la telaraña viscosa de aquel tiempo irreconciliable, hecho de oscuridad y mentiras. ¿Cómo podía explicárselo?

La verdad es que bucear en las aguas negras del franquismo, abrir sus cajas de Pandora y desactivar las verdades minadas con que sus protagonistas habían sembrado el territorio conquistado, me ponía enfermo e irritable, a ratos me llenaba de una furia que era capaz de controlar a duras penas y otras veces me desarbolaba moralmente y me hacía sentirme deprimido, como lleno de rasguños o salpicaduras; pero también multiplicaba mi admiración hacia personas como Carmen Laforet, Dolores Serma y tantas otras que habían logrado sobreponerse, por obra y gracia de su dignidad y su talento, a la censura, el terror y la miseria intelectual y moral de aquel tiempo. Muy pronto iba a descubrir, con la ayuda de Natalia y de

Carlos Lisvano, hasta qué punto debieron Dolores Serma y algunos de sus contemporáneos luchar, humillarse y fingir que eran lo que no eran para salir adelante y lograr que todo aquel espanto no se silenciara ni quedase impune, que la verdad no fuera manipulada.

Todo ocurrió en esa extraña cena en el Deméter, en la que los comensales fuimos Natalia Escartín, su marido, Virginia y yo. Déjenme que se lo cuente por partes.

Capítulo trece

En febrero de 1940, Dolores Serma empezó sus estudios de Filosofía y Letras en la Universidad de Valladolid y, obviamente, lo que encontró en las aulas debió causarle una gran impresión. La España de los vencedores depuraba con tal inquina lo que el cardenal Gomá había calificado como «la depravación del pensamiento por las locas libertades de cátedra, tribuna y prensa», que de los seiscientos catedráticos que había en el país antes del golpe de Estado, sólo sobrevivieron a los crímenes y las purgas académicas algo más de trescientos. Los sublevados, por desgracia, no se iban a limitar a apartar de sus puestos a los docentes, como había hecho la República al declararse la guerra —entre otros con Gregorio Marañón—, sino que a algunos los iban a asesinar, como al rector de la Universidad de Oviedo, Leopoldo Alas Argüelles, hijo de Clarín, al que algún falangista de la ciudad alardeaba de haber matado «para cobrarle las blasfemias que escribió su padre en *La Regenta*»; o al rector de la Universidad de Granada, Salvador Vila, que había sido discípulo predilecto de Unamuno; o al antiguo rector de la de Valencia, Juan Peset Aleixandre. Y también, como ya sabe el lector, a cientos de profesores de todo el país.

La Universidad de Valladolid había sido, desde que los conjurados iniciaron sus hostilidades contra la República, uno de los núcleos de la agitación orquestada por los insurgentes: no por casualidad en ella estudiaba, por ejemplo, el futuro jefe de la Falange en Valladolid, ministro de Trabajo y rehabilitador de Mercedes Sanz Bachiller, el violento integrista José Antonio Girón de Velasco, quien también había sido condiscípulo de Ridruejo en el Colegio San José de Valladolid y por entonces era su subordinado, pues el autor de *Casi unas memorias* ostentaba, en 1937, el cargo de jefe provincial de la Falange en la ciudad castellana. Claro que Ridruejo, como solía, no vio o supo nada de lo que ocurría o acababa de pasar en esa zona bajo su mando, pues en su autobiografía no dice una palabra de la sanguinaria represión que ya conoce el lector, regatea el asunto reconociendo que «la Falange vallisoletana era bronca, dura y violenta» y, sorprendentemente, justifica el exterminio que llevaron a cabo sus camaradas por la leve resistencia que les opusieron los defensores de la legalidad: «Es hecho conocido que la oleada represiva de Valladolid —abierta en razón de la breve resistencia inicial del capitán general titular y de algunas fuerzas populares— fue extremosa. Ahora [1937] la furia ya estaba saciada». Como se sabe, esa afirmación está muy lejos de la verdad.

Pero volvamos al desvalijado campus universitario al que regresaba Dolores Serma tras la guerra civil y que se había convertido, como tantos otros, en un lugar marcado por sucesos lúgubres que, incluso, resultaban visibles: en los primeros días del alzamiento, las facultades habían sido tiroteadas, parcialmente destruidas por un incendio y ocupadas por los rebeldes, que establecieron en uno de sus edificios el Ministerio de Seguridad. La protesta que hizo a consecuencia de esa incautación el catedrático Calixto Valverde le costó el despido.

Por desgracia, el caso de Valverde sólo iba a ser un pequeño ejemplo de la atroz depuración del claustro hecha por las nuevas autoridades, y el panorama que tuvo que encontrar Dolores Serma en su facultad fue terrible. Siguiendo el inventario que hace el historiador Jaume Claret Miranda en su tesis doctoral *La repressió franquista a la universitat espanyola*, ésta era la situación de la Universidad de Valladolid en 1940: el rector Villa Luna y el vicerrector, Rafael Argüelles, que era catedrático de Patología y Clínica Quirúrgica, fueron destituidos por «desafectos»; el antiguo rector, Andrés Torre Ruiz, fue inhabilitado bajo las acusaciones de «masón, laico declarado e izquierdista»; el catedrático de Física General y Ciencias, Arturo Pérez Martín, de sesenta y cuatro años, fue fusilado por su militancia en Izquierda Republicana, junto a otro colega apellidado Mendoza; el profesor auxiliar Federico Landrove López y el profesor ayudante Julio Getino Osacar, fueron fusilados —Dionisio Ridruejo afirma en sus *Casi unas memorias* haber intentado, sin éxito y por mediación de Girón de Velasco, «salvar de la muerte a los señores Landrove, padre e hijo, socialistas de renombre pero, a causa de su gran bondad, estimados por Onésimo Redondo»—; el profesor Adolfo Miaja Eguren fue condenado a doce años; los catedráticos de Ética y de Medicina, Tomás Carreras y Gregorio Vidal, fueron dados de baja; el profesor Isaac Costero fue destituido. Y en la misma facultad en la que acababa de matricularse

Dolores Serma, los catedráticos de Filosofía y Letras y de Lengua y Literatura, Amando Melón y Emilio Alarcos García, fueron destituidos junto a su compañero Julián María Rubio Esteban, que moriría en 1939. Para terminar esta macabra enumeración, recordemos que también hubo numerosos estudiantes entre las 9.000 personas que fueron ajusticiadas en la provincia de Valladolid durante las primeras semanas del pronunciamiento, y que muchos de ellos fueron a parar a las fosas comunes de los tristemente célebres Montes Torozos. Por lo demás, hay un detalle que tal vez explique la meticulosa represión llevada a cabo en la Universidad castellana, y es que de los cinco miembros que formaron la llamada Comisión para la Depuración del Personal Universitario, dos eran, precisamente, catedráticos de Valladolid: Lorenzo Torremocha Téllez e Isaías Sánchez. El primero de ellos logró hacerse una leyenda negra a causa de su carácter inquisidor y su falta de piedad.

Dolores Serma se encontró ese paisaje dantesco al emprender sus estudios, y muy pronto iba a sufrir la crueldad de los vencedores en primera persona, cuando una tarde de 1940, a principios del segundo trimestre de aquel curso, su hermana Julia no volvió como cada día, alrededor de las ocho y media de la noche, a la casa familiar de la calle Colmenares.

Al principio, Dolores no le dio ninguna importancia: pensó que se habría encontrado con algún conocido; o que estaba en la tienda de la calle Miguel Iscar, con el cierre echado, para dedicarle una o dos horas a cuadrar gastos e ingresos en los libros de cuentas; o que, sencillamente, había ido a tomar un café con cualquier amiga.

Pero según se fue haciendo de noche, empezó a intranquilizarse. Telefoneó a la mercería y nadie descolgó el auricular. Llamó a casa de sus familiares y a la consulta de su tío Marcial, pero allí tampoco sabían nada de ella. Se puso en contacto con una profesora del colegio en que trabajaba Julia por las mañanas, pero ésta tampoco supo darle razones de su paradero: no, no le había comentado absolutamente nada; se habían despedido al acabar las clases, hasta el día siguiente, y nada más; sí, desde luego que iba sola, como de costumbre.

Pasaron un par de horas, en las que esperó que Julia apareciera o llamase, pero no fue así y, de pronto, volvieron a angustiarla los malos presagios que habían tenido durante la guerra, cuando no dejaban de llegar a sus oídos noticias sobre delaciones, arrestos y crímenes contra cualquier sospechoso de ser republicano o, sencillamente, de no ser afecto al fascismo: «¡A la cárcel con los neutrales!», había exclamado, no hacía mucho, el director del periódico catalán *La Vanguardia*, un tal Luis de Galinsoga, al que colocó al frente del diario Serrano Súñer, en sustitución del escritor Josep Pla, y que pronto publicaría una biografía de Franco titulada *Centinela de Occidente*.

Cuando ya estaba claro que algo le ocurría a su hermana, Dolores volvió a marcar el número de su tío Marcial, y éste le dijo que no saliera a la calle y le prometió que iba a llamar a sus colegas de todos los hospitales de Valladolid, para ver si su sobrina había ingresado en alguno de ellos por una urgencia o a causa de un accidente, y que si no la encontraba de ese modo, iría a una comisaría a denunciar la desaparición de Julia y a exigir que se la buscara. Dolores pasó la noche en vela, esperando la llamada de su tío, pero ésta no se produjo hasta el día siguiente, y cuando llegó fue para dar malas noticias: Julia había sido arrestada.

Lo dejé ahí, por el momento. Estaba cansado y, como siempre que pasaba tantas horas delante del ordenador, me dolía la espalda, me escocían los ojos y empezaba a sentir los dedos tan agarrotados como si me estuviese convirtiendo en mi propio fósil: si no paraba, la próxima vez que me dolieran las manos no tendría que ir al traumatólogo sino al arqueólogo, de forma que me tomé un café y, antes de acostarme, salí a dar un paseo por el barrio.

Anduve por aceras desiertas y calles hastiadas de ser las mías que, como de costumbre, me parecieron una mezcla mareante de pasado y presente, de realidad y ficción. Aquellos que, como yo, sigan viviendo en el mismo lugar donde lo han hecho siempre, o al menos regresen a él con frecuencia, ya saben de qué les hablo: esos sitios en los que uno pasó su infancia, creció y fue eligiendo, al azar o por convicción, las piezas de la persona en la que al final se ha convertido, nunca son inocentes, están hechos de plazas, esquinas y casas que te hablan al oído y parecen tener su propia memoria. Y, claro, en aquellas circunstancias, obsesionado con el tema sobre el que escribía mi libro, esa memoria no sólo se refería a mí, sino a todo lo que sucedió en Las Rozas, que tenía y tiene, como el resto de España, sus hechos y leyendas de la guerra civil y que, por su proximidad a Madrid, había sido escenario de durísimos combates entre las tropas constitucionales y las sublevadas. Los campos que rodeaban antiguamente la población, y que ahora se han convertido, en la mayoría de los casos, en carreteras, urbanizaciones y parques empresariales, estaban llenos de nidos de ametralladoras y de zanjas a medio cubrir que antes habían sido trincheras, y los niños encontrábamos en ellos, con cierta facilidad, granadas, cartuchos y, en alguna ocasión, hasta obuses que no habían explotado y parecían esperar pacientemente, en su purgatorio acorazado, la llegada de nuevas personas a las que matar. Y, lo mismo que los montes, las paredes del cementerio municipal o los muros de la iglesia, las mentes de nuestras familias también estaban llenas de metralla, ruinas y balas sin estallar que, por supuesto, en la versión de los acontecimientos que a nosotros se nos contaba, habían sido todas ellas disparadas por los rojos, esos débiles mentales e inadaptados sociales de los que hablaba en sus libros el coronel Antonio Vallejo Nájera.

Casi toda la información acerca de aquellos momentos dramáticos de la vida de las hermanas Serma me la había dado a regañadientes el hijo de Dolores, en el Deméter. La extraña cita la había puesto en marcha la doctora Escartín una tarde de finales de marzo en que estábamos, otra vez, en la cafetería del hotel Suecia, donde había conseguido llevarla después de varios intentos. La verdad es que, a esas alturas, ni yo mismo estaba muy seguro de qué me interesaba más, si ella o la ayuda que podía prestarme en mi trabajo sobre Dolores Serma. Pero daba igual, porque hasta entonces no había conseguido avanzar mucho en ninguna de las dos cosas, y ni Natalia se dejaba ver ni su marido había cambiado de opinión sobre los papeles de su madre. Además, nuestras conversaciones a través del teléfono hacían aguas, torpedeadas por la continua interrupción de las enfermeras, que le preguntaban por arsenales terapéuticos y monoterapias, con lo que de pronto empezaban a atravesarse en el auricular bromocriptinas, trihexifenidilos y depleccionadores presinápticos. Y así, naturalmente, era imposible concretar nada. Por otra parte, más de una vez tuve la sospecha de que Natalia forzaba esos paréntesis cuando se sentía acorralada; aunque como toda nuestra relación —si es que puede llamarse así— se basaba en el juego del *esto no es lo que parece*, entre otros motivos porque yo no podía ni quería arriesgarme a un escándalo en el instituto, mis intentos de seducción eran inofensivos y, si me apuran, en ocasiones llegaban a parecerme hasta un poco desatinados, sobre todo porque aún no sabía si Natalia era alguien con quien se pudiese tener una aventura o una de esas personas inabordables cuya vida gira en torno a la palabra bienestar, que miden su felicidad en metros cuadrados y ceros a la derecha y que son capaces de renunciar a cualquier cosa para seguir teniéndolo todo: la abundancia te vuelve conformista por la misma razón que la escasez te vuelve valiente.

Sin embargo, a base de insistencia conseguí que accediese a verme y, sobre todo, a hablar una vez más con su marido. Mis argumentos ya los conocen: ¿es que no se daba cuenta Carlos Lisvano de que ya no se trataba sólo de mi libro, sino de poner en claro toda la vida de su madre? ¿Iba a condenarla, en nombre de no se sabe qué absurdas reglas morales o ideológicas, a un olvido que su talento no merecía? Naturalmente, le había ido contando a Natalia, aunque fuese por teléfono y rodeados de trinucleótidos y ortostatismos, los nuevos datos y conjeturas que iban surgiendo según avanzaba en mi estudio, y creo que, una vez más, la conmovió el relato que salía de aquellas averiguaciones y se sintió intrigada por la nueva figura de su suegra que se vislumbraba al fondo de la Dolores Serma que siempre había conocido.

En la nueva reunión del hotel Suecia hablamos de su hijo, que ya iba mejor en Inglés y acababa de recuperar la Literatura, y al que, al menos por el momento, habían dejado en paz los dos compañeros que lo molestaban, aquel par de matasietes de bolsillo llamados Héctor y Alejandro.

Luego se dedicó a comentar durante media hora, supongo que para ponerle muros a mis intentos de entrar en intimidades, lo mucho que le habían gustado el Deméter y Virginia, qué mujer tan «delicada» y tan «espiritual», según sus propias palabras. Y, a continuación, volvió otra vez al tema de los estudios de Ricardo, su pereza a la hora de hacer los deberes y demás. A mí, todo eso me recordó a las cartas entre Carmen Laforet y Ramón J. Sender, en las que cada vez que él le sugería que se encontrasen a solas en algún lugar, ella le enviaba una foto suya rodeada de sus cinco hijos. Una buena táctica disuasoria.

Por fin, logré que la conversación se centrase en Dolores Serma y en la necesidad de que me dejaran consultar sus papeles, sobre todo los que les había devuelto Mercedes Sanz Bachiller, que eran los que más me intrigaban porque de ellos resultaba sencillo sacar una conclusión preventiva: si Dolores se los había dado a su jefa y protectora para que se los guardara casi seis décadas, sería porque contenían algo importante, tal vez peligroso o comprometedor. ¿El qué? ¿Algo que quería destruir antes de que fuese tarde? Esa pregunta era como una piedra en el zapato, no me dejaba ni moverme ni pensar en otra cosa, de modo que le insistí a Natalia todo lo que pude, la atosigué con nuevos datos y sospechas e incluso, para allanar la desconfianza de su marido, me ofrecí a firmar un contrato por el que me comprometiera a no incluir o citar en mi texto, sin su autorización escrita, ninguno de los documentos de su madre. Naturalmente, no tenía la más mínima intención de cumplirlo.

—¿Qué me contestas? —dije—. De esa forma, no puede correr ningún riesgo. Es como apostar con los dados parados. ¿Lo intentarás?

—Vale —respondió—, lo haré. Pero no te aseguro nada. Ya sabes que Carlos no es partidario de remover ciertas cosas.

—Pues hay que sacarle de ese error, Natalia. El siglo XX fue el más inhumano de la Historia: es el siglo de Auschwitz, del Archipiélago Gulag, de Hiroshima y Nagasaki... Y nuestra guerra civil es el principio de ese horror. Por eso no podemos olvidarnos de...

—... Sí, pero te va a contestar que ya no es nuestra guerra, sino una parte del pasado que se superó con la democracia y a través de la reconciliación nacional. Te dirá que para lo único que vale reabrir viejas heridas es para desenterrar viejas hachas de guerra.

—¿Eso es lo que te responde a ti cuando habláis del asunto?

—No, mi marido y yo no solemos tener esa clase de conversaciones. O, para ser más exactos, no las teníamos antes de que salieses tú a escena.

—Vaya, así que yo soy ni más ni menos que la manzana de la discordia.

—No, hombre, tampoco es para tanto —dijo, algo turbada—. Pero, en fin, piensa que lo que le ofreces a

Carlos son muchas novedades sobre una persona de la que creía saberlo todo y que, además, no puede defenderse. No olvides cuál es su estado de salud.

—¿Defenderse? Pero ¡si lo único que yo pretendo es reivindicar el valor de su obra y descubrir la verdad de su vida!

—Que es, en todo caso, una verdad que ella eligió mantener oculta.

—De acuerdo. Pero si la humanidad hubiera seguido el criterio de mantener oculto todo lo que una vez fue escondido, no sabríamos nada. La pirámide de Keops no sería más que un montón de piedras en forma de cucurucho y el Discóbolo, un griego con pinta de ir a tirar un plato de *moussaka* por la ventana. Quizás es que la salsa *tzatziki* estaba agria, o algo así.

—Claro, claro —dijo Natalia, riendo—, o los *kebabs* duros.

—¿Sabes qué ocurre? Yo creo que lo que se pactó en España con la Transición fue echar tierra encima de demasiadas cosas. ¿Y sabes por qué? Pues porque mucha gente había sufrido tanto que llegó a renegar de su propia memoria. Que no se repita nunca más aquello, decían; por Dios, que no se repita aquello. Y de ahí no los sacabas.

—Déjame que te explique, en mi calidad de neuróloga, que uno no pierde o conserva la memoria ni a propósito ni de manera selectiva. Lo que sí puede elegirse es el perdón.

—Ya, pero es que ese supuesto perdón no provenía de nuestro carácter generoso y nuestro sentido de la responsabilidad, sino del puro miedo y, a veces, de la vergüenza. Qué tremendo, ¿no te parece?

—Sí, cómo no —dijo Natalia, visiblemente incómoda—. Bueno, pues te digo lo mismo de siempre: intentaré que Carlos vuelva a valorar tu propuesta. ¿De acuerdo? Por ahora, eso es todo lo que te puedo ofrecer.

Se lo agradecí, pedí otro par de vodkas para reponer los que ya nos habíamos bebido y el resto del tiempo que me quedaba junto a ella lo dediqué a buscarle a nuestra conversación sus rincones más privados, pero sin mucho éxito, porque la doctora Escartín es una de esas personas cuyas fronteras cambian constantemente de sitio, de modo que nunca sabes muy bien a qué lado de ellas estás ni qué idioma necesitas para hacerte entender, y hasta qué punto puedes o no tomarte confianzas. Y cuando tienes que pararte todo el rato a pensar si no estarás yendo demasiado lejos, no avanzas mucho.

En esas condiciones, pronto regresé a *Óxido* y a Dolores Serma, frustrado por no encontrar caminos hacia aquella mujer que me seguía gustando igual que la primera mañana, cuando la vi entrar en mi despacho del instituto con su traje de chaqueta azul oscuro, su camisa rosa y el pelo recogido en una cola de caballo, pero que también me seguía pareciendo inalcanzable y, en ciertos aspectos, hasta incompatible conmigo. A lo mejor es que con los deseos ocurre lo mismo que con la memoria, que no se escogen sino que se es designado por ellos; que no dependen de la voluntad, sino del instinto. Así de frágiles somos.

Esa tarde del hotel Suecia, Natalia vestía de un modo mucho más informal, con unos bluyín de campana y un jersey blanco, pero el efecto era el mismo, porque la doctora Escartín es de esas mujeres sobre las que una ristra de corchos atados con un cable de la luz parece un collar de perlas de Ceilán. «Quien dinero tiene, come barato y sabio parece», que diría mi madre; aunque yo nunca estuve muy seguro de si ese refrán pondera el ascetismo o la usura. Quién sabe.

Natalia me contaba que su marido le había dado un vistazo a los tres libros en los que se citaba a su madre, el ensayo de Delibes sobre la novela de posguerra y las memorias de Carlos Barral y José Manuel Caballero Bonald, y que ver a Dolores citada en ellos parecía haber avivado su curiosidad, cuando, de repente y sin que entre una cosa y otra pareciese haber relación alguna, se detuvo en mitad de una frase, chasqueó los dedos y me dijo:

—¡Oye! ¿Y si organizáramos una cena para los cuatro en el Deméter? Seguro que a eso sí que se apuntaba Carlos.

La idea me tomó por sorpresa y la entendí mal.

—¿Los cuatro? ¿Quieres decir nosotros tres y Dolores? Bueno, yo no me había atrevido a pedirte que me dejases verla, pero si tú crees que...

—¿Dolores? No, hombre, no, cómo se te ocurre semejante cosa —me interrumpió—. Mi suegra no está en condiciones de ver a nadie ni de hablar sobre nada. Me refería a Carlos y yo contigo y con Virginia.

—Ah, pues... ¿Virginia? ¿Y por qué?

—Bueno, ¿no me has contado que vuestra relación es muy cordial?

—Sí, pero como lo es la que mantengo con el bedel del instituto, y no creo que quieras que lo invite.

—Vaya, vaya, vaya —añadió la doctora Escartín, con un brillo de malicia en los ojos—, pero ¿es que también has estado casado con el bedel de tu instituto?

—No, pero con Virginia tampoco lo estoy.

—Mira —dijo Natalia, cambiando otra vez el tono—, la cuestión es ésta: ¿tú quieres hablar con Carlos, sí o no?

—Ya sabes que sí.

—Pues, entonces, lo que te estoy diciendo es que va a ser más fácil que acepte verte si vas con tu mujer que si vas solo.

—Perdona que insista: mi ex mujer.

—Sí, bueno, pero a él, eso qué más le da.

—No sé si te entiendo.

—A ver cómo te lo explico. El caso es que si la cena es en el Deméter y con Virginia, habrá dos mujeres a la mesa, una para cada uno. ¿Me entiendes?

Desde luego que la entendía. Lo que me estaba sugiriendo era que el hijo de Dolores Serma tenía que estar seguro de que lo que me interesaba de él era su madre, no su esposa. O al contrario: tal vez que era ella quien de ningún modo pensaba arriesgarse a posibles suspicacias o malentendidos. En fin, pero como lo cierto es que sus recelos tampoco iban muy desencaminados, no pude protestar con mucha energía.

—De modo que estás casada con un hombre celoso —dije, para asegurarme.

—¿Hay alguno que no lo sea? —remachó Natalia, dando un sarcástico sorbo a su vodka con naranja—. Si es así, me gustaría saber en qué circo lo exhiben.

Acepté su plan a regañadientes y llamé a Virginia, para preguntarle. Tampoco tenía otra opción, en cualquier caso, y cuando no hay alternativas, no hay dudas. Mi ex mujer estuvo hecha toda una dama y, aunque estoy seguro de que debió de extrañarle lo que le proponía, no hizo preguntas.

—Será un placer cenar contigo, Puma —dijo, recurriendo a un apelativo cariñoso y de hechuras vagamente eróticas con el que solía llamarme en los ochenta y que encendió y apagó dentro de mí un millón de imágenes del pasado: la primera tarde en que nos dimos un beso, en el Café Ruiz; las mil veces en que salimos a la calle Jardines abrazados y llenos de sueños químicos, después de oír a algún grupo en El Sol; la noche del 23-F, escuchando la radio en nuestra primera casa, un piso de alquiler de la calle Atocha, el intento de golpe de Estado, y Virginia que sale una y otra vez del baño cuando la llamé, escucha, escucha, han asaltado el Congreso, Virginia desnuda con un cigarrillo de marihuana entre los dedos, con la luz de la habitación corriendo por su piel como los ríos de un mapa; o el día de la exposición de Andy Warhol; o la mareante espiral de lugares y personas que formaban los anillos de aquel ser fantástico, mezcla de dragón y serpiente, que pasó reptando por mi cabeza, el Rock Ola / el músico Antonio Vega / La Vía Láctea / el bar La Bobia / el fotógrafo Alberto García Alix / la galería Moriarty / el Pentagrama / el pintor Ceseepe / el pintor Pérez Villalta / la revista *La Luna de Madrid* / un concierto de The Police / un concierto de Alaska y los Pegamoides / un concierto de Radio Futura / el concierto de Bob Dylan en Vallecas / el concierto de los Rolling Stones en el Vicente Calderón / la heroína / los primeros muertos / los últimos muertos... / y qué rápido se evaporó todo sin dejar casi huella en el instante en que nos separamos de ello porque no es que cada uno se fuese por su lado es que se fue a otro planeta cambió de dimensión o de estado pasó de sólido a gaseoso de sublime a sublimado se redujo a ceniza fue darse la vuelta y lo que quedó a la espalda no volvió a existir y nos volvimos otros como si fuésemos una de esas figuras pintadas encima de otra figura a la que borran y que ya sólo vuelve a ser visible trescientos años después y únicamente si a alguien se le ocurre mirar el lienzo con rayos equis...

—¡Hola! ¿Aún estás aquí?

Me sobresalté al oír la voz de Natalia. Sacudí la cabeza, cerré y abrí los ojos como si pusiera en marcha un limpiaparabrisas y, al instante, volví a oír el rumor de las conversaciones, el ruido de vasos y tazas y el resto de las cosas que formaban, en aquel bar del hotel Suecia, la artillería de la realidad.

—Perdona, es que de pronto... Estaba pensando... en unos exámenes que tengo que corregir esta noche.

Me miró en oblicuo, como quien sabe que le mientes.

—¿Un trabajo duro?

—Extenuante. Imagínate lo que supone pasar tres horas leyendo que la sinopsis es una infección del páncreas, el ultraísmo un músculo del hombro y la célebre novela «La familia», una obra que escribió un tipo llamado Pascual Duarte. ¿Y me preguntas si eso resulta duro? Es como sufrir un ataque epiléptico.

—Exageras, créeme —dijo la doctora, divertida—. Te aseguro que no tiene ni punto de comparación.

—Claro que sí. Es lo mismo.

Bebió otro sorbo de su vodka.

—Ah, ¿sí? ¿Y tú cómo lo sabes? ¿Acaso has tenido algún ataque epiléptico?

—No, pero una vez tuve una discusión de tráfico con un italiano.

Volvió a reír y me puso una mano confidencial en la mejilla. Al contacto de su piel, me pasó por la columna vertebral el expreso Madrid-Vigo. Natalia se dio cuenta y recuperó la compostura.

—¿Qué dice Virginia? Se apunta a la cena, ¿verdad?

—Sí, sí. Le he explicado minuciosamente la situación, tal y como tú querías, y no hay problema: le encantará hacer de pareja de tu marido.

—Oye, pero ¡qué jeta tienes! —exclamó, dándome un golpecito en el hombro con la palma de la mano. Me gustaron esa salida y ese nuevo gesto que parecían elevar un grado la confianza entre nosotros y que, tal vez, delatasen su verdadera disposición hacia mí. ¿Por qué no? A fin de cuentas, el decoro no es más que el vallado de la hipocresía. Si lo saltas, estás dentro.

Continuamos con las bromas y, entonces ya sí, con una conversación algo más personal, saltando del trabajo a la familia, la falta de tiempo libre, los compromisos de una u otra clase, el peso absurdo de las cosas sin importancia, el moho de la rutina, los proyectos demorados... Al despedirnos esa tarde, Natalia me besó o se dejó besar, no lo sé muy bien, justo antes de subir a un taxi. Sus labios sabían dulces y su lengua a vodka. Cuando intenté estrecharla y empecé a bajar la mano por su espalda, me acarició la nuca con unos dedos autoritarios y me susurró al oído, marcando las sílabas como si troceara la frase con un cuchillo:

—Ni lo sueñes.

Después se separó de mí y entró en el coche con una sonrisa del tamaño de Brasil cruzándole la cara. Sí, eso es: una sonrisa con música de Astrud Gilberto, *Pão de Açúcar* y banderas verdes.

Mientras la veía alejarse, los lobos rusos bajaron desde su vodka a mi corazón y se quedaron allí, bebiendo hasta dejarme seco.

Capítulo catorce

Hace más ruido un árbol que cae que todo un bosque que crece. No sé quién dijo eso, pero fuera quien fuera, estaba pensando en mí. El árbol que cae era el instituto; eran las horas de plomo, los alumnos que un mes y medio más tarde, pues ya estábamos a mediados de abril, iban a acabar el bachillerato sin entender la diferencia entre Shakespeare y Agatha Christie y que, probablemente, en dos o tres años no serían capaces ni de encontrar China en un mapa de Asia. Todo eso que hacía tanto ruido y era tan poca cosa.

El bosque que crece era mi ensayo sobre Carmen Laforet y Dolores Serma que, efectivamente, después de tanta investigación y tantas lecturas, ya daba sus frutos, aunque fuesen amargos. Y ni siquiera estoy muy seguro de eso. Existen las mentiras piadosas, pero ¿la verdad puede ser amarga? No lo creo. Y si lo es, será en el mismo sentido en que lo son todas las cosas que, aunque escuezan, curan las heridas.

La cita con Carlos Lisvano había tardado un mes en concretarse, puesto que, según insistía Natalia ante mis continuas protestas, era un hombre sumamente ocupado; pero, al fin, fue fijada para la noche del penúltimo domingo de abril. Tenía que ser en domingo, porque el viernes y el sábado eran días de mucha agitación en el Deméter, que para entonces se había convertido en uno de los restaurantes de moda en Madrid, y Virginia no hubiera podido atendernos. Además, en esa cena iba a estrenarse una nueva camarera, que se llamaba Nukada y era prima de Nayaku. Virginia estaba feliz:

—¿Te das cuenta? —me dijo, al contármelo por teléfono—: Se llama Nukada en honor de una emperatriz japonesa del siglo VII que era la mejor escritora de su tiempo y una mujer fascinante. Fue esposa de dos emperadores, primero de Tenmu y después de su hermanastro Tenyi, y amante de ambos toda su vida. Nada más entrar en el Deméter, mi nueva empleada ha puesto en la puerta de la cocina uno de los pocos poemas que se han conservado de la princesa, un tanka que dice: «El cuchillo es un pájaro que añora / todo lo que él perdió / y llora con mis lágrimas / todo lo que yo extraño». ¿No es maravilloso?

Me pregunté si, realmente, Virginia había cambiado algo en todo aquel tiempo, y me respondí que, más que cambiar, ella sólo se desplazaba: un poco hacia la izquierda, un poco hacia arriba o abajo, pero siempre dentro del mismo círculo. Si quieren, un círculo con polos o extremos yin y yang, como la comida macrobiótica, pero con su núcleo invariable de filosofía Zen, haikus, arte ikebana y, en general, aquella especie de misticismo a la vez candoroso y autosuficiente que había construido a su alrededor y que, más que de templo, le servía de búnker: aquí estoy yo y ahí fuera está el mundo.

En cualquier caso, cuando hablaba con mi ex mujer, y más aún entonces que ya había conseguido saltar por encima de sus problemas y estabilizarse de nuevo, mi impresión era que yo había cambiado hasta volverme otra persona, mientras que ella permanecía invariable, tallada en el mármol suave y duro de sus convicciones. Como prueba, diré que la impresión de Virginia que parecía haberse llevado Natalia tras su encuentro de Navidad en el Deméter, coincidía a grandes rasgos, y salvando todas las distancias obvias entre dos situaciones tan distintas, con la que yo mismo tuve la primera vez que la vi, en La Vía Láctea. Qué mujer tan «delicada», tan «espiritual», habíamos dicho a coro, aunque fuese con una diferencia de más de veinte años, Natalia y yo. Pero, naturalmente, se trataba sólo de eso, de una impresión que, como suele ocurrir, sólo coincidía en parte con la realidad. La primera vez que nos dimos un beso, en el Café Ruiz, aquella tarde de la que ya les he hablado, le dije: «Eres increíble. Eres absolutamente increíble». Y tenía razón.

O tal vez sea sólo que lo que se ambiciona siempre es una versión desorbitada de lo que se consigue y, por tanto, no hay conquista o triunfo que no conlleve una decepción. «Cuando el deseo se cumple, el sueño se rompe», dice Ana María Matute, tan hábil a la hora de construir sentencias.

Mi vida en el instituto seguía siendo un suplicio, aunque mi plan empezaba a concretarse. El inspector de la Comunidad se había presentado en el centro para hablarle de mi problema al director, y éste, siempre dispuesto a esquivar sus responsabilidades, le había dicho que no tenía inconveniente en que yo dejase mi puesto de jefe de estudios, pero siempre y cuando fuera a partir del próximo curso y sólo si yo mismo encontraba un relevo. Ahí lo tienen: astuto como un prestamista, vago como un gato persa y con una cara dura que podría medirse en hectáreas. Y pensar que me había rebajado a ser su jefe de estudios a cambio de doscientos cincuenta cochinos euros al mes. Qué imperdonable, convertirte en tu propio Judas.

Fui a verlo a su despacho y cuando le dije que, en rigor, era él quien tenía la potestad y el deber de buscar a mi sustituto, me respondió:

—Técnicamente, sí.

—¿Entonces?

—Nada. Entonces, nada. ¿Qué quieres que te diga?

—¿Lo harás?

—Lo haré... —dijo, interrumpiéndose para mirarme con una expresión torva que me demostraba una hostilidad gemela de la mía hacia él— cuando encuentre un hueco en mi agenda. Aunque ahora, la verdad es que tengo mil cosas entre manos.

—Ya, pero la cuestión...

—... La cuestión es que para que tú puedas desentenderte de tus obligaciones y saltar del barco, otro tiene que estar dispuesto a coger tus remos. ¿Me explico?

Me puse a contar hasta diez en húngaro: egy, kettó, három, négy... Al terminar, le dije que no se preocupara, que yo me encargaría del tema. Le pareció fantástico. También le hubiera parecido fantástico que el mundo ardiese a su alrededor, siempre que él no tuviera que barrer las cenizas. Qué tipo.

En cualquier caso, era evidente que si quería librarme de la jefatura de estudios tendría que arrancarme yo mismo el anzuelo de la lengua, de modo que me puse manos a la obra.

Empecé por insinuarle el asunto a Miguel Iraola. Estábamos en la cafetería del instituto y él engastaba en la conversación una de sus consabidas frases sobre «la importancia de inculcar en los alumnos que lo que sólo se aprende, se puede olvidar, mientras que lo que se comprende no se puede descomprender», cuando le expresé mi convicción de que un hombre de sus capacidades debiera ocupar algún puesto de relieve en la dirección del instituto. Pero el viejo zorro adivinó que allí había gato encerrado, se le cruzó en la cara una sonrisa cáustica que abarató algo su trabajada magnificencia, y lo único que dijo fue:

—Sí, sí... Música celestial.

Luego, recuperó su porte, miró el reloj con uno de sus ademanes atildados y salió para su próxima clase, dando pasitos enérgicos y balanceando la cartera igual que si fuese un bastón.

Tras el profesor de Matemáticas, sondeé a los de Educación Física y Lengua, Sebastián y Matilde. Siempre me habían caído bien, él con su eterno chándal rojo y su silbato al cuello, aparentemente desinteresado por todo lo que no fuera su gimnasio, sus pistas de atletismo y sus entrenamientos, fuera del horario escolar, del equipo de baloncesto; y ella porque era seria, inteligente y aún conservaba, tras sus dos primeros años de ejercicio, el entusiasmo por la enseñanza.

A Sebastián le dejé caer que si fuera jefe de estudios podría ocuparse en persona de las obras del gimnasio, que reclamaba desde hacía tiempo, y de mejorar nuestras instalaciones deportivas. A Matilde le hice las cuentas del Gran Capitán y le insinué que, con su juventud, si empezaba a asumir responsabilidades muy pronto pasaría de jefa de estudios a directora del instituto: bastaba con aguantar dos o tres años en el cargo, hacer un cursillo en un Centro de Profesores y Recursos y a vivir: seiscientos euros más al mes y la seguridad de tener bien guardadas las espaldas con un sueldo consolidado; además, ostentaría la representación oficial del instituto; y haría continuos viajes para asistir a convenciones o seminarios y en ellos establecería contactos de primer nivel con los peces gordos del Ministerio de Educación...

A ninguno de los dos le interesó lo más mínimo mi oferta. Y tampoco a otros con los que hablé. Algunos, como el propio Sebastián, me miraban igual que si fuera un vendedor que hubiese llamado al timbre de su casa para venderle dentífrico para perros, o algo así, y después se marchaban por los pasillos meneando la cabeza. Otros me prometían pensarlo, simplemente para quitarse el problema de encima sin ser descorteses. El único que pareció ponderar en serio la propuesta fue Pablo, el profesor de Dibujo, aunque con una condición: si fuera jefe de estudios, querría tener los viernes libres desde el mediodía, como yo. Así podría dedicarse a sus cuadros, me dijo, y preparar una exposición. No le hice notar que, aunque yo le escamotease al Estado ese medio día a la semana, los otros cuatro no sólo es que agotase todas mis horas de clase y las complementarias, sino que las excedía con holgura. Claro, cómo iba a decirle eso: hubiera sido como mentar la soga en casa del futuro ahorcado.

Con la frágil esperanza de un sí del profesor de Dibujo en el horizonte, pero sabiendo que sería difícil encontrar quien me supliera, porque ya alguien, tal vez el propio Miguel Iraola, habría ido sembrando la desconfianza de profesor en profesor igual que el jején va de oveja a oveja contagiándoles el virus de la lengua azul, seguí intentando trabajar en mi libro, que se había estancado por falta de nuevos datos sobre Dolores Serma, y daba mis clases sin ganas, abatido por el calor que empezaba a hacerse notar y tan hastiado de ellas como mis alumnos. En algunas ocasiones, la única diferencia entre un ataúd y una pizarra es que en el caso de la pizarra el muerto está fuera.

—Claro —me dijo una mañana Julián, que me acababa de cortar el paso junto a la conserjería para comentarme que, últimamente, me notaba un poco bajo de forma—, ¡si es que el tiempo no pasa en balde para nadie! Y con la edad, pues eso: que la ilusión ya no es la misma. O sea, que uno se va hamburguesando.

No me molesté en corregirle, entre otras cosas porque esa vez su error me pareció un gran acierto.

La semana que me separaba del encuentro con Carlos Lisvano la dediqué a estrellarme contra mi ensayo, con el que, como suele ocurrir, pasé de la euforia a la desesperación. Me faltaban noticias frescas sobre la autora de *Óxido*, de modo que intenté comenzar otro capítulo, quizás uno que comparase al triunfador Luis Martín-Santos... ¿con quién? ¿Con aquella otra escritora efímera llamada Luisa Forrellad? Empecé a leer *Siempre en capilla*: «Jasper, Alexander y un servidor éramos socios». Pero no, mejor no mezclar las cosas.

Me pregunté una vez más cuál habría sido la relación de Serma con Martín-Santos, recordando ese fragmento de *Óxido* en el que cita implícitamente al autor de *Tiempo de destrucción* y a Juan Benet en el dudoso club Tarzán. Qué curioso, que hubiese tantos puntos de conexión entre Dolores

Serma y los psiquiatras más señalados de su época: López Ibor, Vallejo Nájera, Martín-Santos... ¿Acudiría a ellos para consultar los trastornos mentales que sufrió su hermana Julia tras su encarcelamiento? Las fechas encajaban: la hermana de Dolores fue detenida a finales de 1939 o comienzos de 1940, salió de la prisión en 1946, que es el mismo año en que llegó Martín-Santos a Madrid, y murió en 1949, en la clínica de López Ibor... ¿Visitaría también al coronel Vallejo Nájera en el sanatorio de Ciempozuelos? ¿Es por ello por lo que había tenido la curiosidad de leer algún libro suyo?

Esa clase de reflexiones eran las que me impedían continuar con mi trabajo, porque todos los caminos que intentaba seguir, daba igual si empezaban en Luisa Forrellad o en Benet, en Martín-Santos o en Delibes, me llevaban a aquella mujer en construcción llamada Dolores Serma y a su mundo a oscuras, lleno de campos salvajes en los que crecían las interrogaciones, dónde, cómo, por qué, cuándo, con quiénes.

En ese estado de distracción, volví a caer en la tela de araña de la impotencia. Lo poco que escribía estaba hueco, devorado por la carcoma de la trivialidad, y cuando veía aquellas palabras sin zumo, agarrotadas bajo el foco del flexo como actores que hubiesen olvidado su papel, me entraban ganas de mandarlo todo al infierno y darme a la bebida, porque en este mundo no hay distancia más corta que la que separa las dudas concretas de las generales, y yo ya empezaba a cruzar el puente entre unas y otras: ¿para qué perder el tiempo con esta historia? ¿A quién puede importarle, en el fondo? ¿Merece la pena dejarse media vida en esto? Las respuestas que le daba a esas dudas eran cambiantes, según mi estado de ánimo. Ya saben, la indecisión es las matemáticas al revés: sumas las mismas cosas y cada vez te dan un resultado distinto.

—¿Te puedo preguntar una cosa? —le dije a Marconi una mañana en que estábamos solos en el Montevideo y yo me sentía bastante deprimido por las dificultades que encontraba en mi trabajo.

—Andá no más —me respondió, sin levantar apenas la vista de unos vasos que secaba en ese momento.

—Cuando saliste de Uruguay... Bueno, la situación debía de ser tremenda.

La cara de Marconi se llenó de arcos. La pregunta le había parecido, sin duda, una obviedad.

—Sí, tremenda, che —dijo, y siguió con lo que tenía entre manos. Luego añadió, sin levantar la vista de su tarea—: Si hasta hubo más de uno que se vio obligado a suicidarse en defensa propia.

—Perdona, te lo pregunto por saber hasta qué punto son parecidas todas las posguerras, las dictaduras, las persecuciones... Y porque parece mentira que pueda existir gente capaz de...

Me interrumpí porque en ese momento entró al bar un cliente que, a modo de saludo, pidió una jarra de cerveza «bien fría». Era un tipo musculoso, con hechuras de culturista, y grande de verdad, de esos que cuando estornudan hay que esperar veinte minutos a que vuelva a posarse todo el polvo de la habitación. Parecía soliviantado, quizás a causa del calor, y antes de ocupar su taburete, miró los cuatro rincones del Montevideo como si buscase enemigos o provocaciones en las esquinas de un cuadrilátero. Su cara era la de alguien que sólo unos segundos antes de nacer hubiera decidido no ser un bulldog.

—Y bueno —respondió Marconi—, yo aprendí de a malas que los que siempre son iguales son las víctimas. ¿Vos no lo creés?

—Claro, claro. Y además, primero los matan y después los desprestigian. Aquí lo hicieron con los republicanos y allí con los Tupamaros, ¿verdad?

El tipo de la barra nos lanzó una mirada cenagosa y pidió otra cerveza. Se desabrochó un par de botones de la camisa, que era de tipo militar, color verde aceituna, con bolsillos de parche y hombreras, y se abanicó con el menú. Sudaba tanto que estuve a punto de llamar a un fontanero para que lo reparase.

—Fíjate que a finales de los sesenta —siguió Marconi— los Tupamaros eran un entrevero de Robín de los Bosques con el Che Guevara, revolucionarios que robaban a los ricos para darle a los pobres; que desvalijaron el Casino de San Rafael y la Caja Nacional de Préstamos para repartir la plata entre el pueblo. Tres o cuatro años más tarde, los milicos ya los habían matado a casi todos. A su líder, Raúl Sendic, lo cogieron preso, se escapó del penal de Punta Arenas y lo volvieron a prender después de pegarle un tiro: estuvo en la cárcel doce años, dos de ellos metido en un pozo, con el agua por la cintura y un foco encendido sobre su cabeza para no dejarlo dormir. Luego, las Triple A liquidaron en Buenos Aires a Zelmar Michelini y Héctor Gutiérrez Ruiz, dos senadores que habían ido a refugiarse en la Argentina. Y junto a ellos cayó la dirigente de izquierdas Rosario Barredo. Y un poco más tarde le tocó a Celia Fontana... Había a diario rumores de torturas, detenciones ilegales, secuestros... Empezaron a desaparecer niños, militantes de izquierdas, maestros... Mirá, cuando me dicen que en los setenta uno de cada tres uruguayos abandonó el país, yo respondo que lo raro es que se quedaran los otros dos.

—¿Qué eran las Triple A?

—Los escuadrones de la muerte, aliados en la Argentina de la Junta de Comandantes uruguaya. Los dirigía el antiguo mayordomo de Perón que luego fue el Rasputín de su viuda, María Estela Martínez, aquel cojudo de José López Rega.

—¿El demente que hacía magia negra y se acostaba con la momia de Evita?

—Ése no más. En Buenos Aires hicieron una auténtica matanza con los refugiados del Uruguay, que salían de una ratonera para meterse en otra. Pero, ¿y adónde podían ir, con Pinochet en Chile, Stroessner en el Paraguay...?

—O sea que, por lo que dices, los represores se cebaron especialmente con los maestros, como en España.

—Sí, sí, y hubo casos célebres como el de la profesora Elena Quinteros, a la que secuestraron en el jardín de la Embajada de Venezuela; o la del pedagogo Julio Castro, raptado en el centro de Montevideo y a plena luz del día. Tenés que haberlos oído, porque del primero salió la ruptura de relaciones, por nueve años, entre los dos países; y el asesinato de Castro dio la vuelta al mundo. Él era también un periodista muy conocido, uno de los fundadores del diario *Marcha*. Y bueno, entonces hubo una protesta internacional muy grande... El caso se hizo público y a la gente le dio en la madre; hubo recogida de firmas, se formaron manifestaciones... Por nada porque, total, ya estaba muerto.

—¿Y lo de los niños?

—Igual. Se los quitaban a sus madres recién nacidos, a ellas las mataban y con ellos hacían intercambio con sus colegas: los milicos argentinos los daban a familias uruguayas y al revés. Así era más difícil seguirles la pista.

Seguimos conversando sobre la miseria humana mientras el rey del gimnasio, con los músculos altisonantes tensados por la cólera, nos dirigía miradas asesinas. Cuando Marconi le dijo qué le debía, puso el dinero sobre la barra con un golpe estridente que relacionó las monedas con casquillos de bala, volcó sobre el mostrador el plato lleno de cacahuetes que tenía delante, nos ametralló una vez más con los ojos y salió del Montevideo con andares de pavo real. El hombre no desciende del mono: es imposible que algunos provengan de tan arriba.

Pero vamos con la cena del Deméter, que desde luego no fue un camino de rosas, por culpa de Carlos Lisvano Serma. Era uno de esos tipos de mirada condescendiente, modales rebuscados y una voz campanuda que él saboreaba como si acabasen de vendérsela en una repostería. Llevaba brillantina en el pelo, zapatos italianos, pantalones de color crema, una chaqueta azul y un reloj de oro que miraba una y otra vez con un aparatoso disimulo cuya función consistía en recordarte que era un hombre muy ocupado que accedía a perder un par de sus valiosas horas contigo. Poseía tantas credenciales, estudios y títulos que uno se lo podría imaginar yendo a una autoescuela antes de atreverse a coger el carro de un supermercado, y alardeaba de todo ello sin ningún rubor porque era, sin duda, de esas personas que creen que la razón no se la dan a uno sus argumentos, sino su historial. La mitad de sus frases empezaba recordándote su condición de economista, político y abogado y terminaba haciéndote notar que tú no eras nada de eso. La otra mitad era igual, sólo que al revés.

Por lo demás, el marido de Natalia Escartín me pareció una de esas personas explícitamente ricas a las que les gusta su dinero más que ninguna otra cosa en el mundo, con pinta de poder usar los billetes de quinientos euros como posavasos pero que serían capaces de luchar con un oso húngaro por una moneda de diez céntimos caída en la acera. Le encantaba pertenecer al bando de los poderosos, pero como ése es un lugar con poco espacio y muchos aspirantes, estaba convencido de que la vida es una competición que siempre ganan los listos y su filosofía podría resumirse con una sola frase: saber perder es de hipócritas. No seré yo quien le quite la razón en ese punto.

Lisvano fue para mí, de forma instantánea, ese hombre que acabo de describirles, uno de esos tipos a los que no les importa llegar a la meta a costa de olvidar para qué corrían, puesto que sólo les importa el *dónde* y el *cuánto* de cada cosa, siempre y cuando el primero se pueda resumir con la palabra *arriba* y el segundo con la palabra *mucho*. Él no opinará igual, claro, porque es uno de esos lechuguinos que se sienten superiores al resto de la Humanidad, creen que por decir dos frases punzantes ya son Copérnico y consideran su posición social una especie de salvoconducto: cómo no estimar aquilatado, respetable y, por extensión, concluyente el juicio de alguien con mis méritos. Vale, pues eso es lo que él piensa, y lo que pensé yo, nada más verlo, es que el hijo de Dolores Serma era tan ampuloso y a la vez tan plano como una película de chinos; ya saben: pagodas, bellezas orientales, dinamita, joyas robadas, kárate, dragones de fuego y nada debajo.

Y qué altanera es esa gente. Nada más llegar al Deméter, donde Virginia y yo esperábamos al matrimonio Lisvano-Escartín, me fijé en que el abogado miraba con cierto desprecio el local y en el modo en que aprovechó que la nueva camarera, Nukada, se ofrecía a colgar su americana en el armario del recibidor, para torcer la cara y decir, con un tono de contrariedad:

—Sí, gracias, puesto que no queda más remedio. Ya me fijé la otra vez en que no había guardarropa.

«No, pero si lo hubiese, preferiría dejarte a ti colgado en él y cenar con tu chaqueta», me dieron ganas de contestarle. No lo hice, aunque sólo porque, de momento, no me interesaba que nos llevásemos mal; pero no dejé de recordar, de cara al futuro, que, como decía Ramón Gómez de la Serna, conviene ser un poco imbécil de vez en cuando porque, si no, los demás se aprovechan y lo son sólo ellos.

Nos sentamos a la mesa más apartada del Deméter, que Virginia había protegido con un biombo y adornado con flores, velas perfumadas y pétalos de rosa alrededor de los platos. Natalia alabó su buen gusto, mientras su marido asentía cortésmente pero guardando las distancias, como si quisiera dejar claro que de esas minucias se encargaba su mujer. Cuando Nayaku y Nukada le sirvieron un cuenco de sopa de maíz blanco, otro con crema de zapallo y aduki y una taza de té verde, hizo una referencia al calor y preguntó si no podría tomar, más bien, algo fresco y, a ser posible, beber un poco de vino, siempre y cuando, naturalmente, eso no supusiera ninguna molestia. Virginia le explicó que no es bueno consumir líquidos mientras se come, porque eso dificulta la digestión, sino antes o después; y con respecto a la sopa, le contó que era muy importante preparar el estómago con algún alimento templado al inicio de cualquier comida, y le anunció que luego iban a servirle un nituke de berro y sésamo, a temperatura ambiente, y a continuación ya algo frío, una ensalada con arvejas, ramitos de coliflor cocidos, una mezcla de algas hiziki, arame y nori tostada, apio y hojas frescas de albahaca. Lisvano preguntó, siempre en un tono educado pero que llevaba dentro el caballo de Troya del desdén, qué era eso de las algas y si en el Deméter se usaba como aliño el aceite de oliva.

—No, no —dijo Virginia—. Usamos vinagre de ciruelas umeboshi y aceite de girasol.

—¡Vaya, vaya, vaya! Pero ¿es que acaso ignora que el aceite de oliva es un alimento sano y nutritivo? ¡No será usted una de esas cocineras que reniega de la dieta mediterránea!

Qué jefe. Lo había dicho todo poniéndole una mano amistosa en el brazo y con una sonrisa de reptil coleándole por la cara, pero la cuestión es que, como quien no quiere la cosa, la acababa de llamar ignorante, renegada y, sobre todo, *cocinera*.

Mientras Virginia le explicaba que en otras ensaladas, por ejemplo en la de tofu, zanahorias y aceitunas negras, sí que se utilizaba el aceite de oliva, me detuve un momento en aquel rostro combativo y con un punto rapaz, suponiendo que algunos de sus rasgos reiterarían los de Dolores Serma. Aún se adivinaba, al fondo de él, a un joven guapo cuya hermosura había sido viciada por la ambición, la malicia, el fariseísmo y otros pesticidas de la belleza, con lo cual resultaba, según sus gestos, alternativamente repulsivo y seductor. Su piel era morena, curtida por las lámparas de rayos uva: su boca estaba un poco curvada hacia abajo y su pelo, engrasado con aquel fijador que lo volvía brillante y untuoso, parecía algo que le hubiera saltado a la cabeza desde una charca. Me dio la impresión de que, además, se lo teñía: demasiado negro, para su edad.

Le hice unas cuantas preguntas de cortesía, que como todo el mundo sabe es el arte de dejar a los demás que hablen de sí mismos, y él me habló de su tarea como letrado de las Cortes Generales, sus años de profesor de Derecho Constitucional en la Universidad Complutense, su trabajo en varias comisiones del Parlamento Europeo y su actual dedicación total a la abogacía. Un rollo que a él le parecía *Los tres mosqueteros*. Natalia asistió al discurso con una sonrisa complaciente pero plastificada: se lo debía de saber de memoria. Por otra parte, la figura que representaba la pareja Lisvano-Escartín coincidía con mi idea del matrimonio como una farsa, una pura convención social. Aunque, quién sabe, tal vez es que la primera vez que te divorcias tu idea del amor cambia completamente, lo mismo que la primera vez que entras en un cementerio cambia tu idea de las flores.

—Tengo entendido que tu madre te mandó a un par de internados, ¿no? —dije, entre otras cosas para ver si había algo de rencor en él por ese asunto. En mis cavilaciones, llegué a pensar si impedirme reivindicar la figura de Dolores Serma sería para él un modo de venganza. Me equivocaba.

—Así es, y siempre se lo agradecí. Me dio una educación exquisita, yo creo que muy por encima de sus posibilidades y, obviamente, pagada con mucho esfuerzo.

Todo lo que soy se lo debo a sus sacrificios, y nunca lo he olvidado. Mientras estuve en Bruselas, por ejemplo, me vino muy bien dominar cuatro idiomas, y entendí por qué ella insistía tanto en mandarme a colegios ingleses y alemanes, y en que luego estudiara Filología Francesa e italiano. En fin, una gran visión de las cosas, la suya.

—Eso fue cuando estabas en el Parlamento Europeo, ¿no?

—Sí, sí —se ufanó Lisvano—, una época apasionante, aunque también agotadora, con mucho trabajo, todo él de enorme responsabilidad, y con viajes continuos, porque tampoco podía desatender mis otras obligaciones y vivía a caballo entre Bruselas y Madrid.

«Vaya, pues debías de pasar la mayor parte del tiempo cabalgando», pensé, y de inmediato lo vi caer de la montura y recibir una coz en los dientes.

—Bueno —dije, dispuesto a agarrar, desde el principio, el toro por los cuernos—, pues me parece que un modo de pagar tu deuda con Dolores sería permitir que yo fomentara el estudio de su obra. Que, por cierto, es breve pero muy interesante. Y que no merece ser olvidada.

Lisvano se encogió de hombros y puso las palmas de las manos hacia arriba.

—¿Permitir? ¡Adelante! —dijo—. Y puedes dar por seguro que agradecemos enormemente tu interés. Mi esposa me tiene al corriente de tus investigaciones.

—Ya, pero también te habrá dicho que para poder seguir con ellas, necesito tu ayuda.

—Bueno, el problema es que no se me ocurre de qué forma podría cooperar yo contigo. Tengo que confesarte que la literatura nunca fue... mi especialidad, por decirlo suavemente. Ya sabes, demasiadas horas de Derecho Romano y demás.

—¿Qué te pareció *Óxido*? —dije, decidido a no dejarle echar balones fuera.

—La leí hace mucho. Interesante, sin duda, y también un poco rara, a mi juicio. Aunque, por otro lado, estoy seguro de que esa impresión define más mis limitaciones que los méritos de la novela.

Ya pueden ver que Carlos Lisvano era una demostración palpable de que la humildad es sólo uno de los sicarios de la soberbia. Ahora, si se creía que iba a desdecirle, se equivocaba. De hecho, estaba absolutamente de acuerdo con él: para mí, alguien que no lee por principio es un burro. En su caso, un burro con dos carreras; lo cual es bastante usual.

—Volviendo a la ayuda que me podrías prestar —dije—, básicamente se trata de darme algunos datos biográficos sobre Dolores. La verdad es que no sé mucho de ella. Necesito conocer su historia y la de su hermana Julia.

Lisvano me miró con ojos de lobo, tomó un bocado del plato que acababa de servirle Nukada, asintió apreciativamente y se giró hacia Virginia.

—Delicioso, querida. ¿Qué es?

—Seitán con batatas.

—¿Qué es el seitán? ¿Un pescado?

—No, no —contestó ella, riendo—. Es una proteína vegetal, de categoría yang, derivada del gluten del trigo. Con ella, con los porotos aduki y otras legumbres, como las lentejas o los garbanzos, y con el tofu, suplimos el consumo de carne.

—¿Y eso es suficiente?

—Seguro. Los porotos, de hecho —siguió Virginia, en plan didáctico—, aportan a nuestro organismo más proteínas que la carne y ni la mitad de sus calorías. Y van maravillosamente bien para los riñones y el páncreas.

—¿Y qué opina de todo eso la medicina tradicional? —dijo él, girándose con aquella rigidez algo robótica, en esta ocasión hacia Natalia. Qué tipo tan envarado.

—Nada que objetar —respondió la doctora—. A fin de cuentas, nuestros fármacos salen de la naturaleza, o la imitan.

—Sin embargo, tú no confías en la macrobiótica, sino en la química.

—Bueno, pero que haya elegido esa opción no significa que crea que es la única. Simplemente, pienso que el naturismo, la acupuntura y todas esas cosas pueden llegar hasta cierto punto y nosotros podemos llegar un poco más allá.

Virginia, como es natural, podría haber explicado que sabía por propia experiencia hasta qué punto eso era cierto, pero no la dejé e interrumpí la discusión que había fabricado Lisvano, de forma malintencionada, para evitar hablar conmigo de su madre.

—Por ejemplo —insistí, tratando de tomar otra vía pero dispuesto a caer sobre Lisvano como si él fuera Egipto y yo la plaga de langostas bíblicas—, Natalia me ha dicho que naciste en Berlín. ¿Qué hacía Dolores en Alemania?

Me observó, aún sin demasiado interés, pero ya sí bajo la lupa de la curiosidad, sorprendido por mi obstinación, y antes de darme una respuesta hizo todos los gestos del manual del demagogo: dejó teatralmente sobre el plato la porción de seitán que se disponía a comer; se limpió con la servilleta con tanta lentitud que en ese rato podríamos haber leído los diez primeros capítulos de *Fortunata y Jacinta*; volvió a encogerse de hombros y a poner boca arriba las manos y, finalmente, suspiró como un boxeador que soltara aire antes de empezar la pelea.

—Vaya, ¡empieza el interrogatorio! ¿Y qué más le has contado, Natalia? —dijo, mirándonos con cierto aire de sospecha. «Los celos saben más que la verdad», dice García Márquez. Pero no siempre, añadiría yo.

—¡Todo! —bromeó la doctora Escartín, haciendo un círculo en el aire con el dedo índice—. Se lo he contado todo, incluyendo lo peor.

Virginia me miró como si intentara leerme, y luego miró a Natalia, mientras Nayaku se inclinaba a comentarle algo.

—¿Había ido allí a estudiar? —porfié—. ¿A trabajar? ¿Iba de paso hacia alguna otra parte? Creo que naciste en 1946, ¿no? El año 46 Berlín no era, precisamente, un destino turístico.

—Mi madre estaba allí desde hacía un par de años, según tengo entendido. Mis padres se habían casado en plena Guerra Mundial. Ya ves, un amor de película, con bombardeos, malvados oficiales nazis y héroes de la Resistencia, sólo que sin final feliz: a él lo mataron los rusos, sin que nunca supiéramos por qué, cuando mi madre estaba embarazada. Bendita Unión de Repúblicas Socialistas Soviéticas —enfatizó—, liberadora de los pueblos oprimidos del mundo.

—¿Tu padre pertenecía a la Resistencia? ¿Cómo se llamaba? ¿Dónde se conocieron?

—Aquí, en Madrid. Y sí, luchó en la Resistencia, primero en Francia y luego en su país. Su nombre era Rainer. Rainer Lisvano Mann.

—¿En Madrid? ¿En qué año? ¿Se enroló también él en las Brigadas Internacionales, como el marido de tu tía Julia?

—¡No, por Dios, qué disparate! Había venido a España después de la guerra, para estudiar Bellas Artes y Filosofía y Letras. Creo que era un gran amante de nuestra cultura.

—Entonces, igual que Wystan, el esposo de Julia —dije, perseverando por llevar el agua a mi molino.

—Sí, pero eso no es raro en modo alguno: España posee muchos atractivos, ¿no crees? Mi padre y mi madre se conocieron en la Universidad. Y cuando él regresó a Alemania, para luchar contra Hitler, ella lo siguió, naturalmente. Fíjate qué par de idealistas maravillosos. De hecho, acostumbro citarlos —añadió, en un tono entre desafiante y resentido— cuando alguien viene a darme lecciones de democracia o me saca sus credenciales de luchador por la libertad.

Se notaba que el hijo de Dolores Serma se había dedicado indistintamente a la política y la abogacía, porque era hábil como un prestidigitador e impúdico como una rata de agua.

—Bueno, por lo que yo sé, al marido de Julia también lo mataron en el frente de Madrid mientras luchaba por la libertad.

Su rostro se endureció y apareció en él una sonrisa que se parecía a un balazo en una lata.

—Sí, sí, la libertad... Creía que ya no quedaba nadie que no supiera que la libertad y el socialismo son como el agua y el aceite.

—Dolores debía de pensar, más o menos, del mismo modo —dije, sin dejarme arrastrar por su provocación—, puesto que militaba en la Falange.

—En la Sección Femenina, si no te importa; y, concretamente, en el Auxilio Social. De acuerdo, de acuerdo —añadió, a la vez que levantaba la mano derecha para detener, de forma preventiva, cualquier cosa que yo fuese a decir—, llevaban el mismo uniforme, pero que eso no te confunda: a mi madre, igual que a su jefa Mercedes Sanz Bachiller, no le interesaba en absoluto la política; sólo era una persona generosa, que siempre quiso ayudar a los más desfavorecidos. Como sabrás, el trabajo en los comedores para huérfanos, los talleres de costura, las clases de alfabetización y el resto de las labores que desarrollaban no eran remuneradas. O sea, que lo hacían por puro altruismo.

—No todas ellas. Las llamadas divulgadoras tenían derecho a un salario mensual de setenta y cinco pesetas, en algunos casos de cien. Y otros cargos también se pagaban.

—A ella no, y ése es un punto de interés, porque si intentas darle una explicación ideológica a un simple acto de caridad, cometerás un error. En todo caso, podrías pensar en motivos religiosos, si eso no te causa ningún tipo de problema...

—¿Tu madre era una persona religiosa?

—Desde luego que sí.

Me acordé de la escena de *Óxido* en la que Gloria quiere entrar en una serie de iglesias para preguntar por su hijo desaparecido, o tal vez para confortarse, y siempre las encuentra cerradas.

—Te agradezco muchísimo la ayuda que me estás prestando, Carlos —dije, dispuesto a lo que fuera con tal de conseguir la información que necesitaba. Luego, le hablé de la conversión al catolicismo practicante de Carmen Laforet y del modo en que lo cuenta en *La mujer nueva*. Eso nos llevó a hablar de la llegada de Dolores Serma a Madrid, sus tardes en el Ateneo, su amistad con la autora de *Nada* y sus años de búsqueda de un editor para su novela. La verdad es que de todo eso sabía yo más detalles que él, y por ahí no pude sacar gran cosa en limpio; pero la conversación sirvió, al menos, para interesarlo en la obra de su madre. Su perplejidad, que coincidía al cien por cien con la de Natalia, me pareció sincera. Le di otro par de vueltas al asunto, le hablé de los encuentros de Formentor, de Delibes, Carlos Barral, Cela, Martín-Santos y los demás.

—Pues te puedo asegurar que nunca lo habría imaginado. Cuando hojeé los libros que me regaló Natalia por indicación tuya, ya me sorprendió ver el nombre de mi madre en ellos; pero, en fin, la verdad es que los autores la citan de refilón, digamos que como a alguien que pasaba por ahí, y ésa sí que es una idea más parecida a la que yo siempre tuve del asunto.

—Pues ya ves que estábamos muy equivocados —dijo Natalia.

—No, sencillamente es que eso es lo que nos transmitió mi madre. ¿Cuántas veces la has oído tú hablar de literatura?

—Pocas, la verdad —concedió la doctora Escartín—. Siempre de manera ocasional y como quitándole importancia a la cosa.

—Bueno —se animó a intervenir Virginia—, pero a veces uno calla por falta de interés y otras por miedo.

La cara de Lisvano se llenó de signos de interrogación.

—¿Miedo? ¿A qué?

—A revivir experiencias desagradables —le respondió Virginia al hijo de Dolores, pero mirándome fijamente a mí—. A darle una segunda oportunidad al dolor.

Carlos Lisvano miró una vez más la hora.

—Claro, claro. Pero explícame, querida, qué es este postre tan sabroso —dijo, y con esa frase tan cortés cometió la grosería de ninguwnear su comentario.

—Crema frutada de cebada —respondió ella, sin quererse ofender.

Natalia terció para pedirle que me contara lo que supiese de la llegada de su madre a Madrid y su relación con Mercedes Sanz Bachiller. Lo hizo, hablando con gran reverencia de la viuda de Onésimo Redondo. Después, me dio algunos datos de la vida de Dolores en Valladolid, sobre sus parientes y los negocios familiares. Cuando pensé que ya se había explayado sobre ese tema que le agradaba, ataqué por otro punto: Julia Serma. Inmediatamente, se puso de nuevo a la defensiva.

—Mira —dijo—, ¿sabes qué pasa? Y no creas que lo que voy a decirte tiene nada que ver con mi opinión sobre la pobre Julia y su marido: al margen de eso, yo sostengo que es mejor no resucitar esas viejas historias. No nos conviene a nadie.

—Hombre, yo te puedo asegurar que, como mínimo, le conviene a mi trabajo sobre tu madre.

—Ya, pero es que ella, tal y como, según tengo entendido, ya te ha contado Natalia, siempre fue de una discreción impenetrable a la hora de hablar de determinadas cosas, y entonces no me parece bien llevarle la contraria ahora que no puede opinar. Además, me parece que has llegado a conclusiones algo precipitadas: crees que sabemos más de lo que sabemos, y no es así. No se trata de eso. No es que me niegue a decirte lo que sé, sino que no deseo saber, ni que nadie sepa, más de lo que mi madre quiso contarme. ¿Me explico?

—Ya —dije, sintiendo aquel «me explico» pasar silbando junto a mi cabeza—, pero es que hasta ahora tampoco sabías que la literatura fue su gran vocación, y no un simple pasatiempo. Ni que su novela podría llegar a ser considerada una de las grandes obras de la posguerra. Eso lo cambia todo.

Estuve atento al impacto que le causaba aquella exageración. No vi gran cosa.

—Perfecto —dijo—, y hasta ahí ya sabes que cuentas con nuestro apoyo y nuestra gratitud.

—Sí, pero el problema es el siguiente: estoy seguro de que *Óxido* contiene algunas claves autobiográficas y necesito conocer algo más de la vida de Dolores y de su hermana, para comprobarlo.

Lisvano chasqueó la lengua.

—Ya, pero es que yo no sé si quieres saberlo o lo quieres inventar —dijo, como si soltara un cocodrilo en la piscina—. Y perdóname la franqueza.

Sus ojos me miraron en posición de combate.

—¿Qué te hace pensar que haría algo así?

—Natalia me ha hablado de algunas de tus teorías. Por lo visto, crees que la novela de mi madre es algo así como una versión cifrada del *Manifiesto comunista* y que todo lo que ella hizo en el Auxilio Social no fue más que una representación.

—Estás de broma, supongo.

—Claro, claro, cómo no —dijo, dándome unas palmadas en el muslo mientras una sonrisa de difícil catalogación saqueaba la seriedad de su rostro—. Hablaba en sentido figurado. Pero tú ya me entiendes.

—Pues mira, no sé qué decirte. Pero te puedo asegurar que estás equivocado. Yo no pretendo darle ninguna interpretación forzada a *Óxido*. Ni puedo obligar a una novela a que diga lo que no dice; entre otros motivos porque, si lo hiciera, nadie iba a perder más que yo.

—¿Por qué?

—Porque si hay un sitio en el que a los ensayistas les guste meter la cuchara, es en los errores de sus colegas. Aunque supongo que es igual en todas las profesiones, ¿no? Si la desdicha ajena se vendiese en latas, sería lo primero que se agotaría en las tiendas.

—Ni te imaginas hasta qué punto estoy de acuerdo contigo —dijo Lisvano, sonriendo, por primera vez, de forma sincera.

—Escucha: bromas aparte, yo creo sinceramente que, con un poco más de fortuna, Dolores pudo haber sido una escritora de primer orden y que aún hoy puede hacérsele algo de justicia. Mejor tarde que nunca, ¿no? Era rara para su época y muy original, hasta el punto de que parece más emparentada con algunos autores centroeuropeos que con la tradición española. En muchos aspectos, su libro avanza técnicas que luego iban a lograr prestigio y lectores cuando las hiciesen otros. Créeme, ella puso mucho esfuerzo en escribir *Óxido* y le gustaría que alguien se diese cuenta, aunque sea tantos años después, del verdadero valor de su trabajo.

Lisvano me miró con cierto aire de zumba, y hasta amagó un par de palmadas irónicas. El día que viese *El alcalde de Zalamea* se iba a partir de risa.

—Un buen alegato, y muy emotivo, sin duda —se burló. Pero, de forma inmediata, pasando del calor al frío, se puso mortalmente serio para añadir—: Mira, permíteme que sea, una vez más, muy claro: estoy dispuesto a prestarte mi apoyo incondicional en cualquier aspecto que contribuya al estudio de la obra de mi madre. Pero no pienso permitir que nadie se dedique a tergiversar su vida. Ni toleraré que se la use como coartada o pretexto de ninguna cosa. Pero vayamos a lo práctico: Natalia me aseguró que estabas dispuesto a firmar un documento por el que te comprometerías a someter tu manuscrito a mi aprobación. ¿Mantienes esa oferta en pie? Y quiero que comprendas —añadió, en voz más alta y repitiendo aquel gesto conminatorio de las manos: quieto, no me interrumpas— que no es que desconfíe de tus intenciones, sino que estoy acostumbrado a solucionar las cosas con las cartas sobre la mesa y de un modo estrictamente profesional. A fin de cuentas, soy abogado.

«Sí, qué hombre tan profesional y tan responsable», me dije. «Tanto como aquel forense al que abandonó su mujer porque se llevaba trabajo a casa.» Qué individuo. Estaba claro que la obra de su madre le importaba un cuerno. Su única preocupación era evitar cualquier cosa que le pudiera comprometer o acarrear la más mínima molestia.

—De acuerdo —respondí, con la firmeza clásica de quien no piensa cumplir lo que promete—. Pero ¿me dejas poner, a mí también, una condición?

—Eso depende —dijo mirándome, de nuevo, con ojos de caimán—. ¿Cuál es esa condición?

—Que no puedas vetar nada que yo haya probado con documentos: cartas, entrevistas o..., no sé, fotos, artículos, evidencias de cualquier clase.

El hijo de Dolores Serma se giró de nuevo, con un ademán mecánico, hacia su esposa y, con aquel modo de hablar suyo en el que hasta las palabras más simples sonaban orladas por la pedantería y el tono aparentemente cordial parecía jalonado de amenazas, dijo:

—Querida, ¿qué te parece? ¿Nos fiamos de él?

Natalia aguzó la mirada y fingió calibrarme.

—Yo diría que podemos —respondió.

—¿Y tú? —siguió Lisvano, encarando a Virginia—. ¿Avalas a tu esposo?

Mi ex mujer apenas dejó traslucir un pequeño sobresalto, y eso que acababa de destaparse su papel en aquella representación: el de tapadera.

—Naturalmente que sí —contestó, tras observarnos a los tres como si operara mentalmente con las cantidades de una suma y, después de esbozar una sonrisa de entendimiento, tomándome de la mano para hacer más verosímil su actuación.

—En ese caso —dijo el abogado, mientras llenaba las copas de todos—, brindemos por nuestro compromiso. Como decía un profesor de Arte que tuve primero en el colegio inglés y luego en el colegio alemán a los que me envió mi madre: la única sinceridad en la que puede confiarse es aquella de la que, aunque quisieras, no podrías arrepentirte. Mañana recibirás en el instituto un contrato. A modo de pequeño anticipo y en señal de confianza, te voy a dar estas fotografías de mi madre: puedes quedártelas, son copias.

Mientras yo tomaba el sobre, Virginia me agarró conyugalmente de la barbilla, con los dedos pulgar e índice, orientó mi cara hacia ella y me ofreció la boca.

—Enhorabuena, cariño —dijo.

La besé. Luego brindamos por Dolores Serma y por el éxito de mi libro, comentamos las fotos que acababan de darme, tomamos un té de arroz con naranja y el marido de la doctora Escartín estuvo hecho un patán ofreciéndose a pagar la cuenta e insistió en dar una desorbitante propina a Nayaku y Nukada. Natalia lo detuvo en seco con una frase mordaz y una mirada de reprobación, ante las cuales el gran abogado pareció empequeñecerse hasta la miniatura.

Mientras nos despedíamos, me daba vueltas a la cabeza el hermoso nombre del padre de Carlos, aquel héroe de la Resistencia a quien él nunca había conocido: Rainer Lisvano Mann. ¿No es estupendo, sobre todo tratándose del marido de una escritora? Rainer, como el poeta Rainer Maria Rilke; y Mann, como el novelista Thomas Mann. Los *Sonetos a Orfeo* y *La montaña mágica* reunidos en uno solo. Tan estupendo que hasta sonaba falso. Supe que lo era a la mañana siguiente, en el instituto, cuando vi la firma y el nombre del hijo de Serma en el contrato que me envió al instituto. ¡Naturalmente! ¿Cómo había sido tan ciego? Ahí estaba la primera pista del juego literario en el que la creadora de *Óxido*, por las razones que yo empezaba a sospechar y que muy pronto voy a contarles, escondió su verdadera historia. Lisvano, si se leen sus tres sílabas al revés, es Novalis. O sea, lo mismo que el célebre autor de los *Himnos a la noche*.

Rainer Novalis (o Lisvano) Mann. ¿Existe alguien que pueda creer que tras un nombre como ése no se oculta una mentira?

Capítulo quince

—Buenos días —dijo Bárbara Arriaga, a quemarropa y con tanta rudeza que hubiera sido difícil distinguir entre su saludo y un obús.

Había entrado en mi despacho de estampida, a las nueve y dos minutos, cuando aún no me había dado tiempo a sentarme y el aroma del café que me acababa de tomar en el Montevideo todavía me perfumaba la boca.

—Buenos días —respondí con prevención, esperando a ver qué salía de entre aquella buscarruidos.

—Yo lo haré —dijo—. Si te atreves a dejarme el puesto, yo seré jefa de estudios.

—Vaya... Esto sí que es una sorpresa.

—¿Tú crees? ¿Y por qué? Así matamos dos pájaros de un tiro.

«Sí, y uno de ellos es un cuervo: tú», pensé, mientras su mirada de camorrista me acechaba.

—Mujer, comprenderás... Es que me llama la atención que primero me denuncies y ahora... Aunque, pensándolo bien... ¿Por qué no? Si te parece, hacemos borrón y cuenta nueva.

Ese discurso zigzagueante lo intercalé en los huecos que dejaba la lucha que mantenían mis instintos y mis intereses. Los primeros me empujaban a mandarla al infierno y a humillarla todo lo que pudiera. «Voy a hacer que te tragues tu orgullo, y puedes estar segura de que será la cosa con peor sabor que hayas probado jamás», me oí decirle. Los segundos me daban buenos consejos: «Pero ¿no es esto lo que estabas buscando? Pues entonces, ¡aprovecha la oportunidad!». Le hice caso a mis intereses. Al fin y al cabo, lo importante es escapar, qué importa quién te abra la puerta del calabozo.

—Por mí no hay ningún problema —dije—. Es más, aunque en algún momento hayamos tenido nuestras... llamémosles discrepancias, nunca dudé de tus méritos ni de tu profesionalidad. Sé que vas a ser una gran jefa de estudios.

—Así es —respondió con su sequedad característica—. Y, en cualquier caso, mejor para todos, ¿no te parece?

—Sin duda —dije, mientras me preguntaba hasta qué punto la profesora de Física y Química daba aquel paso nada más que para librarse de mi aversión hacia ella o, en el fondo, ambicionaba mi cargo desde el principio y nuestro enfrentamiento no era más que una disculpa. ¿Por qué no? Ella era ambiciosa y la ambición nos hace tan ingenuos que confundimos ser libres con que nos cambien a una jaula más grande. Que me lo digan a mí. De cualquier modo, ése no era mi problema.

Acordamos comer juntos en el Montevideo para planear el traspaso de poderes, que era muy sencillo, y la vi salir por la puerta con una dignidad de reina ultrajada, envuelta en aquella perpetua bata blanca que le añadía a su personaje un punto de irrealidad. Mira por dónde, resulta que al final mi único aliado en el instituto iba a ser, justamente, mi peor enemiga. La solución había crecido a la sombra del problema como la balsamina crece junto a la cicuta y es el antídoto más eficaz contra su veneno.

Sin perder un segundo, llamé al director para proponerle a Bárbara Arriaga como mi sucesora, y le pareció estupendo. Me hubiera gustado decirle que si la cara dura se pudiese dividir en parcelas, en la suya habría espacio para edificar dos urbanizaciones y un hipermercado. En lugar de hacer eso, telefoneé al inspector de la Consejería de Educación para comunicarle que Arriaga y yo habíamos llegado a un arreglo y saber si, en esas condiciones, era posible parar mi expediente. Me tranquilizó *dossier* de inmediato: no debía preocuparme porque ni siquiera lo había abierto.

—Mejor así, ¿no le parece? —dijo, resoplando al otro extremo de la línea como un hipopótamo en un estanque.

—Sí, mucho mejor —respondí—. Más paz y menos trabajo para todo el mundo.

Consulté mi agenda, para ver qué clase de día me esperaba, y vi que la primera cita de la mañana, que era con la madre de un alumno que había suspendido dos evaluaciones de Dibujo, estaba concertada para las diez menos cuarto; de modo que, tras la interrupción de Bárbara Arriaga, tenía media hora libre a la cual agarrarme como a un clavo ardiendo. A por ella.

Encendí el ordenador y mientras silbaba aquella vieja canción de James Brown que dice «no cuentes mentiras sobre mí / y yo no diré la verdad sobre ti», firmé con la mano izquierda, y con una caligrafía inventada, el documento que me había enviado Carlos Lisvano: total, no lo pensaba cumplir.

—Buenos días, jefe, ¿un cafetito?

Vaya, ahí estaba el bueno del conserje, tan obsequioso y tan inoportuno como de costumbre. Ahora me contaría sus últimas aventuras de afectado por el Síndrome Alimentario Nocturno.

—Muchas gracias, Julián, pero ya sabe que no tiene por qué tomarse molestias.

—¡Qué molestias ni qué ocho cuartos! Si ya sabe que lo hago de mil amores.

—Bueno, pues es muy amable. Y, por lo demás, ¿qué tal anoche? ¿Algún contratiempo?

—No, que yo sepa. Por lo visto, me levanté y me comí un plato de conejo con tomate que había dejado mi señora en la mesa de la cocina. Y hasta tiré los huesos a la basura.

—Lo celebro, Julián. Ése es un gran avance.

—Gracias, jefe. Ojalá fuera tan comprensiva la parienta, que resulta que va ahora, la muy raspa, y me sale con que a ver si me suben el sueldo aquí en el instituto, o me da una pensión la Seguridad Social, o lo que sea, porque eso de tener que contar con otra ración para cuando estoy sonámbulo nos descabalga el presupuesto. Y yo le digo, vale, y qué hacemos, ¿me atas con cinta aislante al colchón y así no me levanto?

—En fin, pues nada: paciencia. Y ahora, me va a tener que disculpar —concluí, señalando la pantalla del ordenador.

—Venga, pues hasta luego entonces. Y a mandar —dijo, saliendo del despacho—, que ya sabe que aquí estamos para lo que sea.

El teléfono comenzó a sonar. Era la representante de la APA, que tenía algo importantísimo que decirme sobre no sé qué actividades extraescolares que habían sido suspendidas porque el profesor de Matemáticas, Miguel Iraola, había puesto un examen en la misma fecha en que iban a llevarse a cabo, lo cual era inadmisible, nocivo para nuestra credibilidad, un claro ejemplo de falta de coordinación y etcétera, etcétera, etcétera. Cuando acabé esa conversación, se presentó en el despacho el profesor de Dibujo, Pablo, para traerme los exámenes del chico cuya madre iba a venir a verme a continuación, y para comunicarme que lo había pensado bien y no sería, de ningún modo, el nuevo jefe de estudios. No me molesté en contarle que el puesto ya estaba adjudicado. Finalmente, me llamaron, por este orden, uno de los miembros del Consejo Escolar, Virginia y mi madre. A continuación, golpeó en mi puerta la primera cita de la mañana.

—Muy buenos días, señora Martínez. Tome asiento —le dije, mientras cerraba el ordenador, que dejó escapar un rugido de fiera moribunda, al apagarse. Otro día inútil.

Cuando terminó la jornada, comí en el Montevideo con la profesora de Física y Química. Fue una reunión estrictamente profesional, en la que nos tratamos con una buena educación rodeada de alambres de espino y limitándonos a estudiar los aspectos burocráticos del asunto. Marconi se alegró al verme llegar al restaurante acompañado, y le ofreció su mejor menú a Bárbara Arriaga: bondiola de cerdo, pulpón, vacío con papas, filetes de nutria o, si tenía apetito, un verdadero asado uruguayo. Pero ella, tras escucharle sin aparente interés, le pidió lo mismo que yo: un sándwich olímpico. Marconi anotó la comanda y se fue hacia la cocina sacudiendo la cabeza. Cuando regresó con un aperitivo y mi botella de Château Cantemerle, le ofrecí una copa a la futura jefa de estudios, pero tampoco la quiso: pidió un vaso de agua. Qué austeridad. Yo me tomé dos vasos seguidos: la razón por la que bebo es para hacer más interesantes a los demás, como decía Oscar Wilde.

Cerramos el traspaso de poderes y, nada más terminar, vino a buscarla su marido, un hombre obeso y bastante alto en cuya expresión se conjugaban la mansedumbre y el estoicismo, con una hermosa voz de cantante italiano que hacía juego con la de su esposa y del que, para terminar, sólo diré que sumando sus orejas, su nariz y su bigote, lograbas una mezcla perfecta de koala, ornitorrinco y morsa. En los diez minutos que estuvo en el local, se tomó un Château Cantemerle, un sambayón y un café solo. Me cayó bien, pese a las circunstancias.

Al salir del Montevideo, cogí un taxi hasta la casa de Carlos Lisvano, que estaba en una de las zonas más caras de la ciudad, eché el contrato al buzón, me entretuve unos instantes en mirar el jardín, el césped impoluto y el fogonazo azul de la piscina, y me pregunté cómo podría ser mi vida en un sitio de esa clase y junto a una mujer como Natalia Escartín. Ya ves tú.

Mientras volvía a Las Rozas en autobús, me llamó una de mis hermanas, que es funcionaria en el Ministerio de Justicia y que, con ayuda de varias amigas que trabajan en el Ministerio de Defensa, en el Registro Central y en el Ayuntamiento de Madrid, había conseguido una información que le pedí unas semanas antes: entre las tres, habían buscado el nombre de Wystan Nelson Bates, el marido de Julia Serma alistado en las Brigadas Internacionales que, tal y como me dijo Natalia y me había confirmado su esposo, fue abatido en el frente de Madrid, en una de las escaramuzas entre rebeldes y leales que se producían de continuo en los bosques de la Casa de Campo, y cuyo cadáver, según había sabido Lisvano por su madre, fue inmediatamente repatriado a Inglaterra. Bien, pues mi hermana podía asegurarme que esa historia no era cierta, puesto que su nombre no constaba en ningún archivo, índice, registro civil o militar, no era mencionado en las listas de bajas oficiales de la República, ni había parte de defunción, ni documento alguno que ordenara o diese fe del traslado de sus restos mortales a Gran Bretaña.

El señor Bates, por lo tanto, no había muerto en España, y supongo que ustedes se preguntarán si realmente estuvo aquí o ésa también era una invención de la autora de *Óxido*. Yo ya sabía la respuesta, porque aquél era un punto que acababa de confirmarme mi anfitrión en Atlanta, el hispanista Gordon McNeer: su colega de Oxford, aquella profesora con la que trabajaba en un ensayo sobre los intelectuales ingleses en la guerra civil española y su relación con los autores españoles de la Generación del 27, disponía del listado completo de los ciudadanos de Gran Bretaña que habían venido a defender a la República, y entre ellos constaba, efectivamente, junto a los de celebridades como George Orwell, W. H. Auden o Stephen Spender y el del resto de voluntarios de aquel país, el nombre de Wystan Nelson Bates. Las fechas de su estancia en nuestro país también se especificaban: había entrado en octubre de 1935 y vuelto a Gran Bretaña en febrero de 1940. Lo primero no me sorprendió, porque su llegada coincidía con el comienzo del curso universitario, y no olviden que él había ido a estudiar Filosofía y Letras a Salamanca y que conocería por casualidad a Julia ?serma durante las vacaciones, en junio de 1936, cuando fue a Valladolid a visitar la ciudad. Pero el momento de su salida de España era más llamativo: en enero de 1940 hacía ya tiempo que había acabado la guerra civil y España no era, desde luego, un buen lugar para alguien que había combatido en las Brigadas Internacionales. La conclusión obvia era que no debió de poder salir y estuvo escondido, como tantos otros, hasta que logró que alguien lo sacara del país. Muy probablemente, todo eso explicaba por qué había mentido sobre él Julia Serma: tal vez desde el principio lo hizo pasar por muerto para poder encubrirlo.

Al llegar a casa, le escribí a Gordon McNeer pidiéndole otro favor: ¿podría su amiga de Oxford solicitar un certificado de defunción del marido de Julia Serma? Así sabríamos si aún vivía, cosa que, desde luego, era posible, o el lugar y la fecha de su fallecimiento.

¿Quién era Dolores Serma? ¿Por qué su historia estaba hecha de tantas mentiras e identidades inventadas? No sé qué pensarán ustedes, pero yo, a esas alturas, ya daba por confirmadas la sospecha que tuve en cuanto leí *Óxido:* la vida oficial de su autora, su militancia en la Sección Femenina, su trabajo en el Auxilio Social, su adscripción ideológica a la Falange y, casi con toda seguridad, su matrimonio con aquel incierto conglomerado de Rilke, Novalis y Thomas Mann a quien llamó Rainer Lisvano Mann, eran pura ficción, mientras que lo que había contado en su novela era la verdad. Sólo restaba descubrir los pormenores de esa verdad.

Esbocé un párrafo que recogía más o menos esas ideas, con la intención de volver sobre él cuando tuviese más datos, y seguí adelante con mi estudio, sintiéndome como si acabara de romper las cuerdas que me maniataban: «La impostura fue un fenómeno muy común entre los escritores de la posguerra, obligados, para sobrevivir en medio de la dictadura, a interpretar de cara a la galería un papel que les permitiese eludir la cárcel, las tijeras de los censores, la persecución, las denuncias, el ostracismo... La propia Carmen Laforet negó de forma reiterada que sus obras tuviesen la más mínima intención social o ideológica, y sin embargo una gran parte de sus relatos y novelas la desmienten con rotundidad. Casi todos los autores que hemos mencionado hasta ahora en este libro, y otros muchos, se vieron obligados al disimulo y las verdades entre líneas». *Tenían que escribir así por miedo*

En realidad, a partir de cierto momento da la impresión de que, salvo los carroñeros que habían aprovechado el cataclismo para hacerse un nombre, prácticamente todos los demás fingían en la España de Franco, unos porque siempre se habían opuesto al fascismo y otros porque el fascismo que ayudaron a instaurar no les había dado lo que esperaban, o porque al ver el auténtico rostro de los criminales se sintieron asqueados. Como el propio Ridruejo, que se hizo demócrata sin dejar de ser falangista, y así lo evidencian sus memorias, donde José Antonio Primo de Rivera sigue siendo, en plenos años setenta, un ser humano «afable y como con un velo de melancolía y timidez en la mirada», de modales «delicados» y dueño de un magnífico «rigor verbal» que le hacía «hablar en buena prosa» y, por añadidura, un político que no sólo no fue el inspirador de la violencia sanguinaria de sus seguidores, sino alguien que debió ser considerado un auténtico pacifista: «En los medios conservadores —escribe Ridruejo— se había inventado el mote de Juan Simón, aplicado a José Antonio, porque enterraba a los muertos ceremoniosamente, sin vengarlos. Fue aquél un punto muy debatido en el que a José Antonio se le forzó con los hechos consumados, pues él, racionalmente, comprendía que abrir la carrera de los asesinatos políticos era crear un clima irrespirable y seguramente autodestructor». Es decir, que el fundador de la Falange también fue obligado a cometer sus actos, lo mismo que el propio Ridruejo y tantos otros, y si el primero llegaría a declarar: «Bien sabe Dios que mi vocación está entre mis libros, y que el apartarme de ellos para lanzarme momentáneamente al vértigo punzante de la política me cuesta verdadero dolor», el segundo asegura que fueron sus «condiciones naturales de orador directo e incapaz de recitar un texto previamente escrito (condiciones de las cuales fui yo mismo el primero en sorprenderme) las que determinaron mi acceso a responsabilidades que no había previsto ni deseaba». Así que ya lo ven: todos inocentes. Eso sí, no deja de ser curioso que él mismo confiese en otra página de su autobiografía, no se sabe si en un acto de desmemoria, sinceridad o esquizofrenia, que en una ocasión en que estaba en un piso de Madrid bajo cuyos balcones transcurría una multitud que celebraba el triunfo del Frente Popular, Primo de Rivera dijo: «Con un par de buenos tiradores, una manifestación como ésa se disuelve en diez minutos». O quizá es que en eso sí que coincidía Ridruejo con Juan Ignacio Luca de Tena, quien en su libro *Mis amigos muertos* afirma que el fundador de la Falange era «uno de

330

los hombres más ponderados que yo he conocido: ponderado hasta en la violencia. Alguna vez he dicho que sus mayores violencias fueron siempre más inteligentes que pasionales».

Fui a la cocina a prepararme un buen café hirviendo. Mi madre, que leía una de sus obras de teatro en el salón, me preguntó a qué hora quería que cenásemos. Quedamos en quince o veinte minutos.

«Julia Serma, la hermana de la autora de *Óxido*, debió de sufrir experiencias verdaderamente terribles en la prisión de Ventas —escribí de regreso a la biblioteca—, si atendemos a las descripciones que de ella y de las otras cárceles femeninas de la posguerra dan autoras como Juana Doña, que cuenta en su libro autobiográfico *Desde la noche y la niebla* los continuos maltratos, palizas y violaciones que sufrían las reclusas en la penitenciaría madrileña: muchas eran sacadas a diario de los calabozos, llevadas a los cuartelillos de Falange y violadas. Aunque no eran los discípulos de José Antonio Primo de Rivera los únicos monstruos. Doña cuenta, por ejemplo, el caso de una joven a la que acosaba un juez militar, que le ofreció salvarla a cambio de recibir sus favores sexuales: como se negó, fue condenada a muerte y fusilada. O el de otra mujer a la que violaron siete policías, quedó embarazada y, al día siguiente de parir, la jefa de las carceleras se llevó al niño y a la madre la ejecutaron. Y fuera de Madrid, lógicamente, la historia era la misma. En el presidio de Albacete, por ejemplo, hubo "dos funcionarios del departamento de hombres" que "fueron una pesadilla para las mujeres a todo lo largo del verano del 39. En menos de tres meses violaron a treinta presas. Abrían la

331

sala, miraban al montón, elegían a una o dos y se las llevaban no muy lejos de allí. Debajo de la escalera había un cuartucho... Se oían los gritos en toda la prisión".»

Pero no sólo era dentro de las cárceles donde ocurrían esos sucesos. Muchas mujeres, familiares de republicanos, eran castigadas en público, les hacían beber aceite de ricino «para que con el laxante arrojaran el comunismo del cuerpo», y las paseaban por las calles con el cráneo rapado y un cartel en la espalda que decía: por roja. Eran obligadas a saludar brazo en alto, al estilo fascista, y, cantando el *Cara al sol*, a barrer las aceras y a fregar de rodillas el suelo de las iglesias. «El episodio de *Óxido* —escribí— en el que Gloria, tras escribirse en la piel algunas palabras de protesta, es detenida y llevada a un cuartel donde a ella también le rapan el pelo al cero, le hacen beber aceite de ricino, la duchan con una manguera y la desinfectan con azufre, seguramente antes de violarla, sin duda demuestra que Dolores Serma conocía, por motivos obvios, lo que ocurría en las cárceles del Régimen y los sádicos escarmientos que tanto les gustaba dar a sus camaradas falangistas. Para ella, la feroz represión de los sediciosos no había sido invisible, como al parecer lo fue para tantos. El lugar que describía *Óxido*, con sus zanjas, sus víctimas señaladas y conocidas por todos y sus niños desaparecidos, no era un mundo de ciencia-ficción, sino la pura realidad. Era un mundo que sólo producía dolor y experiencias tenebrosas. "Si temo / mis imaginaciones / no es porque vengan de mi fantasía, / sino de la memoria. / Si me asusta / la muerte, / no es porque la presienta: / es porque la recuerdo", escribe Ángel González».

332

Releí todo lo que había escrito. No estaba mal y, en cualquier caso, al fin había podido arrancarle otra vez el motor a mi libro, lo cual no era poca cosa. Menos mal, porque llevaba unos días en los que me daba vueltas a la cabeza una frase de Chateaubriand que yo había aplicado muchas veces a otros, pero nunca a mí: «La ambición para la que no se tiene talento es un crimen». Y les aseguro que cuando la miras como si fuese un espejo, esa sentencia duele.

Mi madre había preparado uno de mis platos favoritos, *esqueixada* de bacalao, y mientras cenábamos le conté los últimos avances de mi trabajo. Se estremeció de tal manera al oír el relato de las atrocidades que les habían hecho a las cautivas republicanas, que ni siquiera se molestó en intentar equipararlo, como hacía otras veces, con los desmanes cometidos en la otra zona.

—No creas que me sorprende —dijo—. Los dictadores nunca pueden ser buenos, eso ya lo sé. Y siempre dicen tantas mentiras...

—Ya, pero es que si hay algo que pueda llegar a ser tan malo como las mentiras, son las personas dispuestas a creerlas.

—No olvides el miedo. El miedo te puede hacer creer cualquier cosa.

Nos sentamos en el salón a tomar un té verde y vimos las fotografías que me había dado Carlos Lisvano Serma y que, en algunos casos, eran toda una metáfora de la vida de su madre, porque se trataba de imágenes casi exactas a otras que cualquier aficionado a la literatura de posguerra reconocería, sacadas, por ejemplo, en el hotel Formentor, durante el Primer Coloquio Internacional sobre Novela, sólo que con una pequeña diferencia: allí estaban los retratos mil veces reproducidos en revistas, periódicos, estudios y libros de memorias, pero en esta versión, además de Cela y Barral, Jaime Gil de Biedma, Blas de Otero o Gabriel Celaya, también se distinguía, al fondo, a esa mujer sin suerte llamada Dolores Serma. Había otras imágenes, tal vez malévolamente seleccionadas por el esposo de la doctora Escartín, en las que Serma lucía, con un visible orgullo que daba la impresión de contradecir su propia teoría de que su madre no había militado activamente en el partido de José Antonio, su uniforme de Falange, la camisa azul y el yugo y las flechas bordados en rojo; o con el delantal blanco del Auxilio Social. En una de las primeras, recibía un diploma de manos de Pilar Primo de Rivera, y en una de las segundas formaba parte de un grupo del que se destacaba, totalmente vestida de oscuro, la sólida figura de Mercedes Sanz Bachiller.

El primer impacto que me causó la cara de Dolores Serma fue tremendo: era completamente distinta de lo que había imaginado. Le había atribuido los rasgos más comunes de una mujer atractiva de la época: un rostro ovalado, de ojos penetrantes y oscuros, pómulos categóricos, nariz recta y labios finos, pintados con carmín; el pelo moreno, una media melena peinada con raya a un lado y rematada con algunos rizos artificiales, y una expresión de conjunto más bien ambigua, en parte voluntariosa y en parte débil, como si en ella lucharan infatigablemente la esperanza y el fatalismo.

No había dado ni una. La Dolores Serma real era una joven rubia, de ojos grandes y muy claros y piel pálida, nariz indefinida y labios sensuales; el pelo lo llevaba corto y levemente ondulado y, en general, su aspecto era el de una extranjera. Me recordó a una de aquellas actrices andróginas del cine mudo, con su mirada a la vez fría y romántica, su halo de inocencia y su aire etéreo.

Seguí mirando las fotos. Algunas eran documentos de gran importancia para mí, por lo que probaban. En una de ellas se la veía paseando por una calle, tal vez de Valladolid, al lado de Miguel Delibes y otras dos personas. Su apariencia era la de una adolescente. En otra, posaba a la puerta del Ateneo de Madrid cogida del brazo de Carmen Laforet. Magnífico, todo un testimonio gráfico.

Supongo que los personajes que la acompañaban en la tercera y cuarta foto no le dirían nada al abogado Lisvano, y me debió de dar esas dos copias porque en ellas su madre aparecía muy sonriente y aún más guapa que en las otras; pero yo los identifiqué en un segundo: eran Carmen de Icaza y un jovencísimo Luis Martín-Santos. Verla con la sucesora de Mercedes Sanz Bachiller no me extrañó en absoluto, pero sí me llamó la atención lo del autor de *Tiempo de silencio* porque, como recordarán, cuando le pregunté a Natalia si su suegra lo habría conocido me dijo que no le parecía probable, puesto que nunca les había hablado de él como de Laforet o Delibes. Eso no significaría nada concluyente por el lado de la literatura, dado el desinterés del matrimonio Lisvano-Escartín hacia ese tema, pero ¿no era extraño que no le mencionase jamás a la doctora Escartín su relación, fuera ésta poca o mucha, con un médico tan ilustre como Martín-Santos, del que además ella conocía y admiraba un par de sus obras sobre psiquiatría? Otra misteriosa reserva de la autora de *Óxido*. En cualquier caso, volví a tener presente que Julia Serma salió de la cárcel el mismo año en que llegó Martín-Santos a Madrid y que murió tres más tarde en la clínica de López Ibor. ¿Tendría algo que ver en todo eso el célebre novelista? Pronto iba a saber que sí.

A eso de las doce, cuando iba a ponerme a trabajar un poco más, llamó Virginia.

—Hola, marido feliz —dijo, prolongando la mascarada de la última cena en el Deméter.

—¿Cómo estás, Virginia?

—Bien, ¿y tú? ¿Cómo vas con tu libro? ¿Te dejas invitar a una copa y me lo cuentas?

—¿Ahora?

—Claro. Ahora y hoy. Los lunes son mis sábados, ya lo sabes: es el único día que echo el cierre. Y, además, tengo una sorpresa. En concreto, una sorpresa a motor.

—¿Te has comprado un coche?

—Una moto. Una Honda de 500 centímetros cúbicos.

—No sabía que tuvieses carnet.

—Hay muchas cosas que no sabes. ¿Te voy a buscar y tomamos algo por ahí? Conozco un par de sitios en la carretera. Me hace ilusión que seas el primero en verla.

—Vaya, desde luego, Virginia, eres un auténtico mar de sorpresas. Pero la verdad es que...

—¡Por favor! Así te despejas un poco.

—No sé.

—¡Anda, di que sí! ¿Te recojo en veinte minutos?

—Está bien —dije. Cómo iba a negarme, después del favor que me acababa de hacer.

Apunté un par de ideas que se me habían ocurrido mientras miraba aquellas fotos y que, obviamente, pensaba comentar en mi texto, y apagué el ordenador. La verdad es que estaba cansado, me dolían como de costumbre los dedos y la espalda, los ojos me ardían y en las piernas, más que músculos, me daba la impresión de tener bisagras oxidadas. No me iba a venir mal relajarme un poco.

Me di una ducha. Tomé una taza de café para despejarme. Le conté a mi madre que iba a dar una vuelta con unos amigos, aunque no estaba muy seguro de la necesidad de esa mentira, y caminé hasta la entrada de nuestra calle para esperar allí a Virginia. Qué guapa me pareció al quitarse el casco y surgir de él como Atenea de la cabeza de Zeus, con los ojos verdes enardecidos por la velocidad, la cara un poco sonrojada y el pelo rubio que agitó como si avivase una hoguera.

Lo último que me dijo, unas horas más tarde, con la voz difuminada por el sueño, fue: «¿Te la imaginas ahora? ¿Te imaginas a tu Dolores en su habitación de la residencia? Allí... sin saber qué está pasando...». Y después, se quedó dormida. Encendí la luz para poder mirarla a solas, sin ella de testigo: no diré que en su cuerpo desnudo seguía siendo 1980, pero aún era preciosa. En cuanto a mí, me sentía como Napoleón en la isla de Elba, aunque no supe si estaba llegando al exilio o regresaba de él.

Al otro lado de las ventanas, los coches pasaban junto al hotel en el que estábamos y luego se perdían en la oscuridad. Qué raro es todo.

337

Capítulo dieciséis

A la mañana siguiente estaba tan confuso que si alguien me hubiera preguntado cuánto son uno más uno, me lo habría tenido que pensar dos veces. Virginia me había llevado al instituto en su Honda y yo había ido todo el viaje apoyado en su espalda, con los extremos libres de su melena dándome latigazos amarillos en el cuello y las manos metidas bajo su blusa. Deberían probarlo: las curvas de la carretera, multiplicadas por las de la chica, son igual al infinito. La invité a desayunar en el Montevideo y cuando se tuvo que ir me quedé viéndola alejarse calle arriba, hasta que se perdió en un horizonte soliviantado que anunciaba una tormenta que nunca estalló. Amo lo más chino de las nubes, que decía Paul Éluard.

A las diez, Julián me subió al despacho el sobre con los papeles de Dolores Serma que me había prometido Carlos Lisvano, pero apenas lo pude abrir, porque aquél era un día de exámenes finales y los alumnos me esperaban en el aula tan nerviosos como animales en un matadero. ¿Ese rumor que oigo de aquel lado del libro significa, quizá, que se preguntan si, a la hora de evaluar, soy duro o, más bien, generoso? ¿Están de broma, o qué?

Entre examen y examen, eso sí, tuve tiempo para cambiarme de ropa —siempre guardo en mi armario del instituto un par de camisas y unos pantalones de repuesto, por lo que pueda ocurrir— y para darle un vistazo a lo que me enviaba el hijo de Dolores Serma: tres o cuatro fotografías más, entre ellas una en la que la escritora le sonreía a la cámara junto a otra mujer que, por el parecido entre ambas, no podía ser otra que su hermana Julia; una carpeta y un par de cuadernos que, según vi, ella utilizaba para todo, como agenda telefónica, dietario y libreta de apuntes. En una hoja encontrabas una idea para escribir un cuento y en la siguiente la lista de la compra o la suma de gastos del mes. Uno de los relatos se llamaba *La modelo*, y pensaba explicar la pesadilla de una mujer llamada Marta que posa para un inquietante retratista que, según le va dando forma a su obra, no sólo hace que ella se parezca cada vez más a lo que él está representando sobre la tela, sino que, a partir de cierto momento, la obliga a vivir lo que ha dibujado: «Un día —escribe Serma—, se fijará en que el personaje del lienzo tiene una herida en la mano, y esa misma noche se corta accidentalmente con un cuchillo. Cuando en la cara del cuadro aparece una mueca de cinismo o de perversidad, ella se comporta de ese modo, sin poder evitarlo, con quienes más quiere. El día en que la Marta ficticia aparece con una expresión de vicio en el rostro, un cigarro entre los labios y la ropa rasgada hasta casi la desnudez, la Marta real se dirige a los bajos fondos de la ciudad, entra en tabernas inmundas y se vende a un par de desdichados».

Otro de los proyectos tenía el título de *El ladrón de sueños*, y planeaba la historia de un hombre que roba dos monedas de una fuente y, a partir de ese instante, sufre la condena de tener que intentar realizar los deseos opuestos de las dos personas que las habían arrojado al agua. Una de ellas ambiciona poder, busca codiciosamente dinero y una posición social; la otra ansía hacerse un nombre como artista, y no duda en recurrir para ello al servilismo, la indignidad moral y el soborno. Dolores Serma dice en sus notas que será muy importante que no se especifique ni el sexo de los protagonistas ni la naturaleza exacta de sus aspiraciones: «No se sabrá, en ningún caso, qué tipo de autoridad política, militar o económica anhela la primera, ni de qué éxito habla la segunda: ¿quiere triunfar en el mundo de la música, en el de las Bellas Artes, en el teatro...?». Qué notable, la obsesión de esa mujer por las imposturas, las verdades genéricas y las vidas hurtadas.

En una libreta aparte, estaba el manuscrito de *Óxido*, y fue fácil imaginar, tras la caligrafía un poco infantil y la tinta degradada por los años del azul al violeta, a aquella mujer que ahora ya tenía para mí cara e historia, escribiéndolo en la biblioteca del Ateneo de Madrid, junto a Carmen Laforet. También era sencillo presumir la conmoción que debieron causarle aquellas dos bellezas de poco más de veinte años, armadas de un talento y un carácter poco usuales, a los retrógrados de la ACNP y la Falange que, por entonces, luchaban por hacerse con las riendas de la institución. Volví a mirar la foto de las dos escritoras que me había dado Lisvano en el Deméter. Maravillosas. Eran maravillosas, y tan inexplicables en aquella España de la Sección Femenina y el Servicio Social como dos peces de colores en mitad de un desierto.

Finalmente, la carpeta que incluía el sobre era un archivo en el que la novelista había guardado, entre otros recortes y según deduje tras una inspección sumarial, sus artículos para *El Norte de Castilla* y un par de colaboraciones en *Papeles de Son Armadans*. Me venían bien, en cualquier caso, para demostrar su vinculación con Delibes y Cela. Ya lo revisaría todo con detenimiento, al llegar a casa.

Cuando terminó la jornada, celebramos la tradicional comida de fin de curso, una de esas entrañables reuniones de hermandad en las que a alrededor del setenta por ciento de los comensales le gustaría envenenar con matarratas el plato de la persona que tienen al lado. Por lo general, el festejo era en la sala de profesores del instituto y se le encargaba el menú a un restaurante del centro, pero en aquella ocasión lo hicimos en el Montevideo, a propuesta mía. Eso comportaba un riesgo, sin duda, porque me exponía a que alguno de mis colegas se aficionase al lugar y me estropeara todos los desayunos del año siguiente: ya estaba viendo a Miguel Iraola, vestido con uno de sus trajes de vendedor de aspiradoras, mojar magdalenas en el café con leche, el meñique levantado y el pulgar y el índice húmedos y pegajosos como lombrices recién salidas de un desagüe; o a Bárbara Arriaga masticar una tostada de pan integral con mandíbulas de hiena... O a cualquier otro dándome conversación a esas horas destempladas en las que yo sería incapaz de desearle los buenos días al propio Jesucristo si se sentase en el taburete de al lado. Pero y qué: aquélla iba a ser una de mis últimas iniciativas de jefe de estudios, de manera que no estaba mal dejar un recuerdo amable basado en una buena comida, dado que la gente, por extraño que parezca, se suele acordar de esas cosas, hasta tal punto que luego se pasan la vida hablando de unos filetes en salsa como si fueran el Taj Mahal. ¿Qué les parece? Les preguntas qué tal en Budapest o en París, y en lugar de hablarte del Danubio o la Torre Eiffel, te dicen: «Increíble: nos comimos unas gambas con setas buenísimas. Y unas ostras como puños». «¿Y qué tal por Marrakech?» «De cine. Lo que más nos gustó fueron los sesos con tomate.» «¿Praga?» «¡Me hinché a riñones guisados!» «¿Roma?» «Nunca olvidaré el restaurante Alfredo.» «¿Lima?» «¡Probé el pez-globo y el delfín a la plancha!» «¿Copenhague?» «Qué rico, el arenque agridulce.» No voy a añadir ningún comentario, porque todos los que se me ocurren están contemplados en el Código Penal.

Por otra parte, el festín del Montevideo tenía un ganador: mi amigo Marconi, que sacaría una buena tajada con la cuenta del banquete. Ya lo ven, casi sin pretenderlo, me estaba especializando en rehabilitar negocios en decadencia. De hecho, me pasé la tarde azuzando la gula de mis queridos compañeros: venga, hombre, pídete un asado, verás qué carne; venga, mujer, prueba la nutria; ¿nos atrevemos con otra botella de vino?; ¿es que no vais a probar la bondiola de cerdo?; venga, pídete otra copa; venga, pídete un postre, los uruguayos son los reyes del dulce; y café, que traigan más café para todos... Ya supondrán que yo, asqueado por tanto manjar con pinta de ir a mugir cuando le clavasen el tenedor, apenas probé bocado, aparte de unos *cappelletti* de espinacas, pero ellos engulleron con tal entusiasmo todo lo que se les puso por delante, que intuyo que al volver a sus casas tendrían que dividir la digestión en eras. Al salir, Marconi me miró por encima de las gafas y, con su sobriedad habitual, sólo dijo: «Gracias no más». Qué bien me cae ese tío.

Pero la tranquilidad, aunque fuera tan precaria y de esa clase, duró poco porque, justo cuando salía del Montevideo, me llamaron, una inmediatamente detrás de la otra, Virginia y Natalia.

Mi ex mujer me preguntó qué había ocurrido, en mi opinión, la noche antes.

Le dije que no estaba seguro.

—Y eso, ¿es bueno o es malo?

—¿Qué cosa?

—El que no lo sepas. Al fin y al cabo, tú estabas allí.

—Bueno —respondí, intentando ganar tiempo—, pero ya sabes lo que dicen los franceses: si recuerdas lo que hiciste en mayo del 68, es que no estabas allí.

—Ya, pero eso vale para la revolución, no para la restauración.

—Entonces, me estás preguntando con una respuesta... ¿Fue eso: una restauración?

Virginia guardó silencio, al otro lado de la línea. Yo tampoco supe qué añadir.

—No forcemos las cosas —dijo, finalmente—, ¿de acuerdo? Pero me gustaría confesarte algo...

—Adelante.

—Esta mañana, cuando ibas abrazado a mí, de esa forma, en la moto... Pensé que, en realidad... Creo que nunca había querido tanto a nadie; ni siquiera a ti, hace veinte años... La otra vez hubo atracción, cariño... todo eso. Pero ésta... ha sido... pura armonía. ¿Entiendes de qué estoy hablando? Desde luego, yo tampoco soy ya gran cosa... Aunque la ventaja es que ahora estoy limpia, me he escapado del veneno.

En tres segundos, me pregunté cuál habría sido su vida real en aquellos años. ¿Qué hizo? ¿Por dónde se movió? ¿Con quién estuvo?

—Siempre fuiste limpia —dije—, en todos los sentidos. Al menos, mientras eras tú.

—Bendito seas.

—Por favor...

—Y ahora, voy a hacerte la misma pregunta que me hiciste tú a mí en La Vía Láctea, la primera vez. ¿Te puedo llamar?

Me reí, aunque estaba aterrorizado, y le seguí la corriente.

—¿Y cuándo piensas llamarme?

—Siempre —dijo Virginia.

Se hizo otro silencio que a Galdós le hubiera bastado para escribir tres tomos de los *Episodios nacionales*. El auricular parecía algo vivo que respiraba y tragaba saliva.

—Oye, hablamos luego, cuando recupere el habla —dije.

Click, ring, ring, ring. Así, sin transición, porque mientras aún me daban vueltas a la cabeza las palabras de Virginia, llamó Natalia Escartín.

—¿No sabes lo que ha pasado? —casi me gritó.

—Pues... no. ¿Qué ha ocurrido? ¿Te encuentras bien? ¿Dónde estás?

—Estoy en el hotel Suecia, tomando una copa para calmarme. Acabo de dejar a Ricardo en casa. Hemos estado toda la tarde en urgencias.

—¿Por qué?

—Le han pegado. Esos asquerosos macarras que lo molestaban le han roto la nariz.

La voz se le astilló por el peso de la rabia, y la oí llorar.

—¿Héctor y Alejandro? No lo puedo creer. Te aseguro que haré que los expulsen del instituto.

—Mira, por mí, puedes meterte el instituto por donde te quepa. Te aseguro que mi hijo no volverá a pisarlo. Pero no te preocupes, la culpa no es tuya, ni de esos dos infelices que lo más grande que van a hacer en sus vidas es partirle la cara a un niño rico. El único responsable es Carlos, maldita sea su estampa.

—Pero.., ¿por qué dices eso?

—Él lo metió en la boca del lobo. Este... déspota, con sus grandes ideas sobre el orden, el esfuerzo y la disciplina. Ahora va a denunciar al instituto, a los padres de ese par de cretinos... Todo lo soluciona así, a golpe de juzgado. Yo le había advertido que esto podía pasar, se lo dije un millón de veces.

—Lo lamento de veras, Natalia. ¿Quieres... Te apetece que me pase por ahí y hablemos?

—Hazlo, por favor.

Volví a mi despacho, para recoger el sobre con los papeles de Dolores Serma. Dejé un informe sobre el nuevo Reglamento de Régimen Interno en la conserjería, para que Julián lo fotocopiase a la mañana siguiente, salí del instituto y paré un taxi. Hacía calor y por las ventanillas del coche entraba un aire que parecía el aliento del Demonio.

No había mucha gente por la calle, y los pocos que deambulaban de un lado para otro caminaban trabajosamente, como sobre arena, bajo un sol de justicia y con expresiones de sufrimiento en la cara. Era una de esas tardes empalagosas de junio que novelistas del tipo de Daphne du Maurier o Somerset Maugham habrían llamado *tórrida*. El conductor llevaba sintonizada una emisora de música clásica, pero en aquel instante yo habría sido incapaz de ver la diferencia entre *Las cuatro estaciones* y el zumbido de una lavandería.

Cerré los ojos. Volví al Madrid de los años ochenta, a la ciudad de Virginia, la juventud y las noches sin fin, cuando la música olía a tabaco y, al volver a casa, el silencio humeaba como el cañón de una pistola. / Y en los colores oscuros se oían canciones de Lou Reed y los recuerdos dejaban en la boca un sabor a la vez amargo y dulce, parecido al de la fruta verde. / Y la mayor parte de las palabras que decíamos y escuchábamos estaban como oxidadas y un poco deshechas y según pasaban las horas se iban disolviendo en el aire caudaloso de los bares hasta convertirse en un idioma distinto, una lengua que sólo hablaban y entendían los súbditos del país de las sombras, con sus ríos de alcohol, sus campos de amapolas y sus madrugadas hechas de cristales azules. / Y en los discos de The Police se veía la luna y en los de los Sex Pistols había botellas rotas. / Y era así, exactamente. Era sentirse como algo que arde, algo de bordes difusos y anaranjados. Era notar una luz roja en la punta de los dedos, sentir la sangre llena de mercurio, dormirse en una mina de diamantes y amanecer en un barco. / Y la música cambiaba, y los focos se encendían, y mientras el hielo del vaso estaba entero parecía una pregunta y al fundirse se transformaba nada más que en una respuesta. / Y nevaba dentro de ti, y tus calles se volvían tan hermosas, tan blancas, y el suelo del bar era el suelo de un avión. / Y Virginia primero se había entregado a la heroína y luego se entregó a los camellos que se la pasaban, la estabas buscando, entraste, era una habitación con una luz roja, aquel hombre...

Abrí los ojos, sobresaltado, y un escalofrío me atravesó, fue como si el Can Cerbero de los malos recuerdos me pasase lentamente las uñas por la espalda.

En la radio del coche daban las noticias extrañas del verano: un investigador inglés aseguraba tener pruebas de que *El sabueso de los Baskerville* no lo había escrito Conan Doyle, sino un colega suyo al que el creador de Sherlock Holmes había asesinado, poniéndole cianuro en la bebida, para poder robarle el manuscrito. Unos montañeros acababan de encontrar en el Nanga Parbat el cuerpo congelado de Günter Messner, el hermano del más grande alpinista de la Historia, Reinhold Messner, que había sido sepultado por una avalancha hacía treinta y cinco años y era el origen de su leyenda negra: siempre fue acusado de no haberlo socorrido con tal de coronar la montaña asesina de Pakistán. Un médico francés había desarrollado un método para realizar trasplantes de cara; podía colocar el rostro de un cadáver sobre una persona que, por ejemplo, hubiese sufrido quemaduras de primer grado y, cuando un periodista le preguntó qué pasaba con el muerto, sostuvo que le colocaría una reproducción de su propio semblante, hecha de cera, para que lo pudiese velar su familia.

Bajé del taxi, aturdido tanto por el presente como por el pasado y con ganas de marcharme a casa, tapiar las puertas, arrancar el cable del teléfono, tirar el móvil al cubo de la basura, cegar las ventanas con tablones y no volver a salir hasta septiembre. Con lo tranquilo que estaba yo con mi infelicidad a la medida, mis aventuras de ocasión y mis naufragios escogidos. «Y mírenme ahora», pensé mientras me dirigía al Suecia, «teniendo que dar la cara dos veces, como si fuese uno de los donantes de ese cirujano loco del que hablaba la radio, una ante Virginia y otra ante Natalia. Dar la cara es de idiotas: los listos siempre tienen un recurso mejor.»

Lo cierto es que la de Virginia había sido una gran pregunta: ¿qué fue, exactamente, lo que ocurrió la noche antes, e incluso esa misma mañana, entre nosotros? Creo que es J. D. Salinger quien dice, poco más o menos, que las emociones amorosas pueden ser de dos tipos: líquidas como la alegría o sólidas como la felicidad. Visto de ese modo, lo que pasó en aquel hotel de carretera y durante el viaje en moto de Las Rozas hasta el instituto, es que mi ex mujer y yo, quizá por primera vez en mucho tiempo, fuimos felices. Qué miedo.

La doctora Escartín no estaba en la cafetería del hotel. Lo único que quedaba de ella en la mesa que debía de haber ocupado hasta unos minutos antes eran sus ruinas: tres vasos altos que imaginé llenos de vodka con naranja, el último aún con un par de piedras de hielo a medio consumir; un cenicero con cinco o seis cigarrillos furiosamente aplastados, todos ellos con marcas de lápiz de labios de color rosa, y un folleto de una empresa farmacéutica, especializada en medicamentos contra el Parkinson, que promocionaba diferentes neuroprotectores y anticolinérgicos llamados amantadina, biperideno o pergolide, más los clásicos trihexifenidilo y levodopa. No tuve ninguna duda de que Natalia había dejado allí ese tríptico publicitario como prueba de su presencia en aquel lugar. Pero ¿por qué me había hecho ir a su encuentro y después se había marchado? Creo que fue De Gaulle el que dijo, al dejar la presidencia de Francia, que era imposible gobernar un país con doscientas cuarenta y seis clases distintas de queso. Bien, pues, en esa misma onda, yo renuncié de inmediato a entender a una mujer capaz de saberse de memoria doscientas de esas palabras de siete sílabas, similares a ciempiés, que a ella le corrían por la boca día y noche con toda naturalidad y que al resto de nuestra raza nos sonaban a una mezcla de chino e hindú de las montañas Nilgiri.

Me senté a la mesa que había abandonado Natalia, por si aún regresaba, y pedí una copa. Seguro que me iba a sentar bien. Pero cuando aún no me la habían servido, sonó el teléfono. Naturalmente, era ella.

—¿Dónde estás —dijo, sin más preámbulos, pero con voz inestable, endeudada con el alcohol—, aún... de camino... o ya en el hotel?

—Estoy en el Suecia. Acabo de llegar.

—Sube a la 536. Si quieres... Tengo... un par de cosas que... podrían interesarte.

Crucé el vestíbulo, sintiendo una absurda mala conciencia, y mientras esperaba el ascensor, me enfrenté a la mirada intimidante de los recepcionistas, un par de acicalados tan serios y solemnes como arzobispos, que me dieron las buenas tardes de modo que sus palabras hiciesen una especie de tintineo al final: el sonido de la sospecha. Que les parta un rayo. Subí al cuarto piso junto a dos ejecutivas de aspecto alemán y una gorda con cara de soprano en cuyo culo se podría escribir el *Quijote* a brocha. Hay que ver.

Natalia me abrió la puerta y me puso en la mano un vodka que debía de haber pedido al servicio de habitaciones. Vi una mezcla de furia, inestabilidad y excitación en sus ojos, que en ese estado y bajo aquella luz parecían mucho más verdes que castaños y le daban un cierto toque salvaje. Tenía la camisa, de color azul pálido, desabotonada hasta el punto justo en que acaba la incitación y

349

empieza el vértigo. Se había pintado otra vez los labios, del mismo rosa que vi en los cigarrillos de la cafetería, y no llevaba el pelo como de costumbre, en una coleta, sino suelto y un poco alborotado. Estaba impresionante.

Di un trago a mi copa, la dejé sobre un mueble y la estreché. Me besó, pasando rápido de la pasión a la dulzura, y después se separó de mí y me puso la mano derecha en la mejilla, mientras me miraba de aquella manera tan suya, igual que si me tasase. Fue un gesto más bien candoroso, si me apuran hasta maternal; una caricia como de otra época, seguramente del futuro, o más bien de un porvenir que nunca llegaría, ajena a las personas y la situación en la que se daba. Y, pese a todo, fue un gesto tan real que logró conmoverme. Me estaba convirtiendo en un zanahoria, como dicen en Perú.

La doctora Escartín dio unos pasos atrás, sin dejar de mirarme a los ojos, y yo vi en los suyos que algo se endurecía, pero qué. Aún sin decir una palabra, terminó de desabrocharse la camisa. Yo hice lo mismo, porque el erotismo esta hecho de ecos y simetrías. Mientras nos desnudábamos, la iba descubriendo igual que si la recordase. Era un auténtico bombón, si es que todavía se puede describir así a una mujer sin que te demande o un colectivo feminista o una marca de chocolate. Cuando nos tumbamos en la cama, eso sí, reconozco que éramos tres: ella, el cincuenta por ciento de mí que iba degustando lentamente aquel manjar vivo y el otro cincuenta por ciento que, por mucho que lo intentase evitar, no dejaba de oír dentro de él Virginia, Virginia, Virginia, una y cien veces, como si un herrero martilleara ese nombre sobre un yunque. Por qué seremos tan complicados.

—¿Te gustaría quedarte toda la noche? —me preguntó media hora más tarde, tumbada sobre mí—. Quiero decir si pudiéramos.

—Sí.

Sonrió de mentira, pero con un ronroneo de placer.

—Lo sabía. Y ahora —añadió, poniendo su voz más aterciopelada—, compórtate como un caballero y hazme perder otra vez la cabeza. O mejor aún, házmela perder tantas veces como puedas.

Desde luego, Natalia Escartín sabía cambiar de papel. Y de qué modo. Me la imaginé ganando un Oscar por una película en la que interpretara simultáneamente a Virginia Woolf, a su padre y a una tetera china.

No salimos de la cama hasta bien entrada la noche, y entre un asalto y otro hablamos de cualquier cosa que no fuera ni su marido ni mi ex mujer, lo cual dejaba claro que eso iba aparte: simplemente, habíamos apagado los móviles y, al hacerlo, nos habíamos puesto a salvo de nuestras vidas. Bueno, no se extrañen, la infidelidad consiste justo en eso, ¿no?, en defenderte durante unas horas de todo lo que, según los casos, necesitas, quieres, te interesa o te importa y que, de pronto, deja de ser lo que te protege para convertirse en lo que te amenaza. Una sencilla inversión de términos.

En el caso de Natalia Escartín, no me cabía la más mínima duda de que, por muy indignada que estuviera con su marido, no pensaba romper ni con él ni con su mundo, lo cual resulta comprensible. Tampoco me pregunté hasta qué punto yo era una rara aventura extramatrimonial o el último de una lista; ni si el asalto a su hijo Ricardo en el instituto había sido la causa o más bien la

351

disculpa para que ella estuviese en aquel cuarto conmigo. La verdad es que me importaba un rábano. De hecho, me producía mucha más inquietud mi propio sentimiento de deslealtad hacia Virginia. ¿Por qué? ¿A qué venía eso? Aunque, por otra parte, mejor no meterse en camisa de once varas, como suele decir mi madre. Por mi parte, siempre he creído que lo único que el ser humano demuestra con su pretensión de comprender a sus semejantes por medio de la filosofía, la psicología y la mala literatura es lo necio, megalómano e hipócrita que puede llegar a ser. ¿No les parece? Pero cómo vas a entender a los demás cuando tú mismo, en tantas ocasiones, no tienes respuestas para tus propios actos y te dejas gobernar por instintos y deseos de toda índole, sabiéndote condenado, si eres inteligente, a tener siempre más preguntas que respuestas, o al revés si eres idiota o un cura. En fin, mejor dejarlo.

—Te prometí que tenía dos cosas para ti, ¿recuerdas? —dijo Natalia—. Aún no te he dado la segunda.

—Bueno, ¿y a qué esperas?

Se levantó y fue a buscar su promesa al armario. Qué mareo delicioso, ver andar a una mujer desnuda; qué perversión de la ley de la gravedad; qué concordia basada en mil pequeños desequilibrios.

—Para ser sincera, se lo he robado a Carlos —dijo, entregándome una caja de latón—. Es la parte que él no te quería dar.

—¿Son más documentos de Dolores?

—Son las cosas que le guardaba Mercedes Sanz Bachiller. Esta caja, tal cual, es lo que ella nos entregó cuando fuimos a verla. Si te preguntas por qué te la doy ahora, te confesaré que, al margen de que esté molesta con mi marido, lo cierto es que me parece justo que puedas consultar ese material y que Dolores tenga una segunda oportunidad. Pero se está haciendo muy tarde —dijo, después de mirar el reloj, recuperando su voz más fría—. Ven al baño, y hablamos mientras me ducho.

Repito: qué raro es todo, ¿verdad? ¿O no se lo parece la manera en que las historias suceden y pasan de mano en mano con el tiempo? ¿Y el modo en que, a veces, todos nosotros nos comportamos como si fuéramos personajes de una ficción? Quédense unos instantes mirando aquella escena: un profesor de bachillerato que, en sus horas libres, prepara un libro sobre la literatura inmediata al final de la guerra civil, está sentado en el váter de un cuarto de hotel, mirando con ojos llenos de hélices cómo se enjabona, lenta y él diría que malintencionadamente, la madre de uno de los alumnos de su instituto, que le acaba de entregar, para vengarse de su marido, una caja con documentos que pertenecen a su suegra, una narradora de talento pero olvidada que escribió un libro llamado *Óxido* junto a Carmen Laforet mientras ésta, a su vez, escribía su obra maestra *Nada*, y que, por razones aún impenetrables, custodió durante décadas la viuda de Onésimo Redondo, la fundadora del Auxilio Social. El maestro no sabe qué contendrá exactamente aquella especie de cofre del tesoro que lleva meses buscando para intentar esclarecer algunos de los muchos enigmas que rodean a la novelista misteriosa, cuya imagen pública contradice casi por completo su vida privada, y la curiosidad ha puesto su corazón a cien latidos por segundo. De forma que abre la tapa, echa un vistazo y, tras unos instantes de mutismo absoluto, la mujer le pregunta:

«¿Y bien? ¿Qué opinas? ¿Qué hay dentro?». Pero en lugar de contestar, el hombre vuelve a cubrir la caja, la pone en el suelo y mientras se mete en la bañera con la chica, responde:

—Bueno, lo único que sé es que dentro no estás tú; de modo que, sea lo que sea, puede esperar.

Y ella replica:

—Joder, qué lujo. Eres un verdadero prototipo: el hombre del futuro.

Así somos, puro teatro. Y, de hecho, ésa suele ser nuestra cara más divertida, ¿no les parece? Porque, en el terreno de las relaciones, cuando se acaban las mentiras, empieza la verdad; y en la mayor parte de los casos, la verdad ¡suele ser tan tediosa y, sobre todo, tan decepcionante! «Venga, cariño, y ahora que nos conocemos mejor, ya podemos tirar los libros de caballería y convertirnos en un par de Sancho Panzas. Así que ponte la bata, fríeme unas croquetas y dame un masaje en los pies. Te quiero, gordi.»

Regresé a Las Rozas en taxi. Al entrar en casa, el estómago me recordó que no había cenado, de manera que me senté en la cocina para tomar alguna cosa y mirar con más calma lo que me había dado Natalia. En la autopista, a oscuras dentro del coche, no había identificado más que un carnet de la Falange Española y de las JONS a nombre de María de los Dolores Serma Lozano, una medalla, un paquete de cartas atadas con una cinta y una voluminosa copia mecanografiada de *Óxido* hecha en aquellos antiguos folios, hoy prácticamente en desuso excepto para los blocs de facturas, que llevaban tres hojas de papel carbón pegadas, una de color amarillo, otra rosa y otra verde, para hacer de una sola vez cuatro copias de cada texto.

La medalla no era una imagen religiosa, como había supuesto, sino una modesta condecoración de cobre con el emblema del Auxilio Social, que debían de haberle concedido en alguno de aquellos Consejos Nacionales a los que eran tan aficionados los mandos de la Sección Femenina, en pago a sus servicios, y que relacioné de inmediato con la fotografía en la que la escritora aparecía con Pilar Primo de Rivera durante una entrega de premios. También había una de aquellas insignias cubiertas de esmalte que acreditaban que su portadora había realizado el Servicio Social.

La copia mecanografiada de la novela no aportaba nada nuevo: empecé a leerla y, en principio, no parecía haber cambios con respecto a la obra publicada. Naturalmente, tendría que cotejarlas, para encontrar cualquier variante o, por ejemplo, los posibles cortes de la censura.

Lo que entonces me pareció más interesante, las cartas, eran de Mercedes Sanz Bachiller, de Carmen de Icaza, de su hermana Julia, su tío Marcial y, ocho o nueve, estaban escritas en el papel timbrado del Ministerio de la Gobernación; pero casi todas ellas resultaban prácticamente ilegibles a primera vista, porque tenían tachadas con tinta negra numerosas líneas, cuando no párrafos completos. ¿Habría hecho eso la propia Dolores Serma? ¿Quién, si no? ¿La viuda de Onésimo Redondo? ¿Con qué fin? Otro acertijo por resolver.

En cualquier caso, ya me pondría a pensar en eso al día siguiente. Estaba desfallecido y con más ganas de dormirme con Natalia Escartín en la cabeza que con Dolores Serma. Cuando encendí el teléfono, para leer los mensajes, había uno de Virginia: «Hola, ¿me recuerdas?».

Lo había enviado media hora antes, hacia la una. «Perdona, es que al final me he liado...», respondí. Un poco de humor corrosivo nunca viene mal.

Me dormí tarde y hecho un mar de porqués relacionados con Natalia Escartín, con Virginia y con Dolores Serma. Entre otros, éstos: número uno: ¿cómo es que no había entre sus fotos ninguna de carácter más familiar, una en la que estuviese con su marido alemán o con su bebé? Y número dos: ¿por qué guardaría la autora de *Óxido* tan celosamente, fuera de casa y bajo la custodia de Sanz Bachiller, la copia a máquina y por cuadruplicado de su novela, mientras que el cuaderno que contenía el manuscrito lo conservó siempre en su poder y, por lo tanto, lo debió de considerar, de manera ilógica, un documento de menor interés? Tal vez no tuviera ninguna importancia, y de hecho, nada más pensarlo, lo descarté como una pregunta sin demasiado relieve. Pero muy pronto sabría que era otra cosa: una buena intuición.

Empezaba a dormirme cuando la alarma del móvil anunció la llegada de otro mensaje. Sería, obviamente, de Virginia, a quien, como saben, debía una llamada, y estuve a punto de apagar el teléfono sin mirarlo. No pensaba responder, en parte por pura cobardía pero también porque, en realidad, no tenía mucho que decirle. Todavía no.

Pero resultó que el SMS no era de Virginia, sino de Gordon McNeer, a quien su colega de Oxford ya le había pasado el dato que le pedí a través del correo electrónico: según constaba en el certificado de defunción al que había tenido acceso la investigadora, Wystan Nelson Bates, el marido de Julia Serma, murió en Southampton,

356

el 14 de septiembre de 1959. La causa del fallecimiento había sido una neumonía.

De manera que, efectivamente, ni lo habían matado las tropas franquistas en la Casa de Campo, durante la guerra civil, ni su cadáver fue repatriado a Inglaterra, ni nada parecido: toda esa historia que Dolores Serma le contó a su familia era un puro invento. Pero ¿por qué les había engañado? ¿Qué se ocultaba tras esa ficción? Pronto lo iba a descubrir. Y no se inquieten, ustedes también lo van a saber muy pronto.

Capítulo diecisiete

Nada más llegar al instituto al día siguiente, que era el último de clase, hice llamar a Héctor y Alejandro, los rufianes que habían agredido al hijo de Natalia Escartín. Escuché sus explicaciones y también las de cuatro o cinco alumnos y dos profesores que habían presenciado la pelea y, de hecho, eran quienes la habían detenido. Tras oír todos esos testimonios, inicié el expediente de expulsión del centro de la pareja de facinerosos. No serviría de mucho, probablemente, y con toda seguridad los padres de los energúmenos iban a aparecer hechos una furia por mi despacho y defenderían a muerte la inocencia de sus hijos, que actuaron en defensa propia, que sufrieron una provocación, etcétera, etcétera. Nada nuevo: el doctor Frankenstein siempre culpa a las víctimas de haber asustado a su monstruo.

En cualquier caso, llamé a Natalia al hospital, para informarle de los pasos que había dado. Estaba de guardia y, en principio, me trató de manera rigurosamente formal. Hablamos de Ricardo, cuyas lesiones, según me dijo, eran molestas y sobre todo aparatosas, pero no graves, y de las medidas disciplinarias que íbamos a tomar contra «aquellos dos infelices», como ella llamó a Héctor y Alejandro. La doctora Escartín, que interrumpió nuestra conversación dos o tres veces para dar varias indicaciones a sus enfermeras sobre el tratamiento de algún paciente, me dejó muy claro que le traía al fresco toda esa historia: ya había hablado con el director del mismo colegio al que iba su hijo antes de que su padre decidiera enseñarle lo que es la vida, y su plaza estaba reservada para el próximo año. De hecho, le había sugerido a su esposo que no perdiera el tiempo con denuncias absurdas, aunque él pensaba seguir adelante.

—Supongo que así —concluyó Natalia—, culpando a otros, se siente libre de su propia responsabilidad. Es su estilo.

—Por cierto —dije, bajando la voz—, ¿tuviste algún problema anoche, al volver a casa?

—En absoluto. ¿Quién se iba a atrever a creármelos?

—¿Tu marido, quizá?

—Él, menos que nadie, por la cuenta que le tiene.

Vaya, se ve que cuando la neuróloga perdía los nervios, era temible. Aunque eso no me pillaba de nuevas, porque ya noté en la reunión del Deméter que el abogado Lisvano era un hombre altivo, y en algunas ocasiones prepotente, pero sólo hasta donde se lo permitía su mujer: cuando sobrepasaba ciertos límites, una mirada suya bastaba para detenerlo. Y también me había fijado en que su autoridad se basaba tanto en la firmeza como en su dosificación, de forma que, por lo común, le dejaba llevar la voz cantante y hasta asumía el papel secundario de la pareja, incluso haciendo de su conversación, la mayor parte del tiempo, un simple accesorio de la de él. Pero, de pronto, algo la desagradaba y, amigo, fin de trayecto, hasta aquí hemos llegado: Natalia se bajaba la cremallera de su disfraz de amable esposa y aparecía debajo el Cid Campeador.

—Me alegro de que todo fuera bien —dije—. Oye, y ahora me gustaría pedirte un último favor.

—Sí, claro... Pero disculpa. Discúlpame un instante. No, pero es que no es eso: lo que tenemos que ver —le dijo a alguien— es si el número de repeticiones del trinucleótido CAG supera las cuarenta, porque de lo contrario no podemos hablar de enfermedad de Huntington. ¿Me explico? ¿Qué historial tiene? ¿Alteraciones psicóticas, depresión, conductas paranoides...? ¿Y los síntomas? ¿Se aprecian movimientos distónicos, rigidez? Hay que hacer un examen macroscópico. Cuando tenga el cuadro clínico completo, me decido entre lo de siempre: tetrabenazina, haloperidol, sulpiride... ¿Está sedado? Venga, pues entonces no hay tiempo que perder... Oye, perdona —me dijo, volviendo a mí desde su mundo de quirófanos y anestesias—, ¿qué me decías?

—Estaba a punto de pedirte un favor.

—Adelante.

—Bueno, pues verás, no me gustaría abusar de ti, pero...

—¿En serio? —ironizó, con su voz más seductora—. Ayer me pareció que lo hacías encantado.

—Ni lo dudes. Y viceversa.

—Claro, prototipo. Pero ve al grano.

—Lo haré si dejas de interrumpirme. ¿Me podrías prestar el Libro de Familia de tu suegra? O al menos hacerme una fotocopia. Necesito comprobar algo.

—Creo que sí. ¿Puedo saber qué es exactamente lo que buscas?

—¿Me permites que no te lo diga hasta que pueda hacer un par de averiguaciones? Prefiero no estropear la sorpresa por precipitarme.

—Ah, pero ¿es que va a haber una sorpresa? ¿De qué tipo?

—Confía en mí, ¿de acuerdo?

—¿Quieres decir como investigador o como amante? —dijo, en un susurro, y después, ya en otro tono, porque sin duda alguien había entrado en su consulta—: Y ahora, si me excusas, te tengo que dejar. Trataré de hacer, en cuanto pueda, la gestión que me pides y nos llamamos luego, ¿te parece?

Una auténtica dama, sin duda.

Estuve trabajando con algunos papeles del instituto y después hablé un momento con Bárbara Arriaga, que quería aclarar algunos extremos de sus futuras responsabilidades como jefa de estudios, y con Julián, que me llevaba las copias del nuevo Reglamento de Régimen Interno que le había dejado el día antes en la conserjería. Nada más librarme de toda esa broza, le mandé un mensaje a Gordon McNeer para agradecerle su ayuda y la de su amiga de Oxford, y también para pedirle que me enviara por correo postal, si le era posible, un duplicado de los documentos legales sobre Wystan Nelson Bates que ella había podido consultar.

Justo cuando iba a llamar a Virginia, se me adelantó mi madre. Cualquier otra me habría pedido explicaciones, aunque sólo fuese por simple curiosidad, de por qué llevaba ya dos noches sin ir a dormir a casa. Ella, sin embargo, me preguntó qué tal el último día de clase y si por fin había acabado mi investigación sobre Carmen Laforet y Dolores

Serma. También me contó sus impresiones acerca de una obra de la Premio Nobel Elfriede Jelinek, que había ido a ver con su amiga Amelia, y terminamos charlando de lo de siempre, de política y teatro. Y, como ocurre en España siempre que dos personas de ideologías distintas hablan de la guerra civil, volvimos a convertir nuestros argumentos en un tiovivo, esa máquina que, como se sabe, sirve para dar vueltas y vueltas sin moverse de lugar.

—Tú deberías comprender —concluyó— lo que significaba sentarte en un patio de butacas en los años cuarenta. Era una vía de escape, ¿entiendes? Todo lo demás era destrucción y miseria, y si tú hubieras estado allí, también habrías ido a ver *Mañanita de sombra*, de Serafín Álvarez Quintero, o *La honradez de la cerradura*, de Benavente, para sentirte en otro mundo, aparte de lo que te pudieran parecer literariamente.

—Es que, en realidad, era el mismo mundo: el paraíso de los mediocres.

—O sea, que para ti no tienen ningún valor ni los Quintero, ni Benavente, ni Jardiel Poncela, ni Manuel Machado.

—Tienen menos que los que sus camaradas mandaron a tiros a la tumba o al destierro.

—Mira tú qué Aristóteles: de modo que eran peores que los que eran mejores que ellos... Verdades de Perogrullo, que a la mano cerrada le llamaba puño. Y como consecuencia, al no ser Lorca, Alberti o el otro Machado, tú no les das importancia ninguna.

—No mucha, por lo general —respondí, armado de paciencia—. Pero lo peor no es eso: lo peor es que, siendo tan poco, eran lo mejor que había.

—Anda, anda, no me vengas ahora con birlibirloques.

—Lo puedes comprobar en cualquier manual de literatura. Deja aparte a Benavente y Jardiel Poncela y dime dónde han ido a parar los otros grandes triunfadores de la escena de la posguerra; qué fue de Pemán, Pilar Millán Astray, Eduardo Marquina, Joaquín Calvo Sotelo, Luis de Vargas, José de la Cueva, Mercedes Ballesteros, Juan Ignacio Luca de Tena y otros tantos. Entre ellos, el propio Foxá, que a ti tanto te gusta.

—Luca de Tena no era Calderón de la Barca, ni creo que lo pretendiese, pero hizo cosas interesantes, como *Dos cigarrillos en la noche* o *El pulso era normal*. Y de Foxá, que yo creo que escribía maravillosamente, debieras leer algunas de las que te recomendé el otro día o, por ejemplo, *El beso de la bella durmiente*, que es de por esos años: si no recuerdo mal, la vimos en el 48, en el María Guerrero. Y a Jardiel haces bien en no menospreciarlo, porque era estupendo y, además, un provocador con mucha gracia. ¿Sabes qué hizo cuando a su obra *Es peligroso asomarse al exterior* le llovieron palos por todas partes?

—A ver, ¿qué hizo?

—Pues mandó desclavar la silla del Teatro de la Comedia en la que se sentaba uno de los críticos que lo habían puesto verde y ponerla de espaldas al escenario. «Pero ¡don Enrique!», le dijo el carpintero, «el señor periodista se pondrá furioso». Y él contestó: «No se preocupe, ni siquiera creo que note la diferencia: se va a enterar de la obra igual que si la viese de frente».

Mi madre y sus buenos recuerdos entresacados de la escoria. Aunque, en el fondo, ¿tenía yo algún derecho a contradecirlos? Le reí la anécdota —que en realidad me daba asco, igual que todas las protagonizadas por los diversos aspirantes a *enfant terrible* del franquismo—, la invité a cenar esa noche en un restaurante italiano que estaba cerca de casa y que a ella le agradaba, y nos despedimos hasta la tarde.

Para entonces ya era casi la una, y a esa hora los alumnos se reunirían para el clásico discurso anual de despedida en la cancha de baloncesto. Llamé a Virginia mientras bajaba al patio, sin tiempo para hablar y un poco asustado por la charla en miniatura que quizás íbamos a mantener, a pesar de todo. Tuve suerte: saltó el contestador. Estaría atareada, como es lógico, con las comidas del Deméter. Le dejé grabado que no había podido comunicarme antes con ella, que me esperaba una tarde horrible y que ya la telefonearía más tarde, en cuanto pudiese. Salvado por la campana.

Mientras el director del instituto les dirigía a los estudiantes unas palabras tan huecas que daban ganas de echarles serrín encima, como a las cáscaras de marisco que caen en el suelo de los bares, yo le daba vueltas al rompecabezas de Dolores Serma y, sin poderme contener, le echaba miradas subrepticias a algunas de las cartas que me dio Natalia Escartín, en especial las que le habían mandado Mercedes Sanz Bachiller, Carmen de Icaza y el Ministerio de la Gobernación, que llevaba en una carpeta con el escudo del instituto, para disimular. Se trataba en su mayor parte, como comprobaría después, cuando las leyera más detenidamente, de una correspondencia de tipo formal en la que se adivinaba, bajo las tachaduras, que la escritora había hecho algún tipo de petición a las autoridades: «En respuesta a su solicitud de 13 del presente, lamentamos tener que informarle...», empieza una de las que llevan el sello del Ministerio de la Gobernación; y concluye, tras un largo párrafo eliminado: «... por lo tanto, en cumplimiento de las leyes de nuestro glorioso Movimiento Nacional, sentimos comunicarle que queda denegada la... de su demanda». Había otras cinco casi idénticas, pero con una diferencia en las dos últimas, que en lugar de estar fechadas como las demás entre junio y diciembre de 1940, lo estaban en octubre de 1942 y febrero de 1943.

Las de Sanz Bachiller mostraban un tono más cordial y eran sólo dos, ambas de abril de 1940, es decir, cuando la fundadora del Auxilio Social aún ostentaba el mando de la organización, aunque, como recordarán, sería por poco tiempo, pues la iban a destituir al mes siguiente.

«Querida amiga», empieza la primera carta, «naturalmente que las recuerdo a usted y a su hermana, así como a su familia, que tan larga y cordial relación tuvo con la mía en nuestra Valladolid. ¡Y qué nostalgia del querido Colegio Francés de nuestra ciudad, en el que las tres estudiamos, he sentido al leer sus evocadoras líneas! Mi gratitud más sincera por haber avivado esa memoria ya hoy tan lejana.

»Con respecto al asunto para el que usted solicita mi mediación, cuente con mi interés más sincero, eso se lo digo por anticipado; pero tampoco le oculto dos cosas: la primera, que es tema delicado y no sé hasta qué punto a mi modesto alcance; y la segunda, que no lo creo apto para ser tratado a distancia, por lo que la invito a visitarme en Madrid, en la dirección de nuestra sede central, a la mayor urgencia.

»Dígame, no obstante, para que yo pueda así iniciar algún tipo de averiguación, en qué... y cuáles fueron... que se le... así como el día exacto... y, si se supiera, quiénes procedieron a...».

La elegante firma de Mercedes Sanz Bachiller rubricaba esa carta mecanografiada a la que ella había añadido, de su puño y letra: «¡Ánimo y fe, querida amiga!».

Era, sin duda, un documento valioso para mi estudio, aun a pesar de los párrafos suprimidos: entre otras cosas, parecía fijar las razones y el momento de la llegada de Serma a Madrid, que hasta entonces sólo sabía que ocurrió «al poco de acabar la guerra», tal y como me dijo la doctora Escartín. Y en segundo lugar, yo podía ver muy claramente a través del muro de las tachaduras: lo que le pedía la autora de *Óxido* a Sanz Bachiller era que la ayudase a encontrar y liberar a su hermana Julia. Desde esa perspectiva, era sencillo rellenar los huecos del párrafo censurado, por ejemplo de este modo: «Dígame, no obstante, para que yo pueda así iniciar algún tipo de averiguación, en qué [cárcel está retenida su hermana] y cuáles fueron [los cargos] que se le [imputaron], así como el día exacto [de su detención] y, si se supiera, quiénes procedieron a [la misma]».

No deja de ser reseñable, por otro lado, que Sanz Bachiller, aun reconociendo el «modesto alcance» de sus influencias, se brindara a prestarle algún tipo de socorro a su paisana, porque su situación dentro del Régimen era agónica, tanto por los ataques de Serrano Súñer como por el desprestigio que le había acarreado entre los falangistas su boda con Javier Martínez de Bedoya, celebrada justo en diciembre de 1939 y, por lo tanto, en el mismo momento en que Julia Serma debió de ser detenida. Claro que, por otra parte, se trataría de una mujer de múltiples contactos y es de suponer que, a pesar de las circunstancias, pocos serían los que le negasen un favor que no los comprometiera demasiado.

En la segunda carta, Sanz Bachiller apremia de nuevo a Dolores para que se presente en la capital: «Es de la mayor importancia —le dice— que usted liquide lo más pronto que pueda los asuntos que la reclaman en nuestra Valladolid, y que se empiece a dejar ver por aquí: las gestiones que requiere el caso de ustedes reclaman una energía y perseverancia que sólo pueden conseguirse estando al pie del cañón, si me permite el consejo».

Finalmente, las tres cartas de Carmen de Icaza eran las más tardías, dos de agosto y una de octubre de 1944, y demuestran que Dolores Serma gestionaba aquel asunto a la vez que redactaba *Óxido* en el Ateneo de Madrid, junto a su amiga Carmen Laforet.

La autora de *Cristina Guzmán, profesora de idiomas* promete en la primera de sus cartas «interesarse» por el asunto que le plantea Dolores, aunque se declara «sorprendida por la gravedad de sus sospechas» y dice que no cree «deseable ni justo arrojar la sombra de una duda como la que usted...» sobre «nuestra institución». En la segunda, parece admitir alguna clase de culpa por un «posible quebrantamiento de nuestras normas morales y legislativas» que, en cualquier caso, «no puede ser, y más tratándose de... sino una acción aislada», y le promete su «más firme apoyo en tan lamentable... de los derechos de las personas, aunque sean... y de las leyes de Dios». Y debió de portarse bien con ella y atender sus demandas, puesto que Natalia Escartín me había contado que su suegra tuvo «una estrecha relación» con la autora de *Vestida de tul*, «a quien estaba muy agradecida y con quien colaboró en una Escuela de Hogar». Seguro que recuerdan esas palabras de la doctora y lo insólito que me pareció que Dolores Serma hubiera sido devota colaboradora de Mercedes Sanz Bachiller y luego amiga de la mujer que, en opinión de la viuda de Onésimo Redondo, la había traicionado, muy probablemente azuzada por Pilar Primo de Rivera.

Vaya, así que 1944. En esas fechas, Dolores aún podía estarle pidiendo ayuda a la nueva mujer fuerte del Auxilio Social para que Julia fuese liberada, cosa que no sucedería hasta dos años más tarde; pero esa «sombra de una duda» que Serma arrojaba, según el reproche que le hace Carmen de Icaza, sobre «nuestra institución», ¿qué podría tener que ver con el encarcelamiento de su hermana? ¿Y a qué «leyes de Dios» transgredidas se refiere, en su segunda carta, la baronesa de Claret? Y para terminar, una duda menor: ¿es que en esos años no vivía ya la autora de *Óxido* en Alemania? Cuando le pregunté a Lisvano, en el Deméter, qué hacía su madre en el Berlín destruido de 1946, me contestó que ella «estaba allí desde hacía un par de años», y justificó su presencia en aquel infierno por la militancia de su padre en la Resistencia. Claro que allí debía de significar en Alemania, no justo en la capital asediada del III Reich; y, de cualquier modo, era posible que Dolores escribiese a Carmen de Icaza desde fuera de España, cosa que no podía saberse porque en la caja que había guardado Mercedes Sanz Bachiller estaban las cartas de Serma, dentro de una funda azul, pero no los sobres, de modo que no constaba la dirección a la que le habían escrito sus corresponsales.

Por cierto, que entre aquellas cartas no había ninguna de Rainer Lisvano Mann, con lo cual la ya de por sí dudosa figura del presunto marido de la novelista se hacía más increíble a medida que uno iba sabiendo cosas de su mujer, puesto que lo único que resultaba patente de él era su ausencia: ni una mención, ni un solo comentario, ni una imagen... Nada, excepto aquella romántica historia, con final dramático, del miembro de la Resistencia asesinado por los rusos que me había contado el abogado Lisvano. Cuando le pregunté si había visitado en alguna ocasión su tumba, hizo aquel gesto suyo de enseñarte las palmas de las manos y respondió: «¿Tumba? ¿Qué tumba? Stalin no solía construirles un mausoleo a sus víctimas, ¿sabes? Y cuando llegaron los aliados con sus aviones, la única tumba que hubo para los muertos fue Berlín entero». Magnífico, todo encajaba tan bien que no te lo creías.

El aplauso desganado de los alumnos a la plática del director del instituto me sacó de mi ensimismamiento. Levanté los ojos y allí estaba el gran meapilas en jefe, con su cara de agudo, haciendo uno de los gestos más odiosos que pueden existir, que es el de quien se estrecha a sí mismo, apretándose los hombros con las manos, para simbolizar que abraza a todos los que le miran. Sentí una punzada en el estómago al ver la comedia de aquel demagogo de tres al cuarto que se abrochaba con muchas prisas la americana al bajar del estrado, sin duda porque se lo había visto hacer a las personas de campanillas en la televisión, e inmediatamente fingía recibir una llamada en su móvil para ponerse a hablar ostensiblemente, con ademanes de persona abrumada por sus deberes, y se dirigía, con maneras de ministro perseguido por los periodistas, a su escondite en el instituto. Qué bárbaro. Si en lugar de una persona fuese un menú, sería caldo de murciélagos, pechuga de buitre con puré de coco y, de postre, macedonia de cucarachas.

Antes de volver a casa, me entretuve a tomar un café en el Montevideo y allí, entre lectura y lectura de la correspondencia de la autora de *Óxido*, estuve dudando si llamar o no a Virginia. Preferí no hacerlo, entre otras cosas porque tenía verdaderas ganas de encerrarme a trabajar con los documentos de Dolores Serma e ir aterrizando aquel primer capítulo de mi *Historia de un tiempo que nunca existió*.

En la barra del bar, con un vaso de Château Cantemerle en la mano y bajo la atenta mirada de Marconi, crucé las fechas de las que disponía e hice una cronología de la historia de las hermanas Serma en los años que siguieron al final de la guerra civil: Julia debió de ser arrestada en enero de 1940, a causa de su ideología comunista, agravada por su matrimonio con un miembro de las Brigadas Internacionales, el inglés Wystan Nelson Bates. Dolores envió sus primeras peticiones de indulto al Ministerio de la Gobernación ese mismo mes o, como mucho, en abril, y siguió haciéndolo hasta febrero del año 1943. Y también solicitó de inmediato la ayuda de Mercedes Sanz Bachiller, que debía de ser la única persona de jerarquía que conociera dentro del nuevo Régimen. Además, se trasladó de Valladolid a Madrid, se afilió a la Sección Femenina y empezó a colaborar como voluntaria en el Auxilio Social. Previsiblemente, todo eso lo hizo para dar una imagen de persona afecta a los vencedores.

En 1944, Dolores entabló amistad con Carmen Laforet y empezó a escribir *Óxido*. Y en algún momento de ese mismo año conoció a un miembro de la Resistencia al que ella se refería como Rainer Lisvano Mann quizás para proteger su verdadera identidad, y pronto lo siguió, al parecer, hasta Alemania, donde se casaron. No se conocen con exactitud ni sus actividades de esa época ni el lugar preciso en que las desarrollaban, pero debieron de llegar a Berlín justo después de que la ciudad fuera arrasada por la aviación y la infantería aliadas. Allí, su esposo fue asesinado, supuestamente por los rusos, y nació su hijo Carlos, en 1946. Ese mismo año, Dolores regresó a España y Julia salió del penal de Ventas, pero con sus facultades mentales tan mermadas que la ingresaron en la célebre clínica psiquiátrica del doctor López Ibor, donde moriría en 1949.

Tras su vuelta, la autora de *Óxido* se siguió manteniendo, como hasta entonces, gracias a las rentas que le proporcionaban algunas de sus plantaciones en Valladolid, que ella, según supe por Lisvano, había dejado que administrase su tío Marcial, y la mercería de la calle Miguel Iscar —que era el único negocio que conservaba en la ciudad, tras haber vendido su hermana la bodega, la tienda de ultramarinos y parte de las granjas y huertos que habían recibido en herencia de su padre—, y se implicó a fondo en la vida literaria que empezaba a surgir entre las cenizas de la posguerra; retomó viejas amistades, como la de Miguel Delibes y, quizá, la de Carmen Laforet, y estableció nuevas relaciones con sus colegas más señalados de aquel tiempo, Camilo José Cela, Luis Martín-Santos y otros. También colaboró en varias publicaciones prestigiosas y estuvo en algún congreso importante como el del hotel Formentor, en Palma de Mallorca, pero no pudo ver editado su libro hasta 1962, y entonces sólo de forma muy modesta. Durante todo ese tiempo, su hijo estudió, sucesivamente, en un internado inglés y en otro alemán.

Si miraba los datos que acababa de recapitular, así era como había ocurrido. Pero algo no casaba, y ese algo era, precisamente, el que las piezas ajustasen con tanta precisión. Comprendo que lo que acabo de decir les resulte paradójico; pero, si lo meditan unos segundos, ya no se lo parecerá tanto. Piénsenlo: ¿cómo es posible que todo estuviera tan ensamblado y resultase tan homogéneo cuando, en realidad, estaba lleno de espacios en blanco que, de algún modo, se correspondían con las tachaduras negras que acababa de ver en las cartas de Dolores? Por ejemplo, ¿cuál habría sido el papel de Bates mientras Dolores luchaba por sacar a su mujer del penal de Ventas? Dado que aquel joven estudiante de Filosofía y Letras convertido en soldado de la República no había muerto a principios de la guerra civil en la Casa de Campo, como siempre contó la novelista, sino en Southampton, nada menos que en 1959 y a causa de una vulgar neumonía, cabía preguntarse si estuvo en contacto con Dolores, si ésta lo informó de la marcha de los acontecimientos, si quiso contribuir de alguna manera a la solución del asunto, si se mantuvo al margen... Pero el caso es que del marido de Julia Serma se sabía más o menos lo mismo que del de su hermana Dolores: casi nada.

Otra duda de gran tonelaje surgía, como acabamos de ver, de las dos cartas de Carmen de Icaza. ¿Qué fue lo que le pidió Dolores Serma y cuáles eran sus graves acusaciones hacia el Auxilio Social? Supongo que en este instante estarán ustedes haciendo lo mismo que hice yo entonces, que es superponer a esa pregunta el tema de *Óxido* y sacar una posible respuesta: qué delito podría representar con más contundencia el «quebrantamiento» de las «normas morales y legislativas» y hasta de «las leyes de Dios» al que se refiere la autora de *La fuente enterrada* que la atrocidad de los niños robados a sus padres por las autoridades franquistas, que es el tema del que, en mi opinión, Serma hablaba metafóricamente, pero con bastante claridad, en su novela. Bien, pero en ese caso, ¿su queja ante la secretaria nacional del Auxilio Social se refería a un niño concreto o a todos en conjunto? No sería descabellado deducir que, desde dentro de la organización, Dolores hubiese tenido conocimiento de esa canallada y se decidiera a pedirle cuentas a Carmen de Icaza; pero, en ese caso, no se entiende en absoluto el calificativo de «acción aislada» que ésta le da al suceso por el que la escritora plantea su reclamación. ¿Empiezan ustedes a ver la luz al final del túnel, lo mismo que yo la veía?

Leí en el autobús a Las Rozas las otras cinco cartas que formaban la correspondencia de Dolores Serma que me había dado Natalia para castigar a su marido: cuatro de Julia y una del tío médico de ambas, Marcial.

Las de la maestra nacional Julia Serma Lozano, escritas en la cárcel de Ventas, eran desgarradoras. No habían sido enviadas por correo, seguramente, sino dadas en mano a Dolores, quién sabe de qué modo, a qué precio y por quién, y el estado del papel revelaba que había sido doblado hasta convertirlo en un rectángulo diminuto, sin duda para ocultarlo mejor y lograr que llegara a su destino. Lo raro es que, a pesar de todo, también tenían algunas tachaduras.

«Me gustaría morir», escribe Julia en un momento especialmente dramático, «y a veces siento cierta envidia de las compañeras que sacan al amanecer para ser fusiladas, aunque ya sé que es un sentimiento monstruoso, y no por... Si no fuera por eso, preferiría acabar con todo, tal vez por mi propia mano».

¿Eso? Me pregunté qué se escondía detrás de ese determinante y por qué, fuese lo que fuese, lo borró Dolores, ya que tuvo que ser ella y no la censura, que de ningún modo pudo ver y autorizar esas cartas, como ya les he adelantado, puesto que en ellas se hacía una cruda descripción de la vida en las cárceles de Franco, tan brutal como las que ofrecen en sus libros Carlota O'Neill o Juana Doña.

«Ayer —escribe Julia— se llevaron a Mariana, la chica de la que te hablé en nuestro último encuentro, la que... había estado en la Prisión de Madres Lactantes, en la Carrera de San Isidro. La iban a matar en una cuneta, pero eso no fue lo peor. A ella qué más le daba ya todo, después de que le hubiesen quitado... Exactamente igual que... Entraron cinco falangistas en el calabozo, junto con algunos alguaciles. Dos o tres nos apuntaban con sus pistolas. Los demás la violaron allí mismo, uno tras otro, delante de todas. Gritaba de un modo tan terrible, hasta que perdió la conciencia. ¿Tú puedes imaginar sus gritos? Yo no los podré dejar de oír jamás, jamás».

Me llamó la atención otro párrafo, que pude descifrar del todo un poco más tarde, ya en casa y con ayuda de una lupa, porque se leía a duras penas debido al mal estado del papel en que fue escrito, que también tenía marcas evidentes de haber sido doblado hasta la saciedad, supongo que para así, reducido a una miniatura, podérselo dar de contrabando a Dolores. «Querida, queridísima mía, ¡cuánto bien me hace verte en las clases! Aunque no podamos hablar de nada nuestro, qué más da. Y cómo admiro tu inteligencia para preparar el engaño y tu audacia de entrar aquí. Pero, aparte, ¿de verdad crees que servirá de algo? ¿Cumplirán su palabra y reducirán mi condena? Ayer casi no podía contener la risa, al oír lo que nos quieren enseñar tus camaradas: ¡si todo son cazuelas, Falange y sacristía! Ya ves, y además, hay que agradecerles que me elijan para reeducarme, ¡ellas que no han leído nada que no sea al bobo de Pemán y los discursos de José Antonio!»

Supe muy bien de qué hablaba Julia Serma y, en ese instante, descubrí cómo y dónde le entregaba sus mensajes a Dolores: en 1941, la Sección Femenina abrió una de sus Escuelas de Hogar, precisamente, en la cárcel de Ventas. Se trataba de un experimento que intentaba ser para las mujeres algo parecido a lo que era para los varones el Sistema de Redención de Penas por el Trabajo, aunque en una versión rebajada. El asunto consistía en seleccionar a algunas mujeres para impartirles clases de política, religión y trabajos domésticos durante cinco horas diarias y a lo largo de un año. Transcurrido el mismo, si se consideraba que habían aprobado el curso, se les reducía automáticamente ese mismo año de su condena. La revista *Y* da cuenta de esa iniciativa en su número de abril de 1941.

De modo que la astuta Dolores Serma se había afiliado a la Sección Femenina para lograr, entre otras cosas, ver a su hermana en la cárcel de Ventas. Porque resulta obvio que, tal vez con la recomendación de algún partidario de Mercedes Sanz Bachiller, la novelista había logrado convertirse en una de aquellas improvisadas rehabilitadoras enviadas por la formación de Pilar Primo de Rivera, y que con esa artimaña logró estar en contacto con Julia. Y también parece evidente que en esas entrevistas, aunque no pudieran «hablar de nada nuestro», como dice Julia, con certeza porque debía de haber presentes otras personas a las que habían ocultado su parentesco, era donde se intercambiaban sus cartas. No se extrañen, la maniobra de Dolores era intrépida, sin duda, pero muy viable en aquellos tiempos inmorales en los que no había nada que no se pudiera solucionar con un soborno, una mentira, un enchufe o cualquier clase de componenda, lo que siempre sucede en las sociedades corrompidas, en las que, al no tener nada valor, ni siquiera la vida de los seres humanos, todo tiene un precio.

—¿Juana Doña? ¿Quién es Juana Doña? —me preguntó mi madre, mientras cenábamos unos pancitos de tofu con vegetales que me había enseñado a hacer Virginia.

—Una militante comunista. Ya te hablé de ella y de sus libros: uno se titula *Mujer*, otro *Desde la noche y la niebla (Mujeres en las cárceles franquistas)* y otro, con una expresión que hizo fortuna, *Gente de abajo*, aunque quizá no lo recuerdes. Perdió una hija en la guerra civil, fusilaron a su marido y a ella la tuvieron encerrada diecinueve años, los primeros dos meses en el campo de concentración de Los Almendros, en Alicante, con su hijo de poco más de un año.

—... En cualquier caso —me interrumpió—, ¿qué quieres que cuente una del PCE? ¿Que Franco era la caraba

376

y la Santa Madre Iglesia el edén de los desamparados? Por favor, si esa gente eran los reyes de la consigna y la propaganda.

—Ya, pero es que las que no eran del PCE cuentan lo mismo. Tomasa Cuevas, que sí lo era, recuerda en su libro *Testimonios de mujeres en las cárceles franquistas* que en la enfermería de la Prisión de Madres Lactantes se encontraba todas las mañanas los cadáveres de quince o veinte niños a los que había matado la meningitis. ¿Y has olvidado lo que te impresionó la historia de Carlota O'Neill?

—Eso es cierto. Leí ese libro suyo que me diste y lo que cuenta es espantoso. Pero también lo son la matanza de Paracuellos, donde se fusiló a Muñoz Seca. Por amor de Dios, la gente del pueblo aún recuerda que los milicianos mataban a un grupo de esa pobre gente al pie de la fosa común y luego les obligaban a ellos a cubrirlos con tierra, antes de fusilar a los siguientes. Algunos aún se movían y, con los ojos abiertos, suplicaban un tiro de gracia, pero les ordenaron enterrarlos vivos. ¿Y las sacas que hicieron los rojos aquí en Madrid, en la cárcel Modelo, donde ajusticiaron, entre otros muchos, sin hacerle siquiera un proceso, al hermano menor de José Antonio, Fernando Primo de Rivera? ¿Tú no has leído *Mis amigos muertos*, de Juan Ignacio Luca de Tena?

—Sí, lo he leído y es una sarta de falsedades.

—Bueno, pues ahí cuenta que hasta el ministro socialista Indalecio Prieto se presentó en la Modelo para tratar de impedir aquella carnicería y lo amenazaron con pegarle a él un tiro en la nuca. Y que cuando salió, lo hizo gritándoles a los milicianos: «¡Imbéciles! ¡Hoy hemos perdido la guerra!». O sea, que o aceptas que disparates se cometieron en los dos bandos o nunca llegarás a esa verdad que dices que buscas.

—Acepta tú que los que llenaron España de asesinos fueron los sediciosos. Y que la Falange de los Primo de Rivera era un grupo paramilitar cuya única ley era la ley del crimen. La República había ganado unas elecciones y ellos se dedicaron a hacer sabotajes y a crear un clima de guerra. ¿Te vuelvo a leer las llamadas a la insurrección armada de Onésimo Redondo? ¿Te recuerdo la famosa «dialéctica de los puños y las pistolas» que invocó José Antonio en el mismo acto fundacional de la Falange, en el Teatro de la Comedia?

—Sí, sí, la República ganó, pero luego no supo pararle los pies a los radicales, y empezaron los crímenes, los abusos, los incendios de las iglesias... Y claro, los otros, que tampoco te digo yo que fueran unos santos, pues les querían pagar con la misma moneda. Pero no te equivoques, ¿eh?, que aquí no éramos todos criminales. Más bien, se trataba de ciertos elementos descontrolados.

—Eres tú la que se engaña: los descontrolados no llevan uniforme. Los falangistas sí lo llevaban y no eran invisibles ni clandestinos, sino una banda terrorista que ayudó a Franco primero a desestabilizar el país y luego a hacer el exterminio que él quería. Ya sabes, a arrancar la semilla del socialismo para curar al país, como quería el enajenado Vallejo Nájera, a quien vuestro caudillo tenía en tan alta estima.

—No te digo que no haya algo de verdad en eso. Pero acepta tú también que ahora los falangistas han sido demonizados y algunas de las salvajadas que se les atribuyen pueden ser simples exageraciones.

—Claro, claro, y José Antonio Primo de Rivera no era más que «un poeta que vio en sueños una España tan bella como irreal, y que, impaciente, quiso ponerse a forjar al instante», como dijo Salvador de Madariaga. No, mamá, no son exageraciones, créeme, porque hay miles de testimonios, documentos y estudios que lo demuestran. Y además, déjame advertirte que ése es el mismo argumento que utilizan los grupos neonazis para cuestionar el Holocausto. De hecho, lo han repetido tantas veces que han terminado por inventar un sustantivo: son los negacionistas.

—Perdona, pero yo no niego ni dejo de negar, sólo pongo en duda ciertas cosas.

—Pues en lugar de ponerlo en duda, abre los ojos, lee los cientos de libros que he leído yo y no cometas la vileza de negar lo que está probado. No es mentira lo que ocurrió en el penal de Badajoz, de donde los falangistas sacaban a los cautivos para llevarlos a la plaza de toros, y allí los mataban después de torearlos entre olés del público, clavándoles estoques y banderillas. No es falso que en la cárcel de Burgos dejasen morir de frío a cientos de republicanos; ni que, sólo en 1941, la desnutrición, el tifus, la disentería y la sarna acabaran en las cárceles con más de tres mil reclusos. ¿Por qué vas a pensar que mienten o exageran Carlota O'Neill o Juana Doña cuando escriben sobre las palizas y el hacinamiento que sufrían en sus celdas? O Tomasa Cuevas, cuando cuenta cómo la metían en una bañera llena de agua y le aplicaban descargas eléctricas. Tomasa Cuevas recogió en sus libros más de trescientas declaraciones de penadas que habían padecido terribles tormentos. ¿Vas a tener el valor de decirme que todos ellos son falsos? ¿Son falsas las palizas que les propinaban a las madres delante de sus hijos, y viceversa, durante los interrogatorios? ¿Es falso que sólo les daban de comer nabos, berzas y una sopa de habas y cáscaras de zanahoria que llamaban Caldo Nazareno?

—Pero, hijo, si lo que yo te quiero hacer ver...

—... Nada de eso es falso; ni lo son las violaciones y los apaleamientos continuos; ni que en las penitenciarías de Palma de Mallorca y Amorebieta, el pescado y los tomates que la gente llevaba gratis a las reas para que se alimentasen los robaban las monjas para venderlos en el economato; ni que en la de Albacete, donde había un váter para mil reclusas, hubo una carcelera que había estado en la División Azul y que muy a menudo, tras tener a las presas sin beber seis o siete días, las formaba a pleno sol y abría el grifo de una fuente que había en el centro del patio, para que viesen correr el agua durante horas. ¿Mantienes que todo eso es falso? El coronel Antonio Vallejo Nájera escribió que los republicanos debían sufrir «penas entre las que la muerte será la más llevadera; perderán la libertad, gemirán durante años en prisiones, purgando sus delitos, en trabajos forzados» y el Régimen les ofrecerá «clemencia y misericordia cristiana, pero jamás perdón: nada de calentar víboras en nuestro regazo, porque al revivir envenenarían España». Eso está recogido en un libro suyo que se llama *Divagaciones intrascendentes*. ¿También pensarás que es mentira?

—Pero, hijo —reaccionó, al fin, mi madre—, ¿y en las famosas chekas de los rojos, qué les hacían a los prisioneros? ¿Les daban caviar ruso, les leían poemas de Maiakovski y los acostaban en colchones de plumas?

Preferí no responder y simular que centraba mi atención en la comida. Mientras mi madre licuaba el orégano, el ajo, el aceite, la albahaca y el perejil con los que había que pintar el pan, yo puse a macerar las rodajas de tofu en una fuente con caldo y soja y rehogué la cebolla, los cuadraditos de zucchini y la zanahoria. Luego, metimos el tofu en el horno y esperamos diez minutos.

Durante todo ese tiempo, en el que sólo cruzamos algunas frases utilitarias para pedirnos la sal o un cuchillo, mi rencor hacia ella por lo que acababa de decir se fue enfriando a la vez que la cena se calentaba. En realidad, aquella opinión no era más que el eco de millones de opiniones iguales, repetidas durante años por los más cínicos y asimiladas por los más ingenuos. Pero y qué más daba: yo tenía que seguir luchando por devolverle a mi madre la perspectiva que le robó la dictadura, porque las sociedades tiranizadas son planas, les falta la dimensión de la libertad. De modo que, en cuanto puse las fetas de tofu sobre el pan, calenté una taza de arroz con mijo y un té bancha y lo llevé todo a la mesa, volví a la carga.

—Mira, déjame que te lea unas cartas de Julia Serma a su hermana, escritas en la cárcel de Ventas, que acabo de conseguir. Se las pudo dar porque Dolores se había infiltrado en unas comisiones de la Sección Femenina que iban a las cárceles a reeducar a las presas que consideraban redimibles. Allí, les inculcaban el espíritu del Movimiento Nacional, cinco días a la semana durante un año, y si al acabar las consideraban arrepentidas y, por lo tanto, salvadas, les reducían la pena.

—¿Y por qué tanto empeño en rehabilitarlas?

—En parte, ése era uno de los componentes de la locura fascista, muchos de cuyos líderes se consideraban nuevos cruzados, nuevos evangelizadores. Ya sabes, los

herederos del Cid, los Reyes Católicos y todas esas moji-
gangas. Y supongo que era otro modo de humillar a los
vencidos. Y hasta es probable que se tratara de un método para aligerar la población reclusa, que era insosteni-
ble. En cualquier caso, el papel de redentores les gustaba
mucho, les hacía sentirse santos y curaba sus conciencias,
y de ahí salen el Auxilio Social, las escuelas y los comedores de la Sección Femenina. Pero ¡si hasta inventaron
una versión poética de este asunto que consistía en sugerirle a los cautivos que escribieran, antes de pedir alguna
medida de gracia, unos versos en los que debía haber, por
este orden, una alabanza de Franco, una oración a la Virgen, un repudio de su ideología, un arrepentimiento explícito de sus actos y, finalmente, una petición de clemencia
al Generalísimo!

—¿Es eso verdad?

—Pues claro. De hecho, se publicó una antología
con ese material. Yo la tengo, por si la quieres ver. Se llama *Musa redimida* y aunque la mayor parte de los autores,
como es lógico, son desconocidos, también hay alguno
que luego tuvo cierto renombre, como Germán Bleiberg,
del que habla bastante Dionisio Ridruejo en sus memorias. Pero quiero leerte las cartas de Julia Serma. Y ten en
cuenta que ella nunca pensó que se fueran a publicar, de
manera que ¿por qué iba a mentir?

Mi madre escuchó en silencio, mientras tomaba sus
pancitos de tofu y vegetales. Estaba visiblemente impresio-
nada, y la vi estremecerse al escuchar la historia de la violación de aquella joven llamada Mariana, que ustedes ya
conocen, y otra sobre una mujer a la que habían hecho presenciar, durante cinco días, atada de pies y manos, cómo

torturaban a sus dos hijos adolescentes, hasta que perdió la razón. «Imagínate, Lola —le escribe a su hermana, después de haber detallado los episodios del suplicio—, que ya sólo hablaba de eso día y noche, sentada en su rincón de la celda, sin dejar de describir una y otra vez las atrocidades que les habían hecho, pero no de la manera que lo acabo de pormenorizar yo, sino de un modo absolutamente desapasionado, como si hablara de algo irrelevante y ajeno a ella. Estuvo así meses. Pero una madrugada entró en el calabozo, para hacer una saca, un grupo de falangistas borrachos entre los que, al parecer, doña Carmen, que así se llamaba la compañera, reconoció a uno de los verdugos de sus hijos. Lo atacó por la espalda y no se la podían quitar de encima, por más golpes que le daban. Le arrancó una oreja de un mordisco y le destrozó la cara a arañazos. Hay quien dice que lo dejó ciego de un ojo. La matarían en cualquier cuneta, porque no la hemos visto más. Mientras se la llevaban a rastras, se podían oír sus aullidos y carcajadas de loca entre el tumulto de los otros, por encima del estrépito horrible de los insultos, los puñetazos y las patadas. Pero no, yo me fijé y no eran sólo aullidos, qué va: lo que iba gritando era "¡Antonio, Manuel! ¡Antonio, Manuel! ¡Antonio, Manuel!". Los nombres de sus hijos.»

Mi madre y yo no pudimos comentar aquellas cartas, porque en mitad de su lectura llamó Virginia. Los dos nos sentíamos incómodos y, para romper el hielo, charlamos de algunas cosas triviales, como la ceremonia de clausura del instituto, la semana que me esperaba, llena de evaluaciones y juntas de profesores o, por su parte, lo bien que iba su moto, el número de clientes que había tenido esa noche en el Deméter o lo contenta que estaba con Nayaku y Nukada. No me recriminó mi silencio de todo el día, pero de todas formas yo le expliqué, a grandes rasgos, el asunto de la correspondencia de Dolores Serma y le pedí disculpas por no haberla llamado: sencillamente, me había distraído con el trabajo.

—No te preocupes, Puma —dijo—. Y acaba tu libro, que es lo más importante. ¿Hablamos mañana?

—Claro que sí. Y si tú puedes —añadí, sintiéndome abaratado hasta la ruindad por su dulzura—, nos vemos, ¿de acuerdo?

—Vale. Pero si, por lo que sea, no te viene bien, tampoco te preocupes. Sabré esperar.

Desde luego, noté una cierta decepción en su tono, pero ¿y qué iba a hacer? En las últimas horas me habían estado pasando por la cabeza muchas imágenes de la época de nuestra ruptura, lo que ella llamaba «el año póstumo», y la peor Virginia posible había resucitado de entre mis pesadillas. Los recuerdos daban vueltas en mí igual que ropa en una lavadora, sólo que con el resultado opuesto: cada vez se volvían más sucios. Además, nunca he creído en las segundas partes de nada y, si les soy sincero, las antiguas parejas que se van a la cama me recuerdan a los partidos de fútbol entre veteranos. O sea, que ya ven.

Salí a hablar al jardín y cuando regresé a la cocina mi madre ya se había ido a la cama, seguramente porque no tenía ningún deseo de seguir con la conversación, de modo que fui a la biblioteca para examinar la copia mecanografiada de *Óxido*. La comparé con el texto publicado en las Ediciones de la Imprenta Márquez, de Valladolid, y con el cuaderno manuscrito que me mandó Lisvano, y la verdad era que no había ninguna diferencia. Hojeé los calcos de color rosa, amarillo y verde, y vi la novela debilitarse en cada papel carbón como una voz que se aleja. «Debían ser alrededor de las doce de la mañana cuando aquella mujer, a la que llamaremos Gloria, bajó a la calle a buscar a su hijo.» / «Debían ser alrededor de las doce de la mañana cuando aquella mujer, a la que llamaremos Gloria, bajó a la calle a buscar a su hijo.» / «Debían ser alrededor de las doce de la mañana cuando aquella mujer, a la que llamaremos Gloria, bajó a la calle a buscar a su hijo.» Qué lata.

La carta de Marcial Serma, el tío médico de Dolores, era breve, estaba escrita en un tono hosco y tenía varias supresiones: «Querida sobrina. Yo no sé qué andas escudriñando, ni por qué me haces ahora esas preguntas, y además por carta, cuando pudiste llamar o hablarme aquí en Valladolid, durante tu última visita a nuestra ciudad, cara a cara. Pero sí, naturalmente que yo fui el primero en saber que la pobre Julia... Vino a la consulta a que la reconociera, y eso fue, como tú dices haber deducido, aunque no sé con qué finalidad, muy poco antes de su arresto. ¿Que si sabría recordar ahora, seis años más tarde, a quién o quiénes pude...? Mira, eso no tiene ya importancia. Y en cuanto al paradero de esa..., francamente te diré que ni es de mi incumbencia ni me preocupa lo más mínimo. Que nuestra Julia, en lugar de acusar a otros, se limite a pensar en la traición que ella hizo a su familia, a su clase social y a su religión al unirse a aquel desdichado y abrazar las ideas depravadas del comunismo. Mi deber de católico es recordarte que del pecado sólo se puede salir a través de la penitencia y la contrición. Te envío mi cariño de siempre». La carta estaba fechada en febrero de 1945.

Todo me pareció, de repente, muy claro. No había nada más que mezclar lo que sabía después de siete meses de investigaciones con lo que sospechaba desde hacía tiempo y lo que, a pesar de las tachaduras, estaba implícito en esas cartas y, más en concreto, en la de Marcial Serma y en aquella de Julia en la que la maestra cuenta la historia de la joven Mariana, «la que... había estado en la Prisión de Madres Lactantes, en la Carrera de San Isidro» y a la cual violaron ante sus compañeras los falangistas que la iban luego a matar, aunque eso «qué más le daba, después de que le hubiesen quitado... Exactamente igual que...».

Copié esas líneas y las rehíce sin ninguna dificultad. Lo que faltaba en «la que... había estado en la Prisión de Madres Lactantes» era, sin duda, la palabra *también*. Lo que Dolores borró en «qué más le daba, después de que le hubiesen quitado...», era *a su hijo*. Y, en concordancia con ambas supresiones, lo que había escrito Julia al final de la siguiente frase fue *a mí*. A aquella desventurada, le recordó a la autora de *Óxido* su hermana mayor, le habían robado a su hijo «exactamente igual que a mí».

De manera que cuando Julia fue arrestada en Valladolid estaba embarazada. Y quien la había denunciado era su propio tío, el doctor falangista Marcial Serma, cuando al ir ella «muy poco antes de su arresto» a su consulta, «a que la reconociera», supo que esperaba un hijo de su esposo, el voluntario de las Brigadas Internacionales y miembro del Partido Comunista Wystan Nelson Bates. «Sí, naturalmente —le respondió a su sobrina Dolores en contestación a la carta en la que la escritora le había preguntado abiertamente por aquel asunto que ella, como es obvio, conocía a través de Julia— que yo fui el primero en saber que la pobre Julia estaba...». ¿Qué habría puesto ahí el delator? ¿Preñada? ¿Encinta? ¿En estado de buena esperanza? No importa mucho, en cualquier caso.

Marcial Serma no daba explicaciones de «a quién o quiénes» pudo haberle contado que en Julia crecía la mala semilla del rojo Bates, «y en cuanto al paradero de esa..., francamente te diré que ni es de mi incumbencia ni me preocupa lo más mínimo». ¿Esa qué? ¿Esa criatura, por ejemplo?

Para terminar, y en un rasgo típico de la impudicia de los vencedores, el médico venía a justificarse acusando a la propia víctima de todos sus sufrimientos: al fin y al cabo, la maestra nacional represaliada era quien debía cumplir una larga penitencia por haber traicionado «a su familia, a su clase social y a su religión».

Y así, basándose en esos argumentos fanáticos, y ya fuera porque Marcial Serma era uno de tantos apóstoles de la venganza y el exterminio que militaban en Falange Española y de las JONS o porque, como también era muy común en aquellos años indecentes, ambicionara las propiedades que su hermano Buenaventura le había dejado en herencia a sus hijas —y eso lo digo porque parece mucha casualidad que Julia sólo saliera de su cautiverio en 1946, unos meses más tarde, incluso, de la amnistía casi general que decretó el Gobierno en octubre del año anterior, y sólo cuando Dolores, según me había contado distraídamente Carlos Lisvano en nuestra cena del Deméter, dejó en manos de su tío la administración de sus fincas en Valladolid—, la mayor de las Serma fue entregada a los verdugos por su tío, igual que Carlota O'Neill lo fue por su suegro y como les ocurrió, aunque parezca increíble, a otros muchos españoles.

Muy pronto, en cuanto diera a luz en la cárcel de Ventas, iba a saber la hermana de Dolores que las demenciales teorías segregacionistas del coronel Vallejo Nájera, aquel maníaco nombrado por Franco responsable del Gabinete de Investigaciones Psicológicas del Ejército, iban a ser aplicadas a las condenadas republicanas con toda contundencia. Y hasta es posible que las Serma ya conociesen parte de esas teorías que trataban de demostrar que ser de izquierdas era una anormalidad psíquica, puesto que las conclusiones a las que el autor de *Eugenesia de la hispanidad y regeneración de la raza* y su núcleo de colaboradores fueron llegando durante la guerra civil se publicaron en los sucesivos números de la *Revista Española de Medicina y Cirugía de Guerra*, que se editaba, precisamente, en Valladolid, donde, como recordarán, él había cursado sus estudios de Medicina.

¿Qué fue, en cualquier caso, del bebé de Julia, cuyo paradero y destino afirmaba desconocer y, sobre todo, serle indiferente a su tío Marcial? ¿A qué familia afecta al Régimen se lo dieron en adopción? Esas mismas preguntas se las hizo Dolores Serma a partir de 1941, que fue cuando el niño o niña, de cuatro o cinco meses de edad, debió de serle arrebatado a Julia; y, como seguramente habría hecho cualquier otro escritor en su lugar, quiso descubrir una respuesta tanto en el terreno de la realidad como en el de la ficción, de forma que si por una parte empezó a recorrer despachos y ministerios, a pedir recomendaciones a gente como Mercedes Sanz Bachiller o

Carmen de Icaza, a redactar instancias en las que exigía a la vez clemencia y justicia o a recurrir a ardides como el de afiliarse a la Sección Femenina, colaborar con el Auxilio Social o convertirse en reeducadora de presas republicanas, por otro lado quiso relatar su búsqueda angustiosa en la novela *Óxido* y, de ese modo, dejar un testimonio escrito de aquella aberración, una de las más perversas de un Régimen ya de por sí monstruoso.

No se vayan. Ahora mismo voy a contarles todo lo que ocurrió a partir de entonces y quién es quién en esta historia.

Y también les tengo que contar cómo al día siguiente de haber leído las cartas de las que acabo de hablarles, supe por qué Dolores Serma había guardado junto a sus tesoros más secretos, en la caja que puso bajo la custodia de Mercedes Sanz Bachiller, la copia mecanografiada de su novela, mientras que al original, el que llenaba la libreta que me había enviado Lisvano, parecía haberle dado, incongruentemente, menos valor.

Pero es que, ¿saben?, ese documento por cuadruplicado tampoco era sólo lo que parecía. Lo descubrí porque soy un investigador muy minucioso, de los que siempre han sabido que, en este oficio, el otro cincuenta por ciento del rigor debe ser la curiosidad. Lo digo por si algunos de ustedes son editores y les interesa contratarme mi *Historia de un tiempo que nunca existió*. Nunca se sabe quién te puede estar leyendo. A veces lo hace la gente más rara.

Capítulo dieciocho

Por suerte, ese viernes era fiesta y no tenía que ir al instituto. De modo que nada más levantarme me preparé un buen café de Colombia, muy cargado e hirviendo, y a la tercera taza me sentí listo para empezar a trabajar. Antes de eso, le preparé a mi madre su desayuno favorito, según la receta de Virginia: avena frutada, hecha con pasas, manzanas, leche de soja, miel de arroz y alga wakame; y le añadí unas tostadas de pan integral y un poco de mermelada casera. Se lo llevé a la cama y después fui a la biblioteca, encendí el ordenador, repasé el resumen que había preparado de las revelaciones contenidas en la correspondencia de Dolores Serma y seguí adelante a partir del punto en que, como recordarán, había dejado parada, tiempo atrás, la historia de las hermanas Serma, que era en el momento de la detención de Julia. Aún me quedaban algunas preguntas por responder, pero a esas alturas, y por primera vez desde que había comenzado mi ensayo, supe que ya estaban en inferioridad ante las respuestas. Había empezado la cuesta abajo.

«Según las cifras dadas al poco de terminar la guerra civil por el Patronato de la Merced, en los primeros años cuarenta eran doce mil los niños que vagaban por los comedores del Auxilio Social o en conventos, seminarios y otras instituciones, tanto religiosas como laicas, que impartían su feroz caridad a los vencidos. En 1955, con arreglo a los datos del nuevo órgano encargado de los asuntos de beneficencia, el Patronato de San Pablo, ya eran cuarenta y dos mil. La diferencia se debe a que, como ya hemos visto, en esos años se repatrió a España, con o sin el consentimiento de sus familias y, básicamente, con fines propagandísticos, a muchos hijos de republicanos que estaban en el destierro. De esa suma total, hay un número incierto de niños que les fueron robados a los vencidos por parte de los vencedores, con el fin de educarlos en las teorías del Movimiento Nacional, meterlos en conventos o entregarlos en adopción a familias cercanas al Régimen. En algunas ocasiones se trataba de los huérfanos de los ejecutados, y en otras, de los bebés que nacían en las cárceles para mujeres, donde se hacinaban miles de cautivas.

»Las militantes comunistas Juana Doña y Tomasa Cuevas, que denunciaron en sus libros las aciagas experiencias vividas por ellas y por sus camaradas en las sórdidas prisiones de la posguerra, recogen numerosos ejemplos de la impunidad con que el Régimen de Franco asesinó, martirizó y, como acabamos de decir, siguiendo la línea marcada, entre otros, por el eugenesista Antonio Vallejo Nájera, tras incautarse de todo lo que tenían sus prisioneros, en algunos casos les robó también sus hijos. Uno de esos casos fue el de la maestra nacional Julia Serma Lozano, la hermana mayor de la autora de *Óxido*.

»La cárcel de Ventas, en la que Julia fue confinada entre 1940 y 1946 y desde cuyo patio las reclusas podían oír con toda claridad los tiros de los fusilamientos que se hacían en las tapias del cercano cementerio de la Almudena, era uno de los peores destinos que se podía tener dentro de un sistema penitenciario ya de por sí temible. A modo de ejemplo podríamos citar el relato que ofrece Juana Doña en *Desde la noche y la niebla (Mujeres en las cárceles franquistas)*, donde rememora su primera impresión de ese centro, en el que cumplió parte de su larguísima condena. "En la galería de madres morían muchos niños. Más de mil mujeres estaban allí concentradas con sus hijos y algunas tenían dos o tres con ellas, por lo que aquella galería albergaba más de tres mil personas. Los niños sufrían disentería, aparte de los piojos y la sarna. El olor era insoportable. En aquellos momentos se había declarado una epidemia de encefalitis letárgica, pero ninguna madre quería desprenderse de sus hijos para llevarlos a la enfermería, porque ahí los pequeños morían sin remedio, se les tiraba en jergones de crin, o directamente en el suelo, y se les dejaba morir sin ninguna asistencia. Todos los días sacaban de allí cinco o seis niños muertos". Los que lograban sobrevivir también eran separados de sus madres, porque las normas del nuevo sistema penal sólo permitían que conviviesen con ellas hasta los tres años. A partir de ese momento, y como supo por propia experiencia Juana Doña, sólo los veían dos veces al año, el día de Nuestra Señora de la Merced, patrona de los convictos, y el de la fiesta de Reyes Magos.

»Cuando la autora de *Óxido* vino a Madrid en busca de su hermana y, tras hacer multitud de gestiones, afiliarse a la Sección Femenina y solicitar la ayuda de personalidades del Régimen como Mercedes Sanz Bachiller, por fin consiguió que la autorizasen a verla, supo que su hermana estaba embarazada. Sin duda, había seguido viendo de modo clandestino a su esposo, el inglés Wystan Nelson Bates, que tras luchar en las Brigadas Internacionales debió de vivir escondido en Valladolid hasta que pudo cruzar la frontera. Existe un listado oficial de los ciudadanos de Gran Bretaña que vinieron a defender a la República tras el levantamiento armado de 1936, y en él se consignan, junto a sus nombres, las fechas de su estancia en España: en el caso de Bates, desde octubre de 1935, que es cuando vino a estudiar Filosofía y Letras a Salamanca, hasta enero de 1940, es decir, unos ocho meses después de que acabara la guerra civil. En esos últimos instantes en territorio español tuvo que ser, sin duda, cuando su hijo fuera concebido.

»Hay indicios, en la correspondencia de la autora de *Óxido*, de que si Julia acabó en la siniestra penitenciaría de Ventas fue porque, al igual que muchos otros detenidos, debió de ser denunciada por un familiar, en concreto por su tío Marcial Serma, que ejercía la medicina en Valladolid y era un viejo camisa azul de FET y de las JONS. Con toda probabilidad, el traidor se decidió a sacrificar a su sobrina cuando, al visitarlo ésta en su consulta, descubrió que esperaba un hijo de Bates, que él creía muerto en el frente de Madrid. No hay constancia de cuáles fueron los cargos contra ella, si ser simpatizante comunista, ocultar a un soldado del ejército rojo o estar a punto de traer al mundo otro "psicópata esquizoide, místico político e imbécil social", como define Vallejo Nájera a todo marxista en su artículo "Psiquismo del fanatismo marxista", publicado, en enero de 1939, en la *Revista Española de*

Medicina y Cirugía de Guerra, que se editaba, precisamente, en Valladolid; pero el caso es que fue sentenciada a muerte, conmutándosele después esa pena por la de veinte años de reclusión, seguramente gracias a los buenos oficios de Dolores —que había retomado sus estudios de Derecho para defender a su hermana— y a la intercesión de Mercedes Sanz Bachiller, que aunque acababa de ser duramente reprobada por Serrano Súñer y estaba a punto de ser destituida como responsable del Auxilio Social —lo que ocurrió en mayo de 1940—, seguía siendo una persona influyente y que contaba con el aval y la simpatía de Franco. De hecho, la antigua compañera de colegio de las hermanas Serma iba a volver muy pronto a la política activa, en 1941, cuando el dictador hizo un reajuste de su Gobierno, destinado a arrinconar a Serrano Súñer —que había caído en desgracia, entre otras cosas, por su escandalosa relación extramatrimonial con la hermana de Carmen de Icaza—, y José Antonio Girón de Velasco, jefe de la Falange en Valladolid y viejo amigo de Onésimo Redondo y de su viuda, fue nombrado ministro de Trabajo. Las dos primeras decisiones que tomó Girón fueron despedir a todos los colaboradores de Serrano Súñer de sus puestos en el servicio de Prensa y Propaganda del Ministerio de la Gobernación y designar a Mercedes Sanz Bachiller jefa del Instituto de Previsión Social. Dos años más tarde, Franco decretó que fuera elegida procuradora en Cortes.

»Cuando estaba a punto de alumbrar a su hijo, Julia Serma fue trasladada a la Prisión de Madres Lactantes de Madrid, un pequeño hotel situado en la Carrera de San Isidro, a orillas del río Manzanares, que había empezado

a funcionar en 1940, justo el año en que ella fue arrestada. Al principio, la creación de ese centro fue recibida como una buena noticia, pues se interpretó como una señal
de que el Régimen comenzaba a humanizarse; pero muy
pronto se supo que las condiciones de vida eran terribles
en aquel lugar, donde las normas dictaban que las madres sólo podían estar una hora al día con sus hijos para
que éstos, en cumplimiento de la filosofía de Vallejo Nájera, fuesen educados contra la ideología enferma de sus
progenitoras, y donde la mortalidad infantil era tremenda. En sus *Testimonios de mujeres en las cárceles franquistas*,
Tomasa Cuevas recoge el caso de una convicta llamada
María Valés que narra algunos de los episodios que se vivían a diario en la Prisión de Madres Lactantes: "A las
siete de la mañana, levantaban a los críos para cantar el
credo, y como pasaba el río tan cerca, cogían bronquitis
y se morían muchísimos. Luego les daban de comer como un alpiste, con unos bichos tremendos. Los niños se
ponían a llorar y no lo querían, y entonces ellas encendían
un hornillo, y los ponían con el culito muy cerca de la
lumbre, y los niños daban unos gritos horrorosos. Cuando al fin tomaban aquella comida y, como les daba asco,
la devolvían, les obligaban a volver a comerse el vómito".
No eran muchos los que superaban ese calvario.

   »Por otra parte, también se rumoreaba que a muchas
de las mujeres ingresadas en aquel sanatorio de los horrores les habían quitado sus niños al poco tiempo de nacer,
para entregárselos en adopción a familias afectas al Régimen y en cumplimiento de un decreto aparecido en noviembre de 1940 en el Boletín Oficial del Estado, por el
cual el Estado asumía la patria potestad sobre cualquier

niño ingresado en el Auxilio Social y su tutela podía serle dada "a personas irreprochables desde el triple punto de vista religioso, ético y nacional". En esas circunstancias, "el temor a perder a sus hijos era tan grande —escriben los historiadores Vinyes, Armengou y Belis en *Los niños perdidos del franquismo*—, que las reclusas embarazadas de la cárcel de Ventas", como Julia Serma, "intentaban disimular su estado" a toda costa, para evitar que las trasladaran a la siniestra Prisión de Madres Lactantes.

»Pero la hermana de Dolores no consiguió librarse y su hijo fue secuestrado. Muy probablemente, ni siquiera llegó a tocarlo porque, por lo general, las monjas y voluntarias del Auxilio Social que asistían los partos se llevaban a los bebés de inmediato, con la disculpa de que los iban a bautizar, y luego les decían a las presas que habían muerto. O, cuando se trataba de funcionarias aún más crueles, les decían la verdad.

»Una verdad inaceptable que encontraba sus argumentos, como hemos dicho, en las teorías de Antonio Vallejo Nájera, partidario de "separar el grano de la paja" y, de ese modo, evitar la proliferación de los marxistas, esos seres para él infrahumanos y peligrosos que no podían formar parte del espíritu de la hispanidad porque a causa de su ideología habían suplantado lo que él llamó "complejos afectivos idóneos", es decir, la religiosidad cristiana y el patriotismo, por otros "complejos psicoafectivos" que les empujaban, según escribe en su texto de 1938 "El factor emoción en la España nueva", al "resentimiento, el rencor, la inferioridad, la emulación envidiosa, el arribismo y la venganza". De modo que había que quitarles sus hijos para evitar que se propagara su enfermedad. Ése es el pensamiento esencial del libro que ya hemos citado en varias ocasiones, *La locura y la guerra: psicopatología de la guerra española*, aparecido en 1939. El fanatismo de aquel veterano de las campañas de África era tan agresivo, que en otro texto, publicado un año antes y que se titula *Divagaciones intrascendentes*, llegó a pedir que se restableciera la Santa Inquisición, "una Inquisición modernizada, con otras orientaciones, fines, medios y organización", pero que no dejara de ser "rígida y austera, sabia y prudente, obstáculo al envenenamiento literario de las masas y a la difusión de las ideas antipatrióticas"; por lo cual, reclamaba "la creación de un Cuerpo de Inquisidores, centinela de la pureza de los valores científicos, filosóficos y culturales del acervo popular; que detenga la difusión de ideas extranjeras corruptoras de los valores universales hispánicos".

»Pero Dolores Serma debió de saber de algún modo que el hijo de su hermana estaba vivo y había sido entregado en adopción, por lo que comenzó de inmediato a indagar su paradero y a pedir ayuda, entre otras personas, a la nueva cabeza visible del Auxilio Social y segunda responsable de la organización, la novelista Carmen de Icaza. Y a partir de 1944, le quiso dar también una respuesta literaria a aquel cúmulo de adversidades que padecía e inició la redacción de *Óxido*, quizás con la intención de aliviar sus fatigas por el método de contarlas para que no cayesen en el olvido. Su camino era tortuoso y cambiante, y estaba lleno de altibajos y claroscuros, quizás todos ellos simbolizados en un extraño fenómeno que sucede en uno de los capítulos de la novela, cuando la protagonista, Gloria, recorre la fúnebre ciudad en la que su hijo ha desaparecido y nota que en unas calles es de día y en otras de noche, en unas hace calor y en otras frío, algunas de las personas con las que se cruza llevan ropa de verano y otras de invierno, en unas sus pies pisan calles nevadas y en otras hojas de otoño que, según escribe, "hacen de cada paso un paso sobre la muerte".»

Me detuve ahí, porque eso era todo lo que sabía a ciencia cierta de aquel momento dramático de las vidas de Dolores y Julia Serma. Pero no quería interrumpir completamente el trabajo, de manera que empecé con la parte más ingrata de toda investigación filológica, que es la de cotejar las ediciones de las obras con sus manuscritos o con sus copias originales, en busca de variaciones, erratas de imprenta y demás. Cuanto antes me quitara esa tarea engorrosa de encima, mejor. Abrí la edición publicada en 1962 y preparé la libreta donde estaba el texto autógrafo y la transcripción mecanografiada. Empecé a leer en ellos cada párrafo, de forma alternativa. En principio, las tres versiones eran idénticas.

Mientras estaba en eso, llamó Natalia Escartín, desde su consulta del hospital. No había tenido tiempo de hacerme una fotocopia del Libro de Familia de Dolores Serma, porque estaba muy ocupada, con una legión de enfermos en su sala de espera y una cena prevista para esa noche, en casa de unos colegas del abogado Lisvano, pero podía encontrarse conmigo un momento, en el hotel Suecia, y prestármelo hasta el día siguiente.

—Disculpa un instante —se interrumpió, y mientras hablaba con sus enfermeras yo continué con lo que tenía entre manos. «Gloria empezó a preguntar en los establecimientos del barrio que frecuentaba su hijo», leí en la edición de *Óxido* publicada por las Ediciones de la Imprenta Márquez, «primero en la pastelería, después en los billares». En la libreta y en el original, la frase era la misma.

Cuando Natalia pudo al fin reanudar la conversación, me citó para las ocho y media. Pero, antes de despedirnos, le hice un par de preguntas sobre un tema al que había estado dando vueltas y que tenía que ver con aquellos documentos que Dolores Serma les había mandado recoger a su hijo y a su nuera en casa de Mercedes Sanz Bachiller, después de que ella los hubiese tenido a buen recaudo durante décadas:

—De acuerdo, nos vemos a esa hora. Pero déjame que te haga dos preguntas que podrás responder en un minuto.

—Tú dirás.

—La primera es sobre la poca inclinación de tu marido a los libros. Recuerdo que la noche que cenamos los cuatro en el Deméter, comentó que su madre nunca había hecho nada por que leyera, sino más bien lo contrario; y que, en todo caso, sólo le animaba a aprender idiomas y, más tarde, a estudiar cosas útiles como Derecho y Económicas.

—Sí, ésa era justo la expresión que, por lo visto, siempre usaba: cosas útiles. De hecho, ése es el motivo por el que Carlos se extrañó tanto cuando le hablaste de lo que había luchado Dolores por publicar su novela y por entrar en los círculos literarios de los años cuarenta y cincuenta. Me acuerdo de que cuando regresábamos a casa me dijo: «No lo hubiera sospechado ni por asomo. ¡Si en nuestra casa jamás hubo más allá de media docena de libros!».

—Gracias. Y la segunda cuestión es ésta: cuando Dolores os pidió que fuerais a recoger a casa de Mercedes Sanz Bachiller las cosas que le había guardado, ¿en qué momento de su enfermedad se encontraba?

—En la recta final. De hecho, para entonces ya empezaba a mostrar sólo una lucidez esporádica, y su degradación completa fue muy, muy rápida, lo que es típico en los pacientes de Alzheimer cuando alcanzan la fase crítica de su enfermedad. Si no recuerdo mal, empezó a obsesionarse con que fuéramos a por sus papeles cuando sus síntomas eran ya inequívocos también para ella, que supo desde el comienzo lo que le esperaba, entre otras cosas porque desde que se descubrió lo que tenía y hasta que perdió definitivamente la cabeza, me hizo miles de preguntas sobre el tema: ¿cómo se desarrolla la enfermedad? ¿Cuáles son las señales de que empieza el proceso degenerativo? Esa clase de cosas.

—Y entonces es cuando visitasteis a Mercedes Sanz Bachiller.

—Pero no inmediatamente. En primer lugar, porque no fue fácil encontrarla y que nos diera una cita.

—¿No teníais su teléfono? ¿No os lo dio Dolores?

—Sí, sí, el número estaba apuntado en la agenda de Dolores. Me refiero a encontrarla físicamente, porque ella puso bastantes trabas. Me dio la impresión de que desconfiaba y, además, no era demasiado proclive a dejarse ver. Hablamos en varias ocasiones con su secretaria y ella, como es lógico, nos pidió algunas referencias, nos prometió que hablaría con su jefa e hizo sus comprobaciones. No iban a darle los papeles al primero que los pidiera, como es natural.

—Claro.

400

—Y luego, al parecer, estuvo una temporada enferma, postrada en cama y sin posibilidad de recibir a nadie. Lo cual tampoco era nada raro, dada su edad.

—Y fue pasando el tiempo...

—Pues sí. Ya sabes cómo son esas cosas. El caso es que cuando se recuperó y su secretaria nos dijo que estaba dispuesta a entrevistarse «con el hijo de Dolores», me lo dijo así yo creo que para que me quedase claro que sólo trataría el asunto con él y con nadie más, tampoco conmigo; pues entonces ocurrió que Carlos no podía, porque en ese instante era miembro de una comisión especial del Parlamento Europeo y debía estar dos meses en Bruselas. Bueno, en síntesis, que para cuando sus papeles llegaron a casa, Dolores ya había perdido completamente la noción de sí misma. ¿Te sirve de algo todo esto?

—Muchísimo. Gracias. ¿Nos vemos, entonces, a las ocho y media, en el Suecia?

—Eso es.

—¿Arriba o abajo?

—Más quisieras tú que fuese arriba. No, hoy no puede ser, prototipo. Pero queda pendiente, ¿vale?

Nada más colgar, comprobé otras cuatro o cinco páginas de *Óxido*, sin encontrar diferencias, y telefoneé a Virginia, para quedar con ella a las diez. Como ya habrán notado, no me apetecía mucho verla, porque no lograba imaginar ni qué decirle ni qué esperaba ella oír. De hecho, me hubiera sido más fácil tocar el *Honky Tonk Women* de los Rolling Stones en una raqueta de tenis que ponerme a hablar en serio con mi ex mujer en aquel instante. Pero qué quieren, uno será a veces un poco macarra, pero nunca un bruto; y miren que lo siento, en más de una ocasión, cuando veo por ahí tanto cochino capaz de convertir cualquier charco en un balneario y viceversa.

Mientras hablábamos a un tiempo de todo y de nada, me puse a hojear distraídamente la copia mecanografiada de *Óxido* y, sin ninguna finalidad concreta, se me ocurrió echarle un vistazo a los calcos hechos con papel carbón, pasé la página amarilla, la verde y la rosa. Y entonces regresé a la de color verde. Un momento: allí había un párrafo, intercalado entre el segundo y el tercero, que no se correspondía con los otros. Lo vi al instante. «Yo no quiero escribir esto. No quiero que se sepa lo que voy a contar y sin embargo, por alguna razón, aunque sólo sea esta vez, necesito hacerlo. Escribir es hablar para los ojos, y yo voy a hablar para los míos. Sólo para los míos. Qué horrible es vivir en un mundo en el que la verdad puede destruir lo que han salvado las mentiras.»

Me quedé perplejo y, mientras Virginia hablaba para nadie en el auricular del teléfono, miré en el primer folio de la copia por cuadruplicado, el de color blanco, y efectivamente esas líneas al comienzo del segundo párrafo, que yo no recordaba haber leído durante mi viaje a Atlanta en la única edición publicada de *Óxido*, no estaban allí. Ni tampoco en la hoja amarilla. Ni en la rosa. En su lugar, podía leerse la descripción que hace Serma de la inquietud que siente Gloria al notar, por primera vez, que todo el mundo a quien pregunta por su hijo la conoce y sabe detalles íntimos de su vida. Las cuatro cuartillas, eso sí, llevaban la misma numeración, el trece, y el resto de los pasajes seguían el discurso normal de la obra.

Comprobé entonces la siguiente página, la catorce, y las cuatro copias seguían sin alteraciones el texto de la novela. Pero en la quince, justo en el mismo lugar, al comienzo del segundo párrafo y sólo en la hoja de color verde, otras cinco líneas intrusas suplantaban a las titulares de la narración: «Mi vida entera es falsa. No hay nada mío que no esté adulterado por la simulación y el engaño. Tuve que cambiar los rostros de quienes más quiero por máscaras y apartarme de mi vocación para salvaguardarlos. ¿Me perdonarán si algún día llegan a conocer la realidad? Todo empezó en Madrid, en septiembre de 1940, la primera vez que me dejaron visitar a mi hermana Julia en la cárcel en la que llevaba ocho meses encerrada».

—Entonces —dijo Virginia, desde otro planeta—, ¿nos encontramos mejor a las once, en el Café Star? Así dejo las cosas bajo control en el Deméter.

—Sí, vale, vale. Pero antes tengo que ver unas cosas. Si termino pronto, te llamo, ¿de acuerdo? Adiós.

Revisé las páginas impares de aquella versión a máquina de *Óxido*. En su bloque central, desde la cuartilla número trece a la número sesenta y cinco, había párrafos de seis líneas, intercalados en la novela, en los que Dolores Serma había contado los acontecimientos que protagonizaron ella y su familia entre septiembre de 1940 y octubre de 1945. No se puede decir que se trate de unas memorias, sino más bien de una serie de anotaciones del tipo de las que uno haría en una agenda y que, como acabamos de ver, estaban sólo en la tercera copia del texto por cuadruplicado, la de color verde, y siempre emboscadas en el arranque del segundo párrafo. Obviamente, Serma había hecho dos copias de su libro, una con la novela íntegra y otra con las interpolaciones, y después había separado las páginas, había sustituido la copia verde de la primera versión por la de la segunda y las había vuelto a pegar, por su borde superior. Y allí, en ese documento furtivo que escribió para sí misma, a modo de terapia y porque, según dice, «la verdad es un veneno para quien la conoce y no la puede compartir», había revelado sus secretos de aquella época atroz. No puedo saber cuándo empezó a hacerlo, aunque tuvo que ser después de 1944, porque les anticipo que en ese texto ya habla de Carmen Laforet y de su trabajo juntas en el Ateneo; pero sí sé cuándo lo dio por acabado: en 1961, que es la última fecha a la que se refiere. Con toda probabilidad, un original idéntico al que contienen las páginas blancas, amarillas y rosas debió de ser el que entregase a la imprenta vallisoletana que lo iba a publicar unos meses más tarde.

Dolores necesitaba desahogarse a la vez que callaba, y lo hizo de la única manera posible: escribiendo su historia. Algo que, por otra parte, fue muy común en aquellos tiempos amordazados por la iniquidad y la censura: un buen ejemplo es el amargo diario del poeta Luis Felipe Vivanco, donde habla de forma obsesiva del inmenso arrepentimiento que le producía su pasado falangista. «No sé si uno tiene derecho a ocultar las injusticias y abusos que sufre», reflexiona Serma en un momento dado, «porque quizás el silencio de las víctimas sea la mejor coartada de los verdugos. Callar es inmolarse, pero qué hacer». En su *Diario*, Vivanco hizo un apunte muy similar: «¿Cabe defenderse uno y defender a los suyos con la contemplación? ¿Cabe defenderse con la huida? Estamos indefensos». Eso sí, la autora de *Óxido* fue aún más cauta que su colega, y si éste llevó un diario tradicional —aunque sin duda lo mantendría oculto ante la posibilidad de un registro—, Dolores tuvo la precaución de disimular sus notas autobiográficas en la copia a máquina de su novela y dárselas a guardar a Mercedes Sanz Bachiller. También es cierto que Dolores, al menos desde el punto de vista personal, tenía muchas más cosas que esconder. No se apuren: se las voy a contar en unos instantes.

Leí todo lo que Serma había escrito de forma encubierta en aquellas hojas verdes y comprendí su temor a que alguien lo descubriera. Y claro, supuse que al ver que el Alzheimer la acechaba y su vida consciente iba tocando a su fin, intentó recuperar aquellas páginas, casi con toda seguridad, para destruirlas.

Siguiendo su relato, Dolores Serma se trasladó de Valladolid a Madrid, efectivamente, al saber que Julia había sido detenida y trasladada a la capital, y después de escribirle una carta desesperada a Mercedes Sanz Bachiller, su antigua condiscípula del Colegio Francés y «la única persona que se me ocurrió que podría socorrernos». La viuda de Onésimo Redondo se portó muy bien con ella y, además de iniciar algunas gestiones para conocer el paradero de Julia, que no le había sido comunicado a su familia, le hizo algunas sugerencias que le sirvieran para allanar el camino. La primera de todas, que se afiliase a la Sección Femenina e ingresara en su organización, el Auxilio Social, porque «¿qué mejor carta de presentación que nuestro venerable uniforme?», parece que le dijo. «Qué inteligente y qué astuta es doña Mercedes», dice la autora de *Óxido*. «A lo largo de nuestro *via crucis* no recibí de ella más que buenos consejos. Que Dios la bendiga.»

Localizar a Julia no fue fácil. Dolores recurrió a todas las instancias posibles para dar con ella y, con el prestigioso aval de Sanz Bachiller, tuvo acceso a despachos de importancia en el nuevo Régimen, aunque siempre ocurría lo mismo: obtenía promesas y buenas palabras pero, llegado un punto, a la segunda o tercera visita, sus interlocutores hacían un gesto de contrariedad o de impotencia y le decían: «No puede ser. De momento, el caso de su señora hermana está considerado como altamente confidencial. Sólo se sabe que está aquí, en Madrid, y que tras aplicársele la Ley de Responsabilidades Políticas ha sido condenada a muerte, aunque con firmes posibilidades de que su pena sea conmutada por otra de reclusión mayor. Confíe en la generosidad de nuestro Caudillo, al que sé informado de este asunto por personas de la confianza de doña Mercedes. Le doy mi palabra de que, por ahora, ni yo mismo dispongo de más información».

Por fin, transcurridos seis meses de angustiosos trámites y después de haber pagado, incluso, algún que otro soborno para que la audiencia fuera privada, y no en la sala comunal donde, una vez al mes, los familiares y las presas debían hablarse a gritos, desde dos metros de distancia, Dolores fue autorizada a visitar a Julia, durante diez minutos, en la cárcel de Ventas, que impresionó hasta tal punto a la escritora que la describe como «una tumba espantosa donde no hay apenas diferencias entre la muerte y la vida».

Dolores encontró a Julia demacrada, histérica y con síntomas visibles de maltrato: tenía cortes en los pómulos y todos los dedos de la mano izquierda rotos, porque se los habían partido «por comunista, para que no pudiese volver a cerrar el puño». En un susurro, y mientras intentaba sobreponerse a las lágrimas que la ahogaban, le pudo contar que había visto a unos falangistas matar a golpes, en el propio patio de la prisión, a dos presas que, al parecer, eran la esposa y la hija adolescente de un político republicano. A la joven, antes de darle un tiro de gracia, la habían violado y torturado delante de su madre, haciéndole beber gasolina y luego prendiéndole fuego a la lengua. «Anda, cántanos ahora *La Internacional*», le gritaban. Dolores cuenta que, al regresar a la pensión donde se alojaba, se abofeteó violentamente frente a un espejo, hasta hacer que le sangrasen los labios. «Sólo de esa manera me pude serenar, sólo a través del daño. La imagen de Julia me cortaba por dentro como una cuchilla.»

Pero como ya saben todos ustedes, la mayor de las Serma también le había dicho otra cosa, y fue que al llegar a la cárcel de Ventas estaba embarazada de tres meses, que cuando estaba a punto de tener el bebé la habían trasladado a la Prisión de Madres Lactantes que se alzaba junto al río Manzanares y que le habían robado a su hijo nada más nacer. Eso había pasado hacía apenas un par de semanas. «Mi hijo, Dolores, por lo que más quieras, no dejes que me lo roben», le gritó Julia, intentando imponer su voz sobre la algarabía de llantos y lamentaciones de las otras reclusas y sus familiares, cuando el alguacil ya se la llevaba.

«Diez minutos», escribe Dolores en sus cinco o seis líneas camufladas de la hoja verde número 23, «era increíble la forma en que todo había saltado por los aires en ese tiempo. Tras el episodio de la pensión, y una vez que había logrado calmarme, me dirigí al domicilio de doña

Mercedes. Me confortó como pudo e hizo que me prepararen una tila y que me administraran un sedante. Ellos me ayudarían, pero era necesario que me sosegara. "La cabeza aparte, hija mía, siempre hay que mantener la cabeza aparte", me dijo don Javier».

Dolores habla de su gratitud infinita para Sanz Bachiller y Martínez de Bedoya, y de ese modo queda explicada su lealtad a ellos, con quienes, como ya saben, trabajó durante veinte años, primero en la sede del Auxilio Social, durante el poco tiempo que transcurrió desde su llegada a Madrid y la destitución de su fundadora; luego a su servicio directo, supongo que como secretaria, y, finalmente, en la gerencia de Los Álamos, el hotel que pusieron en Torremolinos.

Cuando, después de mil pesquisas, Dolores consiguió que algún mando intermedio del Ministerio de la Gobernación reconociese la existencia del bebé de Julia, cosa que hasta entonces no había ocurrido, le aseguraron que había nacido muerto. Pasaron aún unas semanas desde que recibió esa noticia hasta que pudo ver de nuevo a Julia en los siniestros locutorios de la cárcel de Ventas. Pero su hermana no creyó lo que le decía. Ella misma lo había visto vivo. No era verdad que naciera muerto. Además, entre sus compañeras de cautiverio había otras dos a las que también les habían robado sus hijos en la Prisión de Madres Lactantes. «Pero ¿quién?, le pregunté, crispada y mientras los diez minutos de la audiencia se acababan: ¿quién se los lleva? Y la pobre Julia primero bajó los ojos y dijo "Las monjas, para bautizarlos", y luego los clavó en mi uniforme y añadió: "Y las de Auxilio Social". Eso me avergonzó, pero también me dio una idea:

¿y si yo lograra entrar a la cárcel, como voluntaria de cualquier comisión?»

Para lograrlo, recurrió a la nueva secretaria nacional del Auxilio Social, Carmen de Icaza. La propia Mercedes Sanz Bachiller redactó las cartas que iba a enviarle Dolores e hizo correr en el entorno del nuevo líder orgánico de la institución, el brumoso Manuel Martínez de Tena, algunos comentarios que socavaran la credibilidad de la célebre creadora de *Cristina Guzmán, profesora de idiomas*, la mujer que en su opinión la había traicionado, tras conspirar contra ella con sus enemigos Serrano Súñer y Pilar Primo de Rivera.

Lo cierto es que esas murmuraciones debieron de lograr el efecto que pretendían, porque Carmen de Icaza, que en principio no había hecho más que responder a las cartas de Dolores en un tono meramente formal, no sólo se interesó por su causa, sino que terminó por hacer una buena amistad con Serma, quien en uno de sus apuntes reconoce que «la baronesa fue la primera persona, aparte de Carmen Laforet, que supo que estaba escribiendo una novela; aunque, por razones evidentes, no le di demasiados detalles sobre su temática...». Pero, sobre todo, la autora de *La fuente enterrada* le proporcionó a su nueva amiga, quien la acompañaba dos días a la semana a una de las Escuelas de Hogar auspiciadas por el Auxilio Social, un contacto fundamental: el de la comadrona que había atendido, en la Prisión de Madres Lactantes, el parto de su hermana Julia. Dolores le pagó una considerable cantidad de dinero, obtenido de la venta de una de las dos granjas que le quedaban en Valladolid, para que se acordara de que, efectivamente, el bebé de su hermana no nació muerto y para que le echase un vistazo al archivo del sanatorio penitenciario de la Carrera de San Isidro. En el expediente que se refería a Julia Serma Lozano, uno de los miles que tres décadas más tarde, tras la muerte del dictador y la llegada de la democracia, destruirían los represores para borrar las huellas de sus actos, había este apunte: «Fusilada. Hijo dado en adopción». Al tener conocimiento de esa nota, Dolores supo que el nombre imponente de Mercedes Sanz Bachiller, que había telefoneado a varios capitostes del Régimen para respaldar la inocencia de Julia, hacer valer el catolicismo e indudable afección al Movimiento Nacional de su familia y pedir su liberación, había salvado en el último instante a su hermana, cuyo ajusticiamiento estaba previsto, como era de rigor, para el mismo día en que naciese su hijo.

«Se contaba por entonces una historia escalofriante», escribe Serma, en las páginas verdes número 31 y 33, «referida al poeta Leopoldo Panero y a su cuñado, ambos detenidos por los nacionales y sentenciados a muerte. Su madre, amiga de Carmen Polo, fue al cuartel general de Franco a exigir que se liberase a su hijo y a su yerno. Tras muchos reparos, la mujer del Caudillo fue a consultarle y, al volver, le dijo: "Mira, me comenta Paco que él no puede ni debe hacer excepciones con estas cosas, pero que por ti la va a hacer. Eso sí, sólo una. De manera que elige". Y, claro, la madre de Panero lo eligió a él, y el otro fue fusilado. No sé si eso ocurrió o es una leyenda, pero yo me sentía un poco así: ¿a qué dedicar mi tiempo, a procurar que liberasen a Julia o a buscar a su bebé?».

Sin olvidarse del otro tema, Dolores le dio prioridad a la gestión del indulto a su hermana, a quien cada vez veía peor en sus visitas, aún muy espaciadas, a la prisión de Ventas. Físicamente estaba muy débil, pero lo peor era su estado mental, que empeoraba a ojos vistas. Dentro de la sordidez de aquel sistema represivo, los dos asuntos tenían mal remedio, porque la corrupción fermentaba en todos los rincones del Régimen y tenía mil vasallos, gente sin escrúpulos que, por otra parte, era alentada desde el nuevo Estado a considerar a los vencidos alimañas a las que se podía herir, escarnecer y usar como esclavos. Lo mismo que tantos otros familiares de los prisioneros, Dolores se sintió morir cuando supo de los abusos que Julia soportaba a diario. «¿Cómo se puede llegar a tal grado de ruindad? ¿Qué ideología o qué dogma pueden justificar la podredumbre de esas personas? Hasta la comida que le llevaba a la cárcel a mi hermana, con el fin de que su alimentación mejorase —pues allí no les daban a comer sino berzas, nabos y sopas hechas con cáscaras y entrañas de pescado—, se la quitaban las monjas para venderla después en el economato. ¿Cuánta perfidia y cuánta indignidad caben en el alma humana? En una ocasión, según me ha contado, entraron en su celda ocho o diez de la Falange con un cubo lleno de brasas y un hierro candente, desnudaron a dos infelices y les grabaron en la piel el yugo y las flechas, como si fueran reses.»

Por aquella época, ya a mediados de 1941, fue cuando Dolores logró que la Sección Femenina la incluyese entre las reeducadoras de la Escuela de Hogar que iba a abrirse en la cárcel de Ventas. Con ello pasó de ver a su hermana una o, en el mejor de los casos, dos veces al mes, a hacerlo cinco horas diarias. Eso duró hasta abril o mayo de 1942.

Para entonces, su amistad con Mercedes Sanz Bachiller y Carmen de Icaza se había estrechado aún más, aunque por motivos bien diferentes. En el caso de la creadora del Auxilio Social, porque su rehabilitación política se había completado muy por encima de la de su segundo marido, y si a ella, como ustedes ya saben, la nombraron jefa del Instituto de Previsión Social, Martínez de Bedoya se tuvo que conformar con sendos destinos como agregado de Prensa en Lisboa y, más tarde, en París. Sanz Bachiller lo acompañaba sólo a tiempo parcial, porque todos los meses venía a Madrid para ocuparse de sus nuevas tareas. La persona que la hacía compañía cuando estaba en España y que, además, ella había colocado en el Instituto para que se ocupase de todos sus asuntos en ausencia suya, no era otra que Dolores Serma. «¡Cuánto le debo a doña Mercedes!», escribe. «Ni siquiera comprendo por qué me ayudó tan generosamente, desde el principio. ¿Es por ser las dos de Valladolid? ¿Por la amistad que unía a nuestras familias? ¿Porque fuimos compañeras en el Colegio Francés? Cuando me propuso acompañarla a su nuevo destino en el Instituto de Previsión Social, con un buen sueldo que me sacó de mis penurias económicas, ya se lo pregunté directamente: "¿Por qué es usted tan buena conmigo?". Y ella, con un ejemplar esplendoroso de su célebre sonrisa cruzándole la cara, me contestó: "Porque tú nunca me vas a ser desleal, y la lealtad es una de las tres o cuatro únicas cosas que, en este valle de lágrimas, no tienen precio". Las dos sabíamos que eso era verdad. Y yo estaba a punto de saberlo mucho mejor aún.»

Dolores se refiere con esa última frase a su tío Marcial. Porque en un momento determinado, tras serle denegada a Julia, por dos veces y en el último instante, a finales de 1942 y a mediados de 1943, una amnistía que se daba por hecha, pues contaba con el aval de Sanz Bachiller y Carmen de Icaza y con informes favorables tanto de la Sección Femenina, que la consideraba apta para reintegrarse a la sociedad tras su curso en la Escuela de Hogar, como de las autoridades penitenciarias, Dolores inició otra peregrinación de despacho en despacho, en busca de unas explicaciones que nadie sabía o quería darle, y el poco tiempo que le dejaban las clases en la facultad de Derecho, que tenía bastante abandonadas, su trabajo en el Instituto de Previsión Social y sus colaboraciones para las Escuelas de Hogar de la Sección Femenina, siguió pisando el barro amarillo de la burocracia y desesperándose al ver que su hermana, pese a sus esfuerzos, pronto moriría en la prisión de Ventas. ¿Por qué? ¿Qué o quién impedía que la soltaran?

A principios de 1944, cuando su odisea ya duraba siete u ocho meses, un avieso oficinista del Ministerio de la Gobernación, en cuyo despacho Dolores, que ya estaba al límite de su resistencia, se echó a llorar y tuvo una crisis nerviosa, accedió a pedir el expediente de su hermana y prometió avisarla cuando supiera algo. Dos semanas después, la hizo llamar. «Nada más entrar», escribe la novelista, «aquel hombre, que era bastante rollizo, llevaba uniforme de la Falange y tenía un pelo aceitoso, peinado al estilo de José Antonio, agitó un papel y dijo: "Bueno, pues aquí lo tienes: una copia del informe sobre tu hermanita roja". Me quedé helada, porque en mi anterior visita ni se había permitido el tuteo ni su tono era aquél, tan tabernario. Entonces, rodeó su escritorio, fue a cerrar la puerta con llave y, apoyado en ella, se desabrochó los pantalones. "Ahora —dijo—, si de verdad lo quieres, ven aquí, ponte de rodillas y haz un buen trabajo". Me acerqué a él y le crucé la cara. Antes de que se repusiera, le dije: "Mira, mañana a esta misma hora voy a volver aquí con el ministro Girón de Velasco, que es íntimo mío, y le vas a pedir a él, directamente, que te pague el favor". Mi única relación con el irascible ministro de Trabajo era haberlo visto una vez de visita en casa de doña Mercedes y don Javier, pero debí de sonar convincente, porque aquel mamarracho se puso lívido. Vi una raya de sangre en su cara y me miré la mano: le había hecho un corte con un anillo que siempre llevaba, una esmeralda engarzada en oro, que había sido de mi madre. Me lo quité y lo arrojé al suelo, con todo el desdén del que fui capaz. "Ahí tienes, desgraciado, arrodíllate tú para cogerlo, límpiale tus manchas y después lo vendes en una casa de empeños." Se apartó de mi camino y salí, hecha una furia. No había llegado a la puerta de la calle cuando aquel vil llegó corriendo y a la vez que me ofrecía un sobre, me dijo: "Aquí tiene, señora. Y no se olvide tampoco de su sortija. Pero deberá consultar aquí los papeles, porque no hay copia". Seguro que no podía ni sospechar, el muy infeliz, cómo me temblaban las piernas».

El caso es que, cuando abrió aquel sobre, vio que dentro había tres documentos: los dos informes contrarios a la libertad a Julia y su ficha penal. En los primeros, comprobó que la resolución concluía con una nota idéntica, escrita al pie del formulario —que, sin duda, era eso, una mera plantilla— y subrayada en rojo: «Contrario a efecto, por recomendación del denunciante». En el pequeño expediente que precedía a esos dos oficios, se señalaba, con fecha de marzo de 1940, la causa de la detención de Julia Serma Lozano: «Maestra nacional. Comunista. Casada con un voluntario de las Brigadas Internacionales del que se notifica que está esperando un hijo».

A Dolores, según escribe, se le clavó aquella última frase en los ojos, y le fue dando vueltas de camino al Instituto de Previsión Social. «¿Se notifica que está esperando un hijo? ¿Quién podía hacer tal cosa en aquella fecha, cuando Julia estaba embarazada sólo de dos meses y ni yo lo sabía, tal vez ni siquiera lo supiese del todo ella? De pronto, noté que me mareaba. Porque las inculpaciones de comunista y esposa de un soldado de la República las podía haber presentado cualquiera en Valladolid, pero a la hora de preguntarme quién pudo formular el otro cargo, sólo se me ocurría una persona: el médico que la reconoció muy poco antes de que fuera denunciada y descubrió que estaba encinta. Nuestro tío Marcial. Sentí náuseas, al darme cuenta.»

La joven escribió a su tío, haciéndole ver, aunque de forma indirecta, que había descubierto que él era quien entregó a Julia y preguntándole si, en cualquier caso, sabía algo del hijo de su hermana, pero éste le contestó de la forma que ya conocen. ¿Qué abyección puede llegar a alcanzar una persona para entregarle a los verdugos su propia sobrina? ¿Por qué las odiaba tanto? Dolores recordaba obsesivamente la línea señalada en rojo en aquellos informes que desaprobaban la excarcelación de Julia: «Contrario a efecto, por recomendación del denunciante». De manera que aquel monstruo había sido consultado y, por dos veces, se opuso a que la soltaran. Encolerizada, le envió un segundo mensaje, en el que lo amenazaba «con contarle a todo Valladolid lo que has hecho», y la respuesta fue: «Adelante. Yo no tengo nada que ocultar ni que temer. Nunca estuve con los asesinos, ni con los ateos que quemaban iglesias. Y siempre he sido el más modesto pero el más honrado de mi familia, el que todo lo que tiene se lo ha ganado con sus propias manos». Como quien escucha el serpenteo de un reptil en la maleza, Dolores oyó un resentimiento antiguo en ese reproche del doctor Marcial Serma hacia su padre, el maestro Buenaventura Serma, a quien la herencia de su abuelo había favorecido por encima de él. Pero también vio una oportunidad y decidió aprovecharla. Llamó a su tío y le propuso un trato: pasados los seis meses que debían transcurrir, según el reglamento, entre una petición de indulto y otra, volvería a solicitarlo para Julia y, si él lo secundaba con su firma, estaba dispuesta a nombrarlo administrador único de sus propiedades en Valladolid. «El muy cínico», escribe Dolores en la página de color verde número 43, «después de fingir que se ofendía, me respondió: "En cualquier caso, hija, ya veremos qué pasa. Pero si yo puedo, de algún modo, ayudaros a llevar vuestros asuntos aquí, siempre por vuestro propio interés, ya sabes que lo haría de todo corazón". ¡Qué poco tenía yo y cuánto lo ambicionaba él! Pero, claro, la codicia es una lupa que lo agranda y lo deforma todo».

La nueva súplica de indulto para Julia Serma se presentó en febrero de 1945. Y esa vez, con los buenos informes de siempre y con el visto bueno de quien en su momento la había denunciado, sería aprobada y llevaría a su liberación, como ustedes ya saben, al comienzo del siguiente año. El doctor Marcial Serma quedó a cargo de las dos granjas que conservaban sus sobrinas, de las tres o cuatro pequeñas haciendas que no habían vendido, y que se usaban como plantaciones de trigo en régimen de alquiler, y de la mercería de la calle Miguel Iscar. Tampoco las iba a disfrutar mucho, porque, según comprobé un poco más adelante, y como siempre en estos casos con la ayuda de mi hermana menor, la que es funcionaria en el Ministerio de Justicia, aquel truhán murió en 1948.

De las otras tres partes en que se podría dividir el resto de la historia de Dolores Serma en aquellos terribles años cuarenta, ya conocen la primera, la que se inicia en 1944 en el momento en que empezó a pasar las tardes, al salir del Instituto de Previsión Social y a costa de algunas de sus clases en la facultad de Derecho, en la biblioteca del Ateneo. Allí mismo es donde conoció a Carmen Laforet, a quien define en las páginas verdes de *Óxido* como «una de las personas más dulces —y la más rara— que he conocido». Hicieron una buena amistad y, sentadas frente a frente, una escribió *Nada* y la otra *Óxido*. «Alguna vez salíamos a merendar con una amiga suya de origen polaco que se llamaba Linka Babecka, y lo pasábamos muy bien. Carmen hablaba poco, pero cuando lo hacía era, al igual que en sus libros, una narradora absorbente. Era bellísima, además, y pronto empezaron a cortejarla muchos hombres. Uno de ellos, el periodista Manuel Cerezales, se iba a casar con ella muy pronto. "¿Y tú?", solía bromear conmigo, "¿tú no te echas novio porque no te gusta ninguno o pretendes que los tengamos que aguantar a todos nosotras solas?". Nos llevábamos muy bien entonces, pero después de su boda no volví a verla más que tres o cuatro veces. Tiene cinco hijos y su vida está llena de obligaciones, pero le va muy bien y yo me alegro.»

Y también lo saben todo de la última parte de la historia de Dolores en esa época, la que consistió, básicamente, en intentar abrirse paso como escritora y en tratar de publicar su libro y de integrarse en el ambiente literario, como demuestran las referencias a ella que encontré en los libros autobiográficos de Delibes, Caballero Bonald y Barral y también algunas de sus confidencias ocultas en la tercera copia de *Óxido*, donde relata breves encuentros con diferentes escritores, entre ellos Luis Martín-Santos, a quien, como había sospechado, pidió ayuda para ingresar a su hermana en la prestigiosa clínica de López Ibor.

Pero aún les queda por conocer la parte anterior, la que explica cómo y dónde encontró al hijo robado de su hermana Julia. Y debería explicar, también, su encuentro con Rainer Lisvano Mann, su viaje a Alemania y las circunstancias del nacimiento de su hijo Carlos en Berlín. Aunque, ¿cómo y cuándo se produjo ese encuentro? Según el abogado Lisvano, sus padres se habían tenido que conocer en 1944, puesto que cuando él nació, en 1946, ellos ya llevaban «un par de años» en Alemania, donde su padre, miembro de la Resistencia, tenía encomendadas importantes misiones.

Qué inexplicable, entonces, resulta esa broma que le solía gastar Carmen Laforet a Dolores Serma: «¿Tú no te echas novio porque no te gusta ninguno o pretendes que los tengamos que aguantar a todos nosotras solas?». Es como si ni la historia ni las fechas encajaran tampoco en ese punto, ¿no les parece? En cuanto pasen la página, van a saber por qué.

Aunque estoy seguro de que, a estas alturas, con los datos que les he dado y cuando el libro que tienen entre manos ya se va a terminar, algunos sospechan lo que ocurrió. Dentro de unos minutos sabrán hasta qué punto estaban o no en lo cierto: para eso sirven los últimos capítulos de las novelas, para encargarse de que el relato se cierre igual que un círculo. En este caso, un círculo de fuego.

Capítulo diecinueve

El marido de la doctora Escartín se empeñó en que nos viéramos en el Deméter, como la otra vez, y de nuevo los cuatro. Yo hubiera preferido otro lugar y también que no estuviera presente Virginia, que no pintaba nada en ese asunto, y así se lo dije a Natalia. Pero no hubo forma.

—Mira —me dijo ella—, es que ese tipo de cosas es mejor no discutirlas con Carlos. Y, en el fondo, ¿qué más da? Si para sentirse bien necesita tener la impresión de que él es quien decide el cuándo y el dónde de las cosas, pues déjalo. Al fin y al cabo, lo único que importa es el cómo. ¿No te parece?

—Bueno, pero aquí y ahora, a mí lo único que me interesa es el quién —respondí, para halagarla, a la vez que le hacía una caricia.

—Claro que sí, prototipo. Y en este mismo instante, me vas a demostrar cuánto.

Estábamos en una habitación del hotel Suecia y sobre la mesilla de noche reposaba la caja con los papeles de Dolores Serma, acerca de cuyo contenido sólo le había contado algunas vaguedades, aunque sí le aseguré que parte de ese material me había aclarado algunos de los misterios que rodeaban la vida de su suegra. Y también le

420

hice ver que necesitaba reunirme con su marido para informarle de ellos y, sobre todo, para que, en cumplimiento del contrato que me hizo firmar, me autorizara a revelarlos en mi ensayo. Lo cual no iba a suceder y, como supondrán, es la causa de que, en lugar de escribir aquella *Historia de un tiempo que nunca existió (La novela de la primera posguerra española)* que había proyectado, haya tenido que hacer este otro libro que ustedes están a punto de terminar. La ficción es uno de los dos únicos territorios en que es posible esconderse de los abogados. El otro es el cementerio.

Ni que decir tiene que había escaneado el original a máquina y por cuadruplicado de *Óxido*, tanto la versión oficial que soportaba la copia de color blanco como la que estaba en las hojas verdes, y ahora todo eso estaba a salvo en la memoria de mi ordenador y en un disco de seguridad.

Le había pedido a Natalia que volviese a poner los documentos originales y la caja que le había dado Mercedes Sanz Bachiller a Lisvano en el mismo lugar del que la había cogido, y que no le dijera nada a su esposo. Me contestó que, en cualquier caso, podía estar seguro de que no la habría echado en falta. Aquel asunto era muy importante para mí, pero estaba a años luz de las prioridades de su marido.

—Bueno —tanteé—, pero él ¿qué importancia le da a esos documentos? Si no quiso que yo los viera, debe de ser mucha.

—Te equivocas, el valor que tienen para Carlos no se los dio él, se los diste tú. Él ni se ha molestado en mirarlos. Y yo tampoco, si te soy sincera. El día que los llevamos a casa, ya vimos que no eran gran cosa: el original a máquina de su novela, unas cuantas fotos y cuatro carnets. Desde ese día la caja ha estado en el maletero del armario de Dolores. Y allí lo voy a dejar en cuanto regrese, a la orden de usted, señor investigador.

Me sentí sobrecogido por lo que acababa de decirme, al imaginar a la pobre Dolores Serma sentada frente a aquel armario, devastada por el Alzheimer hasta el punto de no saber ya quién era y, justo frente a ella, en el armario de su habitación, esa caja en la que estaba oculta la verdad de su vida, todo lo que ella no había podido contar pero tampoco había sido capaz de no decirse, aunque fuera nada más que por escrito y de forma encubierta, una sola vez y para sí misma. La realidad es siempre cruel, pero unas veces más que otras.

Tuve que esperar una semana, hasta que el abogado Lisvano encontró un hueco en su agenda para atender aquel asunto que él, sin duda, consideraría menor, lo cual explicaba hasta qué punto Dolores Serma había conseguido su objetivo de mantenerlo lejos de la verdad a base de alejarlo también de toda afición literaria. Por fin, fijamos el encuentro para el siguiente domingo, en el Deméter, y le volví a pedir a Virginia que me hiciera el favor de acogernos y, de algún modo, repitiera la pantomima de la amante esposa.

—Bueno —me respondió—, pero ahora me va a costar justo la mitad que la otra vez: sigo sin ser tu esposa, pero sí he vuelto a ser tu amante.

Era cierto. Virginia y yo nos habíamos visto varias veces desde el día en que descubrí las escuetas memorias de Dolores Serma dentro de la copia mecanografiada de *Óxido*. Esa noche, al llegar casi una hora y media tarde al Café

Star, iba a decirle que estaba algo confuso con respecto a nuestra relación, que quizá convendría darnos un poco de tiempo, y ese tipo de cosas. Pero no hubo lugar a nada de eso. Ni siquiera para que me disculpara por el retraso: Virginia, que se había vestido con una camisa hindú que, una de dos, o era la que llevaba el día de nuestra boda o era otra idéntica, me echó los brazos al cuello nada más verme, me besó pegándose a mí como una salamandra a una pared caliente y convirtiendo su boca en una réplica del Krakatoa, ya saben, ese volcán submarino que hay entre Sumatra y Java, y... qué quieren que les diga, excepto que dos vodkas y cuarenta minutos más tarde estábamos en su cama. Es que a mí las mujeres me dejan sin argumentos, como ya habrán notado.

Para el domingo, yo ya tenía otra pieza del enigma de Dolores Serma en mi poder. Mi amigo Gordon McNeer y su colega de Oxford habían hecho algunas averiguaciones sobre Wystan Nelson Bates, y entre ellas una que, aunque aparentemente no tenía la relevancia de las peores experiencias que sufrió tras su fuga —entre ellas el paso, aunque breve, por un campo de concentración del sur de Francia—, me interesaba sobremanera: el esposo de Julia no sólo había vuelto a España tras la guerra civil, sino que había vivido en Madrid, entre 1949 y 1958, trabajando como profesor de Arte. Le pregunté a McNeer cómo habría logrado cruzar la frontera un antiguo soldado de las Brigadas Internacionales, y si se consignaba en algún lugar que lo hubiera hecho bajo una identidad falsa. «No, hombre», me respondió. «¿Por qué? Los extranjeros, a partir de la década de los cincuenta, no tenían problemas para ir al país a gastarse sus dólares o sus libras. Fíjate en Hemingway, y verás.» Naturalmente, tenía toda la razón del mundo.

También el autor de *Fiesta* había militado contra Franco, había escrito apasionadas crónicas de apoyo a la República y, finalmente, había acabado compartiendo el palco de una plaza de toros con Carmen Polo, como ya les recordé en su momento, aparte de ser íntimo amigo de unos cuantos toreros bastante cercanos al Régimen. Le pregunté a McNeer si Bates habría sufrido una conversión ideológica de esas dimensiones, como la sufrieron, por otra parte, la mayoría de los escritores ingleses que vinieron como voluntarios a nuestra guerra civil, de Auden a Orwell o Stephen Spender, y que si cuando llegaron eran revolucionarios, cuando se fueron ya sólo eran anticomunistas. «Nada de eso», me dijo McNeer. «No tienes más que saber que el epitafio de su tumba es un verso de Antonio Machado.» No me crean si no quieren, pero les juro que cuando me dijo cuál era ese verso, se me saltaron las lágrimas.

En la cena del Deméter, donde, por cierto, nadie dijo una sola palabra sobre Ricardo y la agresión que había sufrido, sobre denuncias o cambios de colegio, le fui contando a Carlos Lisvano lo que había descubierto desde nuestra primera conversación, en pequeñas dosis y, cuando notaba que la tensión se acumulaba en su rostro igual que si todos sus músculos se llenaran de alambres, esmerándome en alternar los episodios más duros de la vida de Dolores Serma con los más relajados, de manera que tras explicarle, por ejemplo, las condiciones en las que sobrevivió su hermana Julia en la cárcel de Ventas —aunque aún sin mencionar la Prisión de Madres Lactantes ni al bebé robado—, daba un salto en el tiempo hasta principios de los cincuenta, cuando la autora de *Óxido* empezó a formar parte, aunque fuera en una posición subsidiaria, del ambiente literario madrileño, y le entretenía hablándole de algún almuerzo en Casa Pepe, famoso por su gallina en pepitoria, con los matrimonios formados por Rafael Sánchez Ferlosio y Carmen Martín Gaite e Ignacio y Josefina Aldecoa; o le hablaba, dirigiéndome más a Natalia que a él —aunque en ese caso sólo por pura astucia y para disimular nuestra relación, pues a ella ya se lo había contado—, de las veces que estuvo con Luis Martín-Santos y Juan Benet en un bar de la calle Zorrilla que ellos habían bautizado como la Universidad Libre de Gambrinus, y de cómo los tres fueron a oír una conferencia de Ortega y Gasset en el cine Barceló. De esa forma, y una vez que había perdido algunos minutos en explicarle la importancia de Benet y del autor de *Tiempo de silencio*, lograba serenar los ánimos. Y cuando lo estaban volvía a la zona oscura:

—Por cierto que el joven Martín-Santos, al que había conocido nada más llegar a Madrid, fue quien la ayudó para que admitiesen a Julia en la clínica psiquiátrica de López Ibor —dije, y luego me extendí en contarle cómo aunque la ciudad de *Óxido* no tiene nombre, en ella sí aparecen lugares reconocibles y algunos sitios auténticos, como los bares Villa Rosa, J'Hay, Pidoux y Fuyma, el restaurante Casa Ciriaco o el club Tarzán, al que va a trabajar la protagonista de la novela y que, en la realidad, como ustedes ya saben, frecuentaban algunos escritores, entre ellos Benet y Martín-Santos, que son el ingeniero y el psiquiatra «que hablaban de Baroja y de William Faulkner a gritos» a los que Gloria sirve unas bebidas en un momento de la narración.

—Sí, claro, Martín-Santos. Yo lo he leído con gran interés, aunque me temo que sólo sus obras científicas —decía entonces la doctora Escartín, lanzándome una mirada de complicidad—, pero ¿él trabajaba en la clínica de López Ibor?

—No, él había sacado una plaza de interno en el Hospital General de San Carlos, pero la que sí trabajaba como enfermera en la López Ibor era su novia y futura mujer, Rocío. En fin, a lo que iba: el padre de Martín-Santos había sido compañero del coronel Vallejo Nájera en el cuerpo de Sanidad Militar, según cuenta Benet en su libro *Otoño en Madrid hacia 1950*, y ya te he hablado de las teorías del coronel Vallejo Nájera, ¿no es verdad, Carlos? Lo de segregar a los niños de las personas de izquierdas «para combatir la propensión degenerativa de los muchachos criados en ambientes republicanos».

—Sí, ya me lo has dicho. Y yo te he dicho que me cuesta creer que sea verdad.

—Pues lo es. La frase que acabo de decir no me la he inventado, la escribió él.

—Qué va, hombre, qué va. Y no te digo que no se cometieran algunos atropellos, porque ésas son cosas..., ¿cómo te diría?..., inherentes a una situación como la que se daba entonces —enfatizó, con su habitual labia ensortijada—. Pero todo eso de los niños no puede sino ser una exageración. Aunque tú no estás de acuerdo, naturalmente.

—No hay tal exageración, y lo único que tienes que hacer para comprobarlo es mirar las cifras oficiales que dio el propio Patronato de San Pablo, que en 1944 alardeaba de haber acogido bajo la tutela del Estado a treinta y un mil niños. Algunos iban al Auxilio Social, otros a instituciones religiosas...

—Pues entonces, qué Estado y qué Iglesia más generosos —ironizó Lisvano—. En todo caso, a mí me parece muy razonable que a las criaturas no las dejaran estar en la cárcel, que no es el lugar más idóneo para un chiquillo. ¿No estás de acuerdo?

—Absolutamente. Pero la solución más lógica, más justa y más humana habría sido soltar a sus madres, no quitárselos.

—Mira, lo de la justicia, depende. Habría que ver la razón por la que muchas estaban allí. Y de qué tenían manchadas las manos.

—Pues podía ser, por ejemplo, de aceite de oliva, porque es célebre el caso de una mujer a la que condenaron a diez años por freírle un par de huevos a unos soldados republicanos. O el de otra, llamada Carme Riera, a la que entrevistaron los autores de *Los niños perdidos del franquismo*, a quien le cayó la Pepa —que era como llamaban las reclusas a la pena de muerte—, bajo la acusación de «ser la amante de su marido», que era de la CNT.

—O sea, que a lo mejor había paseado a algún cura, que es lo que acostumbraban a hacer los anarquistas.

—Si fue así, bien que se vengaron sus colegas, no sólo con él, que fue fusilado, sino con el conjunto de los vencidos. Esa mujer de la que acabo de hablarte, Carme Riera, recuerda que el día de su ingreso en la cárcel de Les Corts de Barcelona, obligaron a todas las prisioneras a ir a misa, y el capellán empezó así el sermón: «Putas, más que putas, que habéis jodido con vuestros propios hijos. No os hagáis ilusiones, porque nosotros haremos limpieza. No penséis en el indulto. No habrá amnistía para vosotras». Y hay cientos de testimonios sobre la crueldad con que trataban a las penadas los sacerdotes y las monjas, a las que, en 1931, cuando la nombraron directora general de Prisiones, Victoria Kent había sustituido por funcionarias especializadas, pero que Franco volvió a reintegrar en sus puestos. Las famosas Hijas de la Caridad eran el terror de las reclusas en Les Corts o en las cárceles de Valencia y Málaga, lo mismo que las Hijas del Buen Pastor gobernaban la de Ventas con mano de hierro. Las supervivientes de la cárcel vizcaína de Saturrarán recuerdan a una religiosa a la que apodaban «Sor Veneno» que, a la hora de leer la relación de los niños que habían muerto esa noche en la enfermería, hacía una pausa insufrible entre el nombre y el apellido, para martirizar a todas las madres que tuvieran un hijo que se llamara, pongamos por caso, Manuel, Juan o Luis.

—Pero eso no son más que leyendas, querido amigo, cuando no puras patrañas —dijo Lisvano—. Y un investigador debería saber que la Historia no se compone de fábulas, sino de hechos probados.

En otras circunstancias, creo que le hubiese soltado alguna inconveniencia. Pero me contuve, porque bastante iba a tener ya con lo que estaba a punto de decirle.

—¿Patrañas? ¿Estás diciendo que todas las mujeres a las que torturaron y violaron en los interrogatorios; las que pasaron años en presidios donde las trataban como a bestias; las que vieron morir a sus hijos en las prisiones a causa de los malos tratos o la malnutrición y las que, peor aún, no volvieron a verlos porque se los robaron...? ¿Estás diciendo que todas ellas mienten? Si es así, puedo asegurarte que te equivocas. Mira, la vejación a la que fueron sometidos los represaliados fue tan impune que, y quizás esto tú ya lo sepas por tu condición de abogado, el primer Reglamento de Prisiones de la dictadura fue

428

elaborado ni más ni menos que en 1956. Hasta entonces, todo fue ilícito.

—Pero vamos a ver, eso que dices, por ejemplo, de los niños robados: ¿dónde están? ¿Quiénes son? Porque una cosa es que un psiquiatra loco escribiera un par de insensateces y otra que esas insensateces se llevaran a la práctica.

—Es que así fue. En 1940, el Ministerio de la Gobernación sacó una ley que sistematizaba esos robos: «Las instituciones de beneficencia a quienes se encomiende la guarda y dirección de los huérfanos ostentarán, a todos los efectos jurídicos pertinentes, el carácter de tutor legal de los mismos». Eso no es un rumor, es un decreto que se puede leer en el *Boletín Oficial del Estado*.

—Pero ahí se habla de huérfanos, ¿te das cuenta?, y no de quitarle a las madres sus hijos.

—Para empezar, si eran huérfanos era porque ellos mismos habían fusilado a sus padres. O porque los pensaban ejecutar para poder quedárselos. Y en muchos casos, también se los quitaron a los vivos.

—¿Y eso quién lo dice? Perdona si la pregunta es excesivamente directa, pero ¿no será que has leído demasiados libros escritos por comunistas? ¿No será que lo que tú crees Historia es sólo propaganda?

—Los autores de *Los niños perdidos del franquismo* entrevistaron a numerosas supervivientes de la cárcel de Saturrarán —respondí, intentando mantener el control—, entre las que hay personas de todas las ideologías, y todas cuentan exactamente lo mismo: una mañana, las reunieron en el patio y les dijeron que debían entregar a sus hijos, para vacunarlos. A las que se resistieron, les pegaron una paliza. Muchas no volvieron a verlos. Otras los encontraron, al cabo del tiempo, en poder de familias a las que habían sido entregados en adopción. A una de las mujeres que entrevistó Tomasa Cuevas le quitaron cinco hijos: tardó veinte años en recuperarlos a todos.

—Pues mira, te repito lo de antes. Esa señora encontró a sus hijos, pero ¿y los demás? Tú hablas de miles de desaparecidos. ¿Dónde están? ¿Qué fue de ellos? Es más, si ese tema obsesionaba tanto a mi madre que, según tú, es de lo que trata su novela, ¿por qué nunca dijo una sola palabra? Te lo aseguro: jamás; ni un comentario.

—Bueno, es que ése es, precisamente, el asunto del que quería hablarte.

Le conté todo lo que ustedes ya saben acerca de la copia mecanografiada de *Óxido* y del secreto que escondían sus páginas de color verde, aunque le mentí sobre el sitio del que había sacado esa información, para proteger a Natalia. Porque ella, que la noche en que me dio la caja estuvo fanfarroneando y jurando que iba a decirle que me había entregado los papeles de Dolores por el puro gusto de llevarle la contraria y para que le sirviera de escarmiento, luego se echó atrás y me rogó que no la descubriese.

Lo que le dije a Carlos Lisvano, entonces, fue que había conseguido la copia a máquina de *Óxido* en los archivos de la Imprenta Márquez de Valladolid, donde el libro había sido publicado. Se lo creyó como si le hubiera dicho que la capital de Italia es Roma. Pero la verdad es que, tras oír la sombría historia de su familia materna, no le importaba de dónde hubiera salido aquello, sino qué era.

—Te voy a advertir algo —me cortó, agitando el tenedor frente a mí como si fuera un florete de esgrima—.

430

No sé de dónde has sacado todo eso y hasta qué punto es algo que puedas demostrar, pero no pienso permitir que lo hagas público.

—Bueno, como acabo de decirte, lo escribió tu propia madre en una de las cuatro copias de su novela.

—¿Está firmado por ella? ¿Hay tal vez correcciones autógrafas, o algún añadido de su puño y letra?

—No.

—Entonces —concluyó, intentando dominarse, aunque su voz se había vuelto dos veces más aguda—, todo eso lo pudo escribir cualquiera, ¿no te parece? Incluso lo podrías haber hecho tú. Y no te ofendas —dijo, deteniendo lo que yo pudiera ir a decir con la palma de la mano—: Es sólo un ejemplo.

—Carlos —dije, tomando una bocanada de paciencia —, pero es que todo lo que está escrito en esos folios coincide, punto por punto, con los datos de que dispongo.

—¿Y qué datos son ésos?

Me entretuve en una enrevesada explicación que tenía por motivo ocultar que su mujer me había dado las cartas de Dolores. Pero Lisvano no es estúpido, por supuesto, y sus preguntas me iban arrinconando en una mentira cada vez más grande que me dejaba un espacio cada vez más pequeño en el que moverme.

—A ver —dijo, recuperando el aplomo, al menos en parte—, pero yo es que creo que tú eres un poco ingenuo. ¿Cómo puedes creer, te lo haya dicho quien te lo haya dicho, esa atrocidad sobre el doctor Marcial Serma? ¿Quién iba a hacer algo así?

Crucé una mirada de complicidad, que era también una petición de consentimiento, con Natalia. Virginia se dio cuenta y vi un destello de astucia en sus ojos. La doctora Escartín asintió, casi imperceptiblemente.

—Es que hay una carta suya en la que, a pesar de que tu madre le hizo algunas tachaduras, él lo confirma todo de forma implícita.

—¿Una carta? ¿Y de dónde la has sacado?

—Estaba entre las hojas del cuaderno que me diste, el que tiene el manuscrito de *Óxido* —mentí.

El abogado me miró con suspicacia.

—Puede ser —dijo—. Pero, en cualquier caso, sigo sin entender. ¿La carta tiene tachaduras? ¿Y por qué iba mi madre a censurar su propia correspondencia?

—No quería que lo que había ocurrido se supiese.

—En ese caso, ¿por qué no la destruyó?

—Tampoco quería olvidarlo. O, no sé, lo necesitaba como prueba ante sí misma.

—¿Y por eso escribió también, según tú, unas memorias, ocultas en esas cuartillas verdes de las que hablas? O sea —se burló—, que quería contar lo que no quería que se supiese. Magnífico. Pura lógica.

Me embarqué en una teoría sobre la necesidad de los escritores de plasmar en un papel sus obsesiones y, en momentos tan dramáticos como los que se vivían en la España de la posguerra, de ponerlas a salvo de los vaivenes de la Historia. Le hablé, a modo de ejemplo e igual que a ustedes, del *Diario* de Luis Felipe Vivanco. Y también de la autobiografía de Carlota O'Neill, de todo el tiempo que la ocultó envuelta en hule y enterrada en las macetas de su terraza.

—Eso está muy bien —me detuvo Lisvano—. Pero dices que la copia por cuadruplicado de la novela de mi madre estaba en los archivos de la editorial donde se publicó. ¿No es así?

—Efectivamente —contesté, a la defensiva—. Por lo general, todas las editoriales guardan ese tipo de material.

—Ya, ya... Te lo comento porque, aunque no estoy seguro, creo que, de todos modos, mi madre guardaba otra copia de características similares.

—Ah, ¿sí? Vaya, pero tú lo que me diste no fue eso, sino el cuaderno manuscrito... En cualquier caso, me parece estupendo que haya otra copia, porque si es igual que la que yo he consultado —dije, tratando de sacar provecho de aquella circunstancia— podrás ver que todo lo que te digo es cierto.

—Sí, cómo no. La verdad es que si no te la di fue porque..., en fin..., supuse que el manuscrito tendría más valor. Además, no sé ni dónde está lo otro.

—Pues no me importaría consultarlo, si es que alguna vez lo encuentras —dije, temiendo que me iba a pedir que le dejara el que yo decía haber encontrado en la imprenta de Valladolid. Pero no, por fortuna el abogado iba por otro camino.

—Sí, sí. El caso es que, si no recuerdo mal —y al decir eso los ojos de Lisvano vagaron por las alturas del Deméter, y allí se quedaron mientras completaba las etapas de su razonamiento hablando con las palabras inseguras y como sin centro de quien divaga—, esa copia a máquina que creo haber extraviado era uno de los objetos que le guardó Mercedes Sanz Bachiller a mi madre. Y entonces, suponiendo que estés en lo cierto y sea igual que la que tú has leído, pues... es raro, ¿no crees?

—¿El qué?

—Que no conservara ninguna de las dos.

Me preparé para abordarlo.

—Es que —dije, e hice una pausa, para tomar impulso— en ese texto hay, además de lo que acabo de contarte, otras revelaciones que ella quería ocultar a toda costa.

—Ah, ¿sí? ¿Cuáles?

—Me va a resultar difícil contártelo —dije, mientras Virginia, intuyendo algo, nos servía, tanto a él como a mí, una generosa cantidad del Château Cantemerle que yo había llevado para contribuir a la cena—. Y me temo que a ti te va a resultar aún más difícil oírme.

—¿Qué intentas decir?

—Pues que, básicamente, a quien quería ocultarle Dolores la verdad era a ti.

Se hizo un silencio que parecía lleno de malos augurios, cargado de electricidad. Un silencio que había perdido su inocencia. El gesto de Lisvano se volvió grave y poco natural, lo mismo que si lo improvisara de repente.

—Oye —dijo, queriendo aún aparentar un cierto desinterés, aunque a su voz le faltaba ya el zumo de la convicción—, yo creo que si tienes algo que contarme, es mejor que lo hagas sin más dilaciones. No te preocupes, yo he aprendido en la política a aguantar con entereza los sobresaltos. Y además, y esto reconozco debértelo a ti, ya no creo que nada que me vayas a decir sobre mi madre pueda sorprenderme.

—Es que Dolores Serma no es tu madre.

Imagínense cómo cayó aquello sobre nuestra cena. Primero hubo unos segundos de palabras tirantes a las que no les cabía un estupor de esa talla: pero qué dices, cómo que no es su madre, y todo eso. Después, cuando el caos se apaciguó, le pedí a Lisvano que me escuchara atentamente, sin interrumpirme. Le conté, en primer lugar, lo que ustedes ya saben de Julia Serma, su paso por la Prisión de Madres Lactantes, el robo de su hijo y los esfuerzos titánicos por liberar a su hermana y encontrar a su sobrino que había hecho Dolores Serma. Y al acabar con eso, le conté lo que ahora voy a contarles a ustedes y que es lo único que aún les queda por saber de esta historia.

La rehabilitación política de Mercedes Sanz Bachiller fue muy importante para Dolores Serma, porque gracias a ella la viuda de Onésimo Redondo volvió a las altas esferas del franquismo y, en un Régimen como aquél, lleno de arribistas, donde como hemos visto al hablar de la transformación de la Universidad española tras la guerra civil no importaban los méritos de las personas sino sus relaciones, nada resultaba tan sencillo como lograr favores cuando se pedían desde lo alto de la pirámide: hoy por ti, y mañana por mí. Es posible que hasta algún ministro, como el de Justicia, que se llamaba Eduardo Aunós y había formado parte del Gobierno del general Primo de Rivera, o el propio Girón de Velasco, diese las órdenes oportunas, aunque eso no está probado, porque Serma sólo habla en sus memorias furtivas de que «hubo instrucciones que llegaron de muy, muy arriba y yo las recibí como un regalo del cielo. Algunas de las personas que me favorecían eran despreciables. Pero qué importaba».

De ese modo, Dolores Serma logró averiguar el paradero del hijo de su hermana. Llevaba buscándolo ni más ni menos que cinco años, y es muy fácil imaginar su estado de ánimo cuando, por fin, se presentó una mañana en la casa de la familia a la que había sido entregado.

Digo que es sencillo porque la recreación literaria de ese momento que hace en *Óxido* es elocuente. ¿Lo recuerdan? La mujer de la novela, Gloria, baja a su calle, que está cubierta de nieve, y sigue unas huellas que empezaron frente a su casa y que cada vez se vuelven más grandes y profundas, hasta morir en la valla de una lujosa mansión de las afueras, en la zona en que las fúnebres zanjas abiertas en el resto de la ciudad dejan de verse y empiezan los jardines, las pérgolas, los cenadores y las piscinas: el mundo de los vencedores. Gloria, que lleva casi seis años, como la misma Dolores, esperando ese instante, nota que está a punto de derrumbarse, «es como si los músculos se vaciaran y fuese a caer en el temblor, el vértigo»; pero se recupera, sube los peldaños de una escalera simbólicamente blanca, pulsa el timbre de la puerta y se queda ahí, oyendo la voz de un niño que parece jugar con alguien, en el interior de la vivienda. Y ahí acaba *Óxido*, en el instante en que Gloria, «al sentir los pasos que se acercaban», se lleva «una mano nerviosa al pelo y la otra al estómago» y se clava las uñas en la piel «como si intentara arrancarse la flor negra de la angustia, una flor de raíces ávidas, que crece lentamente en la sombra y exhala el espeso perfume de la desesperación».

Pero la historia de la Dolores Serma de carne y hueso no acabó ahí, naturalmente. «Para mi sorpresa», escribe en una de las últimas hojas verdes de la copia a máquina de su libro, «una vez que estuve dentro de la casa, vino la parte más sencilla, comparada con el resto. Desde luego, la mujer con la que hablé, y que me recibió amablemente al ver mi impecable uniforme de la Sección Femenina, intentó negarlo todo en cuanto supo para qué estaba allí y, al principio, incluso amenazaba con ir a la policía. Pero después no. Después, tras contarme las particularidades del desdichado hijo de Julia, me hizo una pregunta tremenda: "Y dígame, si les devolvemos a éste, ¿usted cree que nos darán otro?". Como si estuviéramos hablando de animales».

En ese punto, Lisvano intentó interrumpirme con una tímida protesta y signos de incredulidad, pero le aseguré que eso no era en absoluto tan raro en aquel pudridero: en *Los niños perdidos del franquismo*, al igual que en las obras de Tomasa Cuevas, se recogen numerosos testimonios de los protagonistas de aquel drama, que en algunos casos no eran bebés, sino niñas y niños de suficiente edad como para recordar que cuando a los padres adoptivos no les gustaba lo que les daban, bien porque fueran niños con enfermedades o bien porque tuviesen un carácter difícil, simplemente iban al Auxilio Social y los cambiaban por otros. Hay quien recuerda haber sido entregado sucesivamente ni más ni menos que a cinco familias.

El defecto que aquella gente le encontraba al hijo de Julia Serma fue que, al parecer, era demasiado huraño, y «algo conflictivo en la escuela». Por más que lo intentasen, y le daba su palabra de que tanto ella como su marido lo habían hecho «como buenos cristianos» que eran, no conseguían de él un detalle de cariño. No había forma de integrarlo y, por esa razón, no habían tenido otra salida que meterlo en un colegio interno, «y bastante caro». Ahora bien, si Dolores, que ya se veía que era una persona decente, atestiguaba su parentesco con el muchacho y estaba dispuesta a hacerse cargo de él... «Era inaudito», escribe Dolores, «porque hablaban de él como si fuera una persona sin futuro, ¡y aún no había cumplido los cinco años!».

Naturalmente, Dolores se encargó de organizar las cosas para que el niño le fuese devuelto a su familia y en su primer encuentro con él, por alguna magia de la sangre, el chico pareció, de algún modo, reconocerla. O al menos eso es lo que sugiere ella misma en sus notas, para añadir: «¿Huraño? Aquel niño no tenía nada de huraño ni maligno: era triste, sólo eso. Y aquel colegio... Era un lugar inmundo, muy poco más allá de los comedores de la beneficencia. Sencillamente, aquellas personas no se habían atrevido a devolverlo al Auxilio Social y, en lugar de eso, se habían librado de él de un modo que ellos debían de considerar decoroso. De hecho, y eso me di cuenta inmediatamente de que me beneficiaba, no le habían dicho que fueran sus padres, sino sólo unos tíos de su madre».

En ese primer encuentro, ella también le engañó, al presentarse ante él como su madre. «¿Y qué iba a hacer?», escribe Dolores. «El estado físico y mental de Julia, que aún estaba en Ventas, era espantoso. Las condiciones en las que sobrevivía eran infernales y, según las noticias que me daban, tal vez no durase mucho. ¿Cómo iba a sacar a aquel niño de una pesadilla para llevarlo a otra aún peor? ¿Qué futuro iba a tener el pobre, estigmatizado como hijo de rojos y ex presidiarios?» Partiendo de esa mentira piadosa, le dijo que ella era su madre, que hasta entonces había estado en el extranjero, porque tuvo que hacer un largo viaje para curarse una dolencia en un sanatorio de los Estados Unidos y que por eso, para que no sufriera, le había dejado al cuidado de sus tíos.

Pero a partir de entonces todo iba a cambiar, ella había sanado y ya nunca, nunca iba a separarse de él. Desde ese instante, su principal tarea fue confundirlo, mezclar fechas y acontecimientos en su mente, ir perfeccionando la pantomima del padre heroico y la misión en Alemania y, entre una cosa y otra, borrar de su memoria las reminiscencias de aquellos cuatro primeros años de su vida y aquellos parientes con los que «pasó una temporada, cuando era muy pequeño».

Cuando conté esa parte de la historia en el Deméter, el marido de la doctora Escartín se puso lívido, y fue como si la palidez pesara, por el modo en que toda su figura pareció vencerse: algo debía de recordar, aunque fuera de ese modo borroso y más cercano al mundo de las sensaciones que al del conocimiento en que cualquiera nos acordamos, casi siempre inducidos por otros, de algún detalle de nuestra primera infancia. Bebió su Château Cantemerle y Virginia le sirvió otra copa.

Ya saben, por tanto, que toda la parte de su nacimiento en Berlín y el resto de esa historia es un simple ardid que utilizó Dolores Serma para tejer la tela de araña que protegería al niño de un pasado que, en aquella España vengativa, ya hemos visto que podía ser una cruz muy difícil de llevar. Su verdadera madre, por otro lado, tuvo que ser ingresada en la clínica psiquiátrica de López Ibor al salir de la cárcel de Ventas: tenía ataques de paranoia y había perdido completamente la noción de sí misma. Dolores, tras dudarlo mucho, jamás llevó a su hijo a que la viera, pero nunca supo si había hecho bien o mal.

Por supuesto, Rainer Lisvano Mann jamás había existido, y la identidad oficial del hijo de Julia, Carlos

Lisvano Serma, se debe a la buena mano de los falsifica-
dores que, por doscientas o trescientas pesetas de la época,
le hicieron a Dolores el Libro de Familia que me había
llevado al hotel Suecia, tal y como prometió, Natalia Escartín. Todo el asunto del hipotético Lisvano en la Resistencia contra el III Reich y su asesinato a manos de las
tropas rusas en Berlín era un invento muy bien trabado
por la mente de la buena narradora que siempre fue Dolores Serma. Su presunto matrimonio, por supuesto,
también era un decorado hecho de nostalgias inventadas
y papeles ilegítimos.

Atónito, el marido de la doctora Escartín escribió su
apellido en una servilleta del Deméter, y luego lo leyó varias veces al derecho y al revés, Lisvano, Novalis, Lisvano, Novalis..., como si de ese modo realizara un exorcismo,
o algo así.

—Pero, entonces... —dijo, después de beber un trago de su copa y de enjugarse la frente con un pañuelo—,
y vamos a suponer que haya algo de verdad en todo eso
que cuentas... Entonces, si Rainer Lisvano no existió...

—... Tu padre era, por supuesto, el estudiante de Filosofía y Letras en Salamanca y futuro voluntario de las
Brigadas Internacionales Wystan Nelson Bates.

El pobre Lisvano se tomó otro trago de vino y volvió a pasarse el pañuelo por la cara.

—Y él... Claro, yo sigo igual con un padre que con
el otro... A este que dices tampoco lo conocí... Pero ¿por
qué? ¿Es que él nunca intentó...?

—No, no, disculpa que te interrumpa, pero es que
ahí también estás equivocado. A él sí que lo conociste.
De hecho, lo viste todos los días de tu infancia.

—Qué quieres decir.

—Lo cuenta también tu... Lo cuenta Dolores en las páginas verdes de la copia a máquina de *Óxido*. Tu padre, que siempre estuvo en contacto con Dolores, volvió a España al poco de saber que ella te había encontrado, no inmediatamente, porque no era tan sencillo entonces conseguir un visado de entrada en el país, pero sí en el momento en que por fin se lo concedieron, que fue en 1949. Según me han confirmado un profesor norteamericano y una profesora inglesa a los que pedí que investigasen algunos aspectos de su vida, se quedó en España hasta 1958. Aunque no trabajaba como profesor de Filosofía, sino de Historia del Arte.

—¿Y bien?

—¿Recuerdas nuestra primera cita aquí en el Deméter? Estábamos igual que hoy, nosotros cuatro y en esta misma mesa.

—Así es.

—Hubo un momento en que llegamos a un acuerdo para que tú me dejaras algunos papeles de Dolores y entonces hiciste un brindis para celebrarlo: «Como decía un profesor de Arte que tuve primero en el colegio inglés y luego en el colegio alemán a los que me envió mi madre: la única sinceridad en la que puede confiarse...

—... es aquella de la que, aunque quisieras, no podrías arrepentirte».

—Él era tu padre.

—¡Mr. Rooney! ¿Mr. Rooney era mi padre?

—Claro, usaba su segundo apellido. El señor Wystan Nelson Bates Rooney. Lo he comprobado y ése, efectivamente, era su nombre. Dolores te metió en el colegio

441

inglés y luego en el colegio alemán en los que él había conseguido trabajo a través de algunos amigos.

—Mr. Rooney —repitió Lisvano.

—Bueno —terció Natalia, que no había dejado un instante de acariciar la mano de su esposo—, no suena nada mal, ¿verdad, cariño? Carlos Bates Serma.

—Sí, se repiten las vocales en los dos apellidos —añadió, por decir algo, Virginia.

—Mr. Rooney —dijo Lisvano—. ¿Qué fue de él?

—Había pensado llevarte consigo a Southampton, donde tenía su casa. Pero murió cuando había ido allí a preparar tu llegada, a consecuencia de una neumonía. Lo que habían pensado Dolores y él era decirte que ibas a Inglaterra a continuar tus estudios y, una vez allí, contarte poco a poco la verdad. Dolores encargó que grabaran en su tumba un verso de Antonio Machado: «Una de las dos Españas».

Nos quedamos todos callados, porque de la historia de Dolores Serma ya no había nada que añadir y cualquier otra cosa hubiera resultado frívola. Estuvimos así un buen rato, aprovechando que Nayaku nos servía un té verde.

—Vaya... —dijo el marido de Natalia, que a pesar de todo intentaba parecer... ¿mundano?—... Pues, me dejas de piedra... No digo que haya creído una sola palabra de esto, ¿comprendes? Tendré que comprobarlo todo..., pero estoy seguro de que no puede ser más que algo imaginario... Tal vez era el argumento de la segunda novela de... Dolores... Eso es. Naturalmente, nos haremos la prueba del ADN, que es infalible. ¿Te imaginas por un momento...? —le dijo a Natalia, dándole unas palmadas en el

antebrazo y a continuación frotándose incongruentemente las manos como si las defendiera del frío—. Pero,
en fin, al menos por hoy ya no creo que nadie pueda darme ninguna mala noticia.

—Hombre —dije—, lo único es que no sé si has
notado que además de no haber nacido en Berlín, sino
en Madrid, no lo hiciste en diciembre de 1946, sino en
octubre de 1940. Acabas de cumplir, de un golpe, algo
más de cinco años.

Carlos Lisvano, o Bates, miró a Natalia Escartín y a
su copa y, como estaba vacía, agarró la botella de Château Cantemerle y se bebió a morro todo lo que quedaba.
No le culpo. Y menos mal que no parecía haberse dado
cuenta de que, encima, me estaba acostando con su mujer. La verdad es que hay noches en las que uno no debería salir de casa.

Capítulo veinte

No sé si esta novela durará mucho en las librerías, porque Carlos Lisvano me ha prohibido terminantemente que la publique, y si lo hago es bajo diez espadas de Damocles, una por cada querella con que me amenaza el esposo de la doctora Escartín: por intrusión al honor e injurias, por incumplimiento de contrato, falsedad documental, abuso de confianza, calumnias, difamación, quebrantamiento de la intimidad y no sé qué otras cosas. Pero voy a arriesgarme, porque considero que merece la pena. ¿Ustedes saben quién era Damocles? Según cuenta Horacio en sus *Odas*, era un miembro de la corte de Dionisio I de Siracusa que sentía tanta envidia de las comodidades y lujos que disfrutaba su rey que éste ordenó que ocupase su trono en un banquete, pero también que una espada afilada pendiera sobre él toda la noche, suspendida de una crin de caballo. Así, Damocles sabría que todo placer es inestable y conlleva su peligro. Muy bien, y en mi opinión eso nos divide a los seres humanos en dos grupos: los que no pueden dejar de mirar la espada y los que miran el festín. Yo, como todos los que prefieren las realidades mortales a los símbolos del más allá, pertenezco al segundo equipo y, por lo tanto, aquí está la historia de

Dolores Serma. Espero que aunque ustedes ya saben que es verídica puedan ver en ella, igual que yo, un arquetipo y una síntesis de aquellos tiempos demoledores en los que cientos de miles de personas vivían acosadas por un Estado criminal que las obligó a mentir, a esconderse y a llevar disfraces para no parecer sospechosas. Una gran mayoría fueron consumidas, en cuerpo y alma, por aquella máquina de matar que fue el Régimen de Franco. Otras no se rindieron y aunque su lucha desigual no libró al país del genocida, porque eso era imposible en una nación desechada por todas las demás y en la que la única ley era la de los verdugos, las cárceles y los pelotones de fusilamiento, al menos lograron salvar de entre los escombros algunos restos del naufragio y, sobre todo, fueron capaces de entender que sólo si contaban sus suplicios evitarían la completa inmunidad de los homicidas, en cuyos nombres, gracias a su testimonio, gotea la sangre. Gente como Tomasa Cuevas, Juana Doña o Carlota O'Neill. Gente como Dolores Serma, cuya inteligencia, abnegación y coraje sirvieron para rescatar a su sobrino de un incierto porvenir y darle una vida digna, aunque para ello tuviera que inmolar su propio futuro, tanto literario como personal. Resulta doloroso que, una vez que Carlos Lisvano, o Bates, pudo saber la verdad, no la haya considerado honorable, sino una tara, y prefiera mantenerla oculta. Seguramente, él también sea, en toda su extensión, un arquetipo, un mal síntoma.

En lo que a mí respecta, estoy orgulloso de haber dedicado todos estos meses de trabajo obsesivo a Dolores Serma; reconozco que lo he pasado bien convirtiendo lo que iba a ser el primer capítulo de mi ensayo en esta novela, y no tengo miedo de lo que pueda sucedernos, a ella o a mí, ni hoy ni en el futuro: hoy y a mí, porque he firmado con la editorial un contrato por el que, en caso de que la posible demanda de Lisvano triunfe y se nos reclame una indemnización, yo sólo tendré que pagar la misma cantidad que he recibido como adelanto de este libro, mientras que ellos se ocuparían del resto y de defenderme con sus abogados; y a ella y en el futuro porque, en el peor de los casos, la edición podría ser secuestrada por orden judicial, pero eso será después de que Lisvano sepa que existe / y la lea para comprobar su contenido / y presente la denuncia / y un juez la admita a trámite / y se celebre el pleito / y se dicte sentencia / y ésta se ejecute / y los libros se retiren... Y para entonces ya va a ser tarde, porque algún ejemplar, tal vez este mismo, va a ser preservado, y con él la historia de la admirable Dolores Serma. Déjenme añadir que no tengo la más leve intención de dedicarme a esto y que mañana mismo, por lo tanto, voy a volver a mi *Historia de un tiempo que nunca existió* y a mi mundo académico. Un mundo, por cierto, de cuya ruindad acabo de tener una noticia: ¿se acuerdan del hispanista francés con el que tuve la desgracia de coincidir durante mi viaje a Estados Unidos? Pues bien, acaba de publicar en una revista especializada un artículo sobre Carmen Laforet en el que menciona a Dolores Serma y repite casi todo lo que dije de ella en Atlanta. Bueno, si se mira por el lado positivo, ese plagio puede formar parte del redescubrimiento de *Óxido*. Si se mira por el lado contrario, pueden estar seguros de que en cuanto me vuelva a cruzar con ese destripaterrones voy a convertir su estúpida jeta en puré de calabaza.

Ojalá que le vaya bien a esta obra que tienen entre manos porque, si es así, mi editora me ha prometido estudiar la publicación, en este mismo sello, de *Óxido*. Cómo me gustaría que eso sucediera. «Desde 1947, que es cuando la acabé, lo he intentado todo para sacar a la luz esta novela, absolutamente todo», escribe Dolores Serma, «pero nadie se atreve a editarla, a todos les parece oscura y sospechosa. También me he presentado a algunos premios. Lo intenté en 1950 con el Nadal, animada por el bendito Delibes y por Carmen Laforet, a quien le gusta mucho mi obra, pero se lo dieron a Elena Quiroga. Y en el 52, que fue para Dolores Medio. Y lo mismo en el 53 y el 57, pero lo obtuvieron Luisa Forrellad y Martín Gaite. Es comprensible, yo he leído todos esos libros, en algunos casos para reseñarlos en *El Norte de Castilla*, y son muy apreciables. Tras cada fracaso, dejaba aparte los cuentos que me gustaría escribir y empezaba de nuevo con mi *Óxido*: retocaba, añadía, y otra vez a empezar, ahora también a por el Biblioteca Breve, que se da en Barcelona. Era una buena época, porque yo pasaba bastante tiempo en Torremolinos, en el hotel que habían montado allí doña Mercedes y don Javier, y en él tenía tiempo y trabajaba muy tranquila. Me llené de optimismo y decidí intentarlo de nuevo. Pero el Nadal del 59 se lo dieron a la Matute y el otro tampoco fue para mí: Carlos Barral me aseguró que mi libro le había gustado mucho al jurado del 59, pero era mejor el de García Hortelano; y al del 61, pero menos que el de Caballero Bonald. También me dijo que era la mejor candidata del año pasado, 1960, que se declaró desierto. Vencida por nadie, me rindo. En cuanto regrese de Inglaterra, daré *Óxido* a unos conocidos de Valladolid que tienen una imprenta y costearé una pequeña tirada de doscientos o trescientos ejemplares. No hay otra salida. Al menos, y siempre y cuando pase la censura, no quedará inédita. Y quizá llame la atención de alguien».

Desde la conversación del Deméter, que se produjo ya hace más de tres meses, a Lisvano no lo he vuelto a ver en persona, sólo he recibido sus notificaciones legales mediante telegrama y burofax, y una llamada telefónica en la que me agradeció mi interés por la obra de su madre pero fue muy claro en su negativa a que escribiese sobre ella. Intenté hacerle entrar en razón, pero fue imposible. Había superado el aturdimiento que le produjo el impacto de la verdad y era otra vez el de siempre: un hombre en cuyo sistema de valores no tenía importancia que algo fuera cierto o falso, justo o injusto, sino sólo si era beneficioso o nocivo para él. Un amoral.

—Mira, solucionemos esto cuanto antes. Me vas a permitir que sea de una claridad meridiana, para evitar equívocos —dijo, al otro lado de la línea, y su voz se fue agudizando según acababa la frase, como si fuese el grito de alguien que cae por un tobogán—: No pienso consentir, de ninguna de las maneras, que hagas públicas todas tus..., ¿cómo decirlo?..., tus entelequias sobre mí y sobre mi familia.

—Yo no he inventado nada, y tú lo sabes. Pero, por si te quedase alguna duda, ¿no ibas a hacer la prueba del ADN, para comprobarlo?

—No tengo nada que constatar, ni puedo permitirme perder el tiempo en zarandajas. Y, en cualquier caso, tampoco es asunto tuyo.

—Relativamente, ¿no crees? Me gustaría recordarte que...

—... Disculpa, pero es que la relatividad no existe en el ámbito jurídico. Tenemos un acuerdo legal que estás obligado a cumplir. Punto final. Si no, haré que te arrepientas. Y perdóname, una vez más, pero como suele decirse: mejor una vez rojo que ciento colorado.

—Pues con la misma franqueza, te voy a informar de que no tienes ningún poder para prohibirme que escriba sobre Dolores.

—No es una cuestión de poder, sino de derecho. En una hora, tendrás ahí un mensajero al que debes entregar todos los originales y fotografías que te presté y que, como recordarás, estaban inventariados en el documento notarial que tú firmaste. Te voy a hacer una recomendación: no te empecines en continuar con este asunto, porque lo único que vas a conseguir es buscarte problemas. Estás advertido.

Esa misma tarde estaba citado en el Suecia con Natalia. De hecho, habíamos alquilado la habitación para cuatro días, de lunes a jueves, y ya habían pasado los tres primeros. Nuestra relación era muy sencilla: nos encontrábamos en el mismo hotel, al salir ella del hospital y yo del instituto; pedíamos algo al servicio de habitaciones y pasábamos allí la tarde. El abogado Lisvano regresaba a casa hacia las diez, de modo que a eso de las nueve íbamos a alguna parte a tomar una copa y a la media hora ella se iba. Nos habíamos dicho un millón de veces que nos queríamos, pero nunca con la ropa puesta, de modo que no corríamos ningún riesgo.

A principios de julio, cuando le había contado la conversación telefónica con su marido, Natalia torció el gesto. Mala cosa.

—Sí, ya lo sé —dijo—, está muy inquieto. Es lógico, ¿no te parece?

—La lógica del egoísmo, en cualquier caso. Si en vez de pensar en lo que podría pasarle ahora, pensara en lo que pudo pasarle entonces de no ser por Dolores, quizá cambiaría de opinión.

—Lo que tú quieras, pero si yo fuese tú no me tomaría a la ligera sus advertencias. Es un hombre contumaz y los juzgados son para él un libro abierto.

—No le tengo ningún temor.

—Ándate con cuidado, prototipo.

Los fines de semana los pasaba con Virginia, ante quien el resto del tiempo pretextaba estar trabajando en la redacción final de mi ensayo. Cosa que era cierta, pero no del todo. ¿Ustedes creen que media verdad ya es toda la mentira? Yo también, pero en este caso, ¿a quién engañaba yo? Me parece que a nadie. De cualquier forma, lo de Natalia no iba a durar mucho, en primer lugar porque desde el principio era lo que era, un paréntesis muy explicativo pero que no podía alargarse hasta el extremo de afectar el significado o la estructura de la oración principal de su vida; y en segundo término porque, dadas las circunstancias, ella no se iba a arriesgar a ser sorprendida justo con el hombre que estaba a punto de litigar en los tribunales con su marido. Sin que ninguno de los dos lo dijera, ambos estábamos bastante seguros de que no volveríamos a vernos después del verano.

Los viernes, mi ex mujer estaba muy atareada en el restaurante y Natalia solía tener alguna cena de verano, de esas en las que se come en un jardín con piscina y la gente sólo tiene dos temas de conversación: la Bolsa y su césped.

De modo que ese día me lo tomaba libre y lo dedicaba por entero a leer, investigar e irle dando forma a mi ensayo. De hecho, ya había concluido el capítulo sobre Carmen Laforet y Dolores Serma y estaba trabajando en el segundo, el que protagonizaban Luis Martín-Santos y Luisa Forrellad. Y les advierto que la misteriosa autora de *Siempre en capilla* también tiene su historia. Pero eso, claro, ya se lo voy a contar en otra ocasión y en otro libro: si quieren oírlo, tendrán que comprar mi *Historia de un tiempo que nunca existió (La novela de la primera posguerra española)*.

Se habrán fijado en que Dolores Serma mencionaba, en uno de los últimos apuntes de sus memorias, un viaje a Inglaterra, que es el que hizo con motivo de la muerte de Wystan Nelson Bates, el famoso profesor Rooney de Carlos Lisvano. En las páginas verdes de la copia a máquina de *Óxido* hay una somera descripción de aquellos días. «Y entonces, en lugar de los billetes de avión que Wystan iba a mandarnos para que el niño y yo fuéramos a Gran Bretaña, llegó un telegrama de su hermana, escrito en un español muy básico, anunciándome su muerte. Viajé a Inglaterra para el funeral, ya que no podía llegar a tiempo para el entierro, y allí me contaron: había estado trabajando, de forma infatigable, en su casa de Southampton, acondicionándola para recibir a su hijo. Quería que todo estuviera perfecto, porque ése era el escenario de la verdad, como él lo llamaba, el sitio donde el muchacho iba a saber quién era. Parece que estuvo arreglando el tejado, bajo la lluvia, y que eso le produjo un enfriamiento; luego padeció una insuficiencia respiratoria... Los médicos dijeron que sus pulmones no estaban bien. Lo llevaron al hospital, contrajo una neumonía... Su hermana Sylvia puso dentro de su ataúd una bandera inglesa y otra de la República española. Yo mandé grabar en su tumba un verso de don Antonio Machado, "Una de las dos Españas"... El dinero que le dejó Wystan al chico irá a la cuenta que hace años abrí en el banco, a su nombre. Allí ingresé, también, lo que me dieron por la venta de la casa de la calle Colmenares. Para qué quiero tenerla cerrada en Valladolid, donde no viviré nunca más.»

Es lógico que Dolores no quisiese volver a su ciudad, donde ya no conservaba nada excepto malos recuerdos, pues la mercería y sus últimas tierras las había vendido poco después de la muerte de Marcial Serma, para comprar un piso en el centro de Madrid que, al correr los años, vendió su hijo por una pequeña fortuna.

En Valladolid, la autora de *Óxido* había conocido los horrores de la represión de la que, al parecer, habían tenido noticia todos los habitantes de la ciudad excepto el jefe de la Falange local, Dionisio Ridruejo, que como ya hemos visto no dedica una línea explícita de sus *Casi unas memorias* a los crímenes de sus camaradas, de quienes se despide cariñosamente, al dejar «para siempre la Falange vallisoletana», donde aún recuerda, veinticinco años más tarde, haber conocido «sabores —ásperos, sí, pero vigorizantes— gustados entre aquellas personas violentas y generosas, rudas pero leales por lo general, contradictorias casi siempre, pero que, de una manera un poco arcaica, habían añadido tantos datos a mi conocimiento de la condición humana».

La realidad no deja de ser paradójica: Dionisio Ridruejo murió siendo falangista, pero se ha hecho de él un modelo de honradez, un héroe de la resistencia antifranquista y un impulsor de nuestra democracia. Dolores Serma no lo fue nunca, y a pesar de ello su vida se consumió entre flechas rojas y camisas azules. Ella y su hermana Julia fueron víctimas del terror y él uno de sus ideólogos, por mucho que después intentara justificar sus actos por lo que llama «el clima» y «la situación» que le fueron dados.

La reputación de Ridruejo empezó a forjarse en julio de 1942, cuando le escribió a Franco una célebre carta en la que se queja, básicamente, de que su partido haya sido relegado, porque «los falangistas no ocupan resortes vitales del mando, pero, en cambio, los ocupan en buena proporción sus enemigos manifiestos y otros disfrazados de amigos, amén de una buena cantidad de reaccionarios y de ineptos». Es verdad que tuvo el valor de reprocharle al tirano el «fracaso del Gobierno en materia económica», que fomentaba el «triunfo del estraperlo y el hambre popular»; la «permanencia del Ejército como vigilante activo de la vida política» y la «arbitrariedad de la justicia, con agudización del encono rojo en extensas zonas del pueblo». Pero también lo es que su mayor reproche era el «olvido de la verdad fundacional falangista» que daba lugar a un «Movimiento inerme y sin programa», a que «la masa» estuviera «a expensas de los demagogos» y a que «el Régimen» se fuera a pique «como empresa, aunque se sostenga como tinglado».

Miles de españoles fueron asesinados por mucho menos que eso, pero Dionisio Ridruejo tuvo más suerte y mejores credenciales, de forma que fue castigado como se castiga a un compañero de viaje, con un pregonado destierro a Ronda, Málaga. Unos meses más tarde, se le concedió la Cruz Roja del Mérito Militar por los servicios prestados en la División Azul y en mayo de 1943 se le cambió el confinamiento a Cataluña, como él había solicitado. Ese mes publicó los libros *Fábula de la doncella y el río* y *Sonetos a la piedra*, a los que siguieron, entre 1944 y 1946, *Poesía en armas (Cuadernos de la campaña de Rusia)*, *En la soledad del tiempo*, el ensayo dramático *Don Juan* y una entregada *Ofrenda a José Antonio*. Las obras de los verdaderos exiliados, los escritores que, junto a medio millón de personas, salieron del país en 1939, estaban prohibidas. Por cierto, que ese título del 46, *Poesía en armas*, era la segunda vez que lo utilizaba: la primera fue en 1940, en un tomo de la editorial Jerarquía que luego fue reducido a la mínima expresión en su poesía completa, aparecida en 1961 bajo el epígrafe *Hasta la fecha*. El primer *Poesía en armas* incluía poemas «Al destino de España» y «Al Ebro»; siete sonetos a José Antonio, de los que sólo conservó tres; otros siete «A la victoria de España» y, en el colmo del cinismo, otro escrito «En la muerte de Antonio Machado» en el que le advierte del modo en que piensa manipularlo: «Hoy, cerrado el rencor en la alegría, / al cumplir el volumen de su gloria, / con un ala de fiel melancolía, / trae España tu muerte hacia su Historia / y hace hierro de amor tu poesía, / vengando de ti mismo tu memoria. ¿Se acuerdan de la «Apuesta sobre Antonio Machado» de D'Ors? ¿Y del intento de convertir al autor de las *Soledades* en católico seguro que hacía Aranguren en sus memorias? Pues ya saben de dónde y de quién venían. La versión original de *Poesía en armas* acababa con un soneto «A Franco» que, naturalmente, también desapareció en el futuro: «Padre de Paz en armas, tu bravura / ya en occidente extrema la sorpresa, / en levante dilata la hermosura, / al norte es muro y en el sur empresa, / mientras reclama toda su aventura / el pueblo que acompaña tu promesa».

En 1947, Ridruejo fue a Madrid y, una vez más por pura *casualidad*, fue recibido en audiencia por el dictador: «Había hecho, clandestinamente, un viaje a Madrid —escribe en *Casi unas memorias*— y allí, por azar, encontré a dos amigos míos que vivían en cotidiana proximidad con el Jefe del Estado. Hablamos y no tuve recato en exponerles lo que, de modo puramente teórico, pensaba que cabía hacer si se quería evitar a España mayores males, supuesto que una conmoción sangrienta fuera peor que lo que teníamos. Les pareció que mis ideas debían llegar a Franco y sin más me propusieron negociar una audiencia con él. La cosa era absurda, pues yo era un confinado y, en cierta medida, un opositor. Insistieron, y al final accedí».

Lo que le fue a pedir Ridruejo a Franco, que según cuenta en su autobiografía lo escuchó «con afabilidad e ironía», fue que disolviese la Falange «con honra y libertad» antes de que, tras la derrota del III Reich, pudiera ser «derribada por coacción exterior». También le quiso recordar que la formación creada por José Antonio Primo de Rivera tenía «una historia de honor que ha de ser respetada», por lo que no se podía «inventar una Falange democrática y aliadófila sin faltarle al respeto»; le sugirió la deriva del Régimen «hacia donde es posible, hacia una dictadura nacional de base popular extensa y apolítica», y le volvió a poner las pistolas encima de la mesa, dado que él y sus camaradas, «para acompañar al

Ejército en una crisis peligrosa, pediríamos otra vez el primer puesto». Nada raro, desde luego, en un tipo que había ido a la Unión Soviética a luchar por Hitler, una vez más en sintonía con un régimen cuyos periódicos orgánicos, como *Informaciones*, le pusieron estos titulares a la muerte del genocida: «Con la palmera del martirio, Dios entrega a Hitler el laurel de la victoria»; «Muere Adolfo Hitler por la libertad de Europa». Sobran los comentarios, ¿no les parece?

Dolores Serma tuvo el coraje de intentar conservar la dignidad en medio del espanto y de hacer compatibles el instinto de supervivencia y el sentido de la responsabilidad. Por eso se obligó a contar su historia, para impedir que el horror quedase impune. Su hazaña, como las de su amiga Carmen Laforet, Ana María Matute y tantas otras, tiene el mérito añadido de haberse realizado por encima de las convenciones que se le intentaban inculcar a las mujeres de la época, a través de la Sección Femenina, y que, como hemos visto, se basaban en convertirlas en simples amas de casa, el único lugar en el que una podía ser decente, encargarse de la familia y, si hacemos caso de las recomendaciones de la revista *Teresa*, hasta mantenerse en forma: «Una mujer que tenga que atender a las faenas domésticas con toda regularidad tiene ocasión de hacer tanta gimnasia como no lo hará nunca, verdaderamente, si trabajase fuera del hogar. Solamente la limpieza y abrillantado de los pavimentos constituye un ejemplo eficacísimo, y si se piensa en los movimientos que son necesarios para quitar el polvo de los sitios altos, limpiar los cristales o sacudir los trajes, se darán cuenta de que se realizan tantos movimientos de cultura física que, aun cuando no tienen como finalidad la estética del cuerpo, son igualmente eficacísimos precisamente para ese fin». *Medina*, otra de las revistas oficiales de la organización de Pilar Primo de Rivera, había ofrecido en noviembre de 1942 una tabla ilustrada para practicar «El deporte en la casa», en la que indicaban, al lado de cada dibujo aclaratorio, los beneficios de ese método gimnástico: limpiar los cristales proporciona «un busto bonito»; barrer «es un gran ejercicio para los brazos»; tanto planchar como darle cera al tablero de una mesa logra que «adquiera gran belleza el talle», que también consigue «soltura» al estirarse para quitar «esas telarañas tan altísimas que se forman en un rincón del pasillo»; sacarle brillo al suelo con unas gamuzas atadas a los pies ayuda a «conseguir unas piernas fuertes y bien formadas»; limpiar el polvo que se acumula sobre los armarios «da elasticidad al cuerpo» y proporciona «unos tobillos finos, si te empinas de vez en cuando»; finalmente, dar lustre a todos los metales de la casa es como hacer flexiones, «pues lo mismo estamos de rodillas que de pie», y accionar el pedal de una máquina de coser equivale a practicar el ciclismo. Sin duda, Dolores, Carmen, Ana María y las demás tuvieron mucho mérito.

Creo que no tengo más que decirles. Mi vida ha vuelto a su cauce y ya estoy de regreso en el instituto. Los días vuelven a ser, por lo general, morosos y banales, y aún me desesperan la mayoría de mis alumnos y ciertos profesores que gastan alma de funcionario, esa gente con la que, sin duda, comparto la materia prima de mi trabajo, pero sólo en el mismo sentido en que lo hacen un veterinario y un taxidermista. Pero, aunque ahora tenga que trabajar también los viernes hasta el final de la jornada y dar más horas de clase, me encuentro mucho mejor sin ser jefe de estudios. Bárbara Arriaga lo hace muy bien y, de momento, no ha tomado represalias, lo cual he interpretado como una ofensa: sólo quiere aparentar que es mejor persona que yo, pero no la creo. Estoy seguro de que para sacarle de dentro todo el rencor que debe de sentir hacia mí harían falta dos camiones de mudanzas.

En cuanto a Julián, el conserje, sigue saludándome cada mañana como si en lugar de darme la mano intentara hacerme una llave de yudo, me vigila desde su garita con ojos de perro de caza y me cuenta sus sorprendentes aventuras de comedor nocturno, pero jamás ha vuelto a llevarme un café: ahora se lo sube a Bárbara Arriaga.

Todos los días desayuno y como en el Montevideo, y mientras le doy un vistazo a los periódicos o a cualquier libro, Marconi y yo nos dedicamos a fortalecer esa bonita amistad nuestra que consiste en no dirigirnos apenas la palabra. Mi botella personal de Château Cantemerle nunca falta y la única novedad es que los lunes, que es el día en que el Deméter cierra, me acompaña Virginia. No digo que todo haya vuelto a ser lo que era en el pasado, porque las cosas rotas se arreglan pero no se resucitan, aunque vamos a esperar a ver qué ocurre y a disfrutar mientras lo hacemos. «El placer da lo que la sabiduría promete», dice Voltaire, y yo estoy de acuerdo con él. Estas Navidades tendré que comprarle también a ella alguna cosa. Qué remedio.

A Natalia Escartín, como los dos sabíamos, no la he vuelto a ver tras el verano, pero a veces nos escribimos correos electrónicos, más bien formales, en los que cada uno se interesa por los asuntos del otro y siempre se acaba por deslizar alguna frase de reconocimiento y una promesa de encontrarnos. No le he dicho nada sobre este libro y cuando me pregunta qué tal el trabajo, le contesto como si sólo siguiera con mi *Historia de un tiempo que nunca existió* y con las clases del instituto. Cuando esta novela llegue a las librerías y su marido me denuncie, supongo que ese contacto se interrumpirá. ¿O no?

Por ahora, he conocido a una chica llamada Isabel que me gusta mucho: tiene una boca tropical, unos ojos candentes y una hipnótica melena negra que me dejó trastornado desde que la vi. Es tan bonita que cuando estás con ella parpadear parece un despilfarro. Trabaja como profesora de Filología Inglesa en la Universidad y es madre de uno de mis alumnos, un muchacho a quien le costaría grandes esfuerzos distinguir un poema de Góngora de unas tijeras de podar, pero al que ella considera muy sensible y con evidentes dotes para la literatura. Como actualmente se dedica a explicarle a sus alumnos la obra de las hermanas Brontë y yo le he hablado de mis conferencias de Dresde y Nuremberg sobre la loca de *Jane Eyre* y las de Mary Wollstonecraft, Florence Nightingale, Carmen de Icaza o Charlotte Perkins Gilman, mañana hemos quedado en la cafetería del hotel Miguel Ángel, para acercar posturas. Además, le he pedido a mi amigo Gordon McNeer que nos invite a los dos al próximo congreso SAMLA, que esta vez va a hacerse en Baltimore, Maryland, o al de la Modern Language Association (MLA) que se celebra en Nueva Orleans, a finales de diciembre, para que podamos conocernos mejor. Yo pienso exponer allí mi estudio sobre Luis Martín-Santos y Luisa Forrellad.

De Dolores Serma he sabido, a través de Natalia, que su salud es cada vez peor, ya casi terminal, y que no puede esperarse que viva demasiado. Cuando me escribió eso, le pedí un favor: ¿me dejaría ir a la residencia donde está internada, sólo una vez y durante cinco minutos, para dejarle un obsequio? Quizá pudiéramos ir juntos. Naturalmente, lo que quiero poner en sus manos es el primer ejemplar de esta novela que llegue a las mías. La doctora Escartín aún no me ha contestado.

Les dejo. Mi madre me llama para cenar y supongo que hoy la sobremesa será larga, porque sin duda va a hablarme de los otros diecinueve capítulos de este libro, que ha insistido en leer. Por lo tanto, me espera otra de nuestras discusiones intelectuales, de esas en las que, por emplear un par de expresiones muy suyas, cada uno se mantendrá en sus trece y todo acabará como el rosario de la aurora. Pero es lo mismo, al final la querré igual que siempre y por encima de nuestras discrepancias, que son, casi todas, insalvables. No se puede acusar a alguien de haber sido engañado.

Y ahora ya sí que me tengo que ir. Ha sido un placer hablar con ustedes. Les doy las gracias por seguirme hasta estas últimas líneas y espero que nos volvamos a encontrar en alguna otra ocasión.

Por cierto, me llamo Juan. Juan Urbano, para servirles. Con tanto jaleo, casi se me olvidaba decírselo.

Para María Jesús y María Ángeles, porque fuera de las novelas también hay hermanas así.